JN278351

Tested Advertising Methods

ザ・コピーライティング

心の琴線にふれる言葉の法則

ジョン・ケープルズ【著】
神田昌典【監訳】
齋藤慎子＋依田卓巳【訳】

ダイヤモンド社

Tested Advertising Methods, Fifth Edition
by John Caples
Revised by Fred E. Hahn

©1997 by Prentice Hall
All rights reserved. No part of this book may be reproduced or
transmitted in any means, electronic or mechanical, including
photocopying, recording or by any information storage retrieval system,
without permission from Pearson Education, Inc.

Japanese translation rights arranged with Pearson Education, Inc.,
publishing as Family Education Network through Japan UNI Agency, Inc.,
Tokyo

監訳者はじめに――神田昌典
ネット時代における、広告の真実

いまから12年前のこと――毎晩、むさぼるように本書を読んでいた。
ベッドのなかで眠気に意識を失うまで、手放さなかった。目覚めても、開かれたままのページに舞い戻った。
それだけ本書に没頭したのは、当然だった。飛び込んでくる言葉は、通常の、気の利いた言葉ではない。１語１語が、収益を生むことが科学的に検証された言葉だという。計画数値の必達にあえぐ、外資系企業の代表者であった当時の私にとってみれば、魔法のような本だった。
「言葉が富を生む」なんてことは、ありえないように思えた。MBA（経営学修士）課程では、マーケティングやマネジメントといった活動が利益を生むことは学んだが、単に言葉の選択で収益が何倍もの違いを生むなんていうことは、聞いたこともなかった。
「こんなことはアメリカだからうまくいくことで、日本ではきっとうまくいかない……」
そんな疑念を持ちながらも、私の期待は夜ごとに高まった。そして衝動を抑えることができず、日本での実践を開始した。

結果、どれだけの効果があったのか？　いまだから、告白しよう。
それから２年が経ち、独立した私は、経営者および起業家を対象としたエクゼクティブ・コーチングを始めた。そのときに配布した案内資料の見出しは……

現在2956社が、この方法を実践しています。
「こんなうまい話はあるはずがない」と、ライバル会社は
笑っていました。しかし売上が本当にアップし始めたとき……

まさに著者のジョン・ケープルズが、いまから83年前に生み出した伝説のコピーだ。

このエクゼクティブ・コーチングに参加したクライアント数は、５年間で１万人超。日本におけるダイレクトレスポンス・マーケティング分野における最大組織となって、大成功する企業家やベストセラー作家を続々と生み出した。自社の売上にして30億円。クライアントが生み出した売上を考えれば、おそらく500億円は下るまい。

この実績を残すことができたのは、私に特別な能力や才能があったわけではない。すべてはケープルズが70年以上も前に実践・検証していたことである。私のマーケッターとしての実績の大半は、本書に書かれている言葉（コピー）を自分なりに工夫することで、得られたのだ。

いま、改めて読み返してみても、本書は宝の山だ。

いや、いまだからこそ、さらに価値が高まっていると言えるだろう。

なぜなら、本書に挙げられているコピーは、**インターネットが普及した環境で、より効果的に使える**からである。

いまから10年前、広告と言えば、ブランド認知度を向上させることを目的とした「イメージ広告」が主流だった。いまは、検索エンジンへと誘導するテレビ広告が多くなっていることからもわかるように、多くの企業が、広告の売上に対する反応を、顧客からの問合せ・資料請求数等の具体的数値で把握するようになっている。これを「レスポンス広告」と呼ぶが、ケープルズが半世紀のキャリアを通じて検証したのは、まさにこのレスポンス広告で効果を挙げるコピーだ。

私も多大な恩恵を授かったように、彼が生み出したコピーは、年代・国籍を問わず、顧客からの反応を――ときには熱狂を――引き出す。本書を手にしているあなたは、この広告の巨人が残した秘宝を、インターネット時代において、掘り起こすカギを握っているのだ。

また数十年間もの環境変化に風化せず、顧客を動かし続ける言葉に触れることは、単純に売上を上げることではなく、**人間の本質的なあり方**を学ぶことに他ならない。その意味で、ケープルズの科学的に実証された広告コピーをまとめた本書は、マーケッターのみならず、顧客を真に理解しようとする、すべての経営者、経営幹部にとって必読であろう。

本書に掲載されているコピーのほとんどは——アメリカのテレビ通販をそのまま吹き替えしたものが、日本でも売れるのと同様に——顧客対象に応じて若干ニュアンスを変えるだけで、日本語でも高い反応を挙げる。

ただ私の経験から言えば、その結果は、肯定的なことばかりではない。クライアントたちと実践してきて感じるのは、アメリカ流のコピーは、確かに短期的に売上を上げる。しかし、それは劇薬であって、ときに副作用をともなうことがある。

結論から言えば、広告表現自体が敵を作ってしまったり、誰かを傷つけてしまったりする場合には、長期的にはうまくいかない。想定できない副作用をともなうことがあるので、よほどの覚悟がない人以外は、やめたほうがいいというのが、私のアドバイスだ。

事例を挙げよう。

「警告」（→241ページ）、「○○は買わないでください」（→136ページ）といった見出し表現がある。私は直観的にピンときて、自社そしてクライアント先で、こうした表現を使った広告を出し始めた。1998年——ちょうど日本経済がどん底の不況を経験していた頃の話だ。

結果は、ビンゴ！　顧客が行列し、キャンセル待ちが並ぶ会社が何社も生まれた。

先ほどの見出しのあとには、結局、ライバル商品の購入を検討している見込み客を、自社商品を検討するように働きかける趣旨の文章が続くのだが、そういった広告を出すと、豪華ショールームも豪華パンフレットもいらずに、怖いほど顧客が集められたのだ。

当時は、不況だとは言いながら、多くの業界で価格が高値で安定。バブル後遺症で、顧客を軽視する体質から抜け出せない企業も多かった。こうした停滞感に対する反発もあったのだろう。挑発的な広告表現を使うゲリラ企業は、消費者の味方となって急成長。停滞した業界を大いに刺激し、革新していく原動力になっていった。

だが……、それは劇薬だったのだ。劇薬は、やめるときを知らなければならない。

こうした会社は、当初は小回りが利くために、顧客の支持を集めるのだが、その後売上拡大の結果、組織・品質管理体制を整えなければならない。社員数が増え、顧客の顔が見えなくなってくる。それまでは当たり前だった親身のサービスを提供できなくなる。

規模が急拡大すると、意図せずとも会社の実態が変わってきてしまう。すると、広告で書かれていることと実際にやっていることの間に齟齬が生まれてしまう。顧客は事実との間に一貫性がないメッセージには、恐ろしく敏感。裏切られたと思ったとき、琴線に触れる言葉を使っていたゆえに、しっぺ返しもきつい。

このように下り坂になってきたときに、敵を持つものの立場は突然、頂点から深い谷間に落ちる。まったく科学的な根拠はないが、因果応報としか思えないような不運や障害が相次ぐことを、私は幾度となく目撃してきた。

実体験から得たこのレッスンは、ネット上でレスポンス広告が当たり前になっているいまだからこそ重要だ。人々が不快に思うメッセージは、反応が取れようと、流してはならない。なぜなら、言葉に顧客の心を動かすほどの影響力があるなら、その言葉は、顧客対象以外の大多数の人々にも影響を与えるからだ。

たとえば、ネット上で毎日のように送りつけられる迷惑広告。新聞・テレビ等の広告審査でははじかれる言葉が無制限に使われ、子どもの目に絶えず触れるようになってしまっている。迷惑広告で使われる表現を、自社とは無関係と言い切ることはできるだろうか？　私たちは売上を上げるためだけに、**コンマ数％の人に反応してもらうために、99％超の人々に不快な思いをさせていないだろうか？**　広告メッセージは、顧客対象に向けたメッセージではなく、その何百倍もの人々の目に触れるメッセージなのだ。

ケープルズが生きた時代と違うのは、メッセージを発信できる媒体が自由に、そして無料になったということである。歴史上初めてのことであり、それゆえに、私たちはまだ、この新しい時代にうまく対応できているとは言えない。

本書の読者は、言葉の力を知ることになるからこそ、その力を何のために使うのかを、読む前に、そして読んだあとに自問してほしい。そして、その答えは、まさにケープルズが、本書の最後に引用した言葉――「**広告とは、**

教育である」——から読み取れる。

広告を打つということは、数万人に言葉を発する教師であると自覚したとき、読者は自社のために売上を上げながらも、よりよい社会の礎となる言葉を、選択することになるだろう。そのとき、おそらくレスポンス広告は、新しい時代における真の役割を見出すだろうし、その言葉がきっかけとなり、私たちの意識を大きく変容させることになるに違いない。

現実は、どんな言葉を選択するかで、創られる。

言葉の力を知った者は、創造者としての責任も同時に負うのである。

なお、本書の日本語版では、英語特有の広告表現もあえてすべて訳した。英語でしかわからないと思われがちな文章のなかに、半世紀以上読み継がれ、いまの時代にも十二分に通じるコピーライティングの息吹を感じてほしい。

2008年8月

神田昌典

改編者まえがき

ジョン・ケープルズの『Tested Advertising Methods（テストされた広告法）』（殖栗文夫訳、実業之日本社刊、その後『効果のわかる広告法』と改題）の改定新版を出さないかと声をかけられたとき、私は、もしケープルズならそうするに違いない、と思うことをまずした。

返答する前に、その本を読んでみたのだ。これがまったく驚くべき体験だった。天才の名がピッタリのコピーライターが書いた本でありながら、その内容を何と私はすべて知り尽くしていたからだ！

だがその陶酔はすぐに収まり、真相が理解できた。ケープルズが本に書いたことを私が全部知っているのも当然なのだ。私は結局、ケープルズから学んでいたのだから。ケープルズは、自分が苦労して蓄積してきた知識を、学ぶ意欲のあるすべての人に惜しげもなく教えた。次にその人たちが書いた本や記事、セミナーや話を通じて、私はこの35年間学んできた。そういうことだったのだ。私自身がコピーライターとして成功できた大半は、ここが原点だったということだ。ずいぶん遅ればせながら、ケープルズに感謝しなければ。この第５版で私からの謝意を表したい。

ジョン・ケープルズがアメリカでも屈指のコピーライターになれたのは、生まれつきの才能もさることながら、強い意志で、うまくいく広告といかない広告があるのはなぜなのかを突き止めようとしたからだ。

ケープルズはその３ステップ方式で、広告をクリエイティブかつ効果的なものにすることを目指し、それまでのコピーの書き方、デザインの仕方、テストの仕方を大きく変えた。この３ステップ方式は、ケープルズ自身の手でその長い現役生活の間に改良が加えられ、数多くの記事や本、特に、４度にわたって改訂された『効果のわかる広告法』で発表されてきた。その第５版がこうして引き続き出版されるのは大変喜ばしいことだ。

ケープルズの３ステップ方式——広告作り

1 ●**見込み客の注意を引く**。広告、ダイレクトメール、コマーシャルのなかの何らかの要素でまず見込み客を立ち止まらせ、こちらがこれから言うことに注目させなければ何も始まらない。

2 ●**見込み客の関心を保つ**。広告、ダイレクトメール、コマーシャルの焦点は常に、見込み客にとっての関心、つまり、その商品やサービスを使うとどんな得があるのか、という点からぶれないようにすること。

3 ●**見込み客にこちらの望む行動を起こしてもらう**。相当数の「見込み客」が「買ってくれるお客様」になってくれなければ、どんなにクリエイティブでもその広告は失敗だ。だからこそ、注意･関心･行動で終わらずに、引き続いてテストを行うのだ。

ケープルズの３ステップ方式——広告テスト

1 ●広告で何が１番効果的か、ということを判断していいのは、客観的、ケープルズによれば「**科学的**」にテストをしてからだ。

2 ●テストしてわかったことすべてをベースに、より強力な仕組みを作り上げ、新しい企画を立てるたびにそれをよりどころにする（いくら飲込みが悪い人でも、同じことを最初からやるのは２度まででいい）。

3 ●どの広告も、前に気づいたことを引き続きテストする場だと考える。何かを新しく変えたら効果が上がった、あるいは、いままでの広告では効果がなくなってしまったなら、自分が「知っている」つもりだったことが間違っていたのだ。素直に認めること。もちろん、ただ認めるだけじゃダメだ。理由を突き止めて次回に役立てること。

つまり、ケープルズが教えてくれたやり方で言うと、こうなる。

◆すべての広告に、それぞれの効果が正確にわかる（数値化できる）手段を入れること。

◆ただ入れればいいってもんじゃない。きちんと手間暇かけてその結果から学び取ること！

◆学び取ったことをベースにして、次に、同様の商品やサービスのコピーを書いたり企画したりすること。

もっと言い換えれば、LALALAL …（Learn/Adapt/Learn/Adaptの繰り返し）ルール、つまり、学び取って改善する、学び取って改善する、学び取って改善する、をずっと繰り返すのだ。

「科学的」広告について

ジョン・ケープルズが長い人生をかけて学び、他の誰よりもよく把握していたのが、「科学的」にテストすることで広告の効果を上げる方法だ。ありがたいことに、把握しただけでなく、その内容をみんなに教えてくれている。

ダイレクトメール革命……一般向け通販の雑誌広告は、ケープルズが活躍して有名になった分野だが、**ここ50年間でほとんど変わっていない**。

現在、この手法で販売されている商品はおもに、コレクターズアイテム、衣類、美容・健康関連商品、自己啓発本、音楽・映像ソフト、それに、電子製品なら何でもある。新聞や雑誌でも通販の広告を掲載しているところはいろいろあるが、このタイプの広告に特化しているところは比較的少ない。とは言え、専門にしているところ（たとえば、『パレード』（新聞折込）、『TVガイド』『リーダーズ・ダイジェスト』など）は、アメリカでも最大級の発行部数だ。

一方、変わったことと言えば、「通販」や「ダイレクトメール」が、「データに基づいたダイレクトレスポンス・マーケティング」（訳注・郵便、電話、FAX、来店など、測定可能なあらゆる形で消費者から直接レスポンスを得るようにするマーケティング手法）へと形を変えたことで、これはここ20年間で、非軍事産業としてはコンピュータ産業に次いで最も急成長してきた分野だ。新聞や雑誌に広告を出している企業の多くが、いまだにジョン・ケープルズの科学的広告の法則に知らんぷりをしているが、データに基づいて広告するところは急速に増えていて、ケープルズの教えを頼りに実践している。

1970年代頃から、ダイレクトレスポンス・マーケティングは急増してきた。ほとんどすべての大手「一般」広告代理店が、おもにクライアントからの要望で、ダイレクトレスポンス広告の部署を社内に設けたし、もっと小規模のダイレクトレスポンス専門の広告代理店や、社内のダイレクトレスポンス宣伝部、それに、個人で広告制作する人まで入れると、いまや大変な数になる。この「科学的広告」革命は、ケープルズが想像したとおりではなかったかもしれない。それでも、その成果については何もかも想像どおり……いや、それ以上のはずだ！

この第５版には、ケープルズの基本的なテクニックや法則から外れたものは一切ない。そうしたテクニックや法則はいまでも通用し、ケープルズが初めて発表したときと変わらない。同じことが、各章末の引用に見られる鋭い見識にも言える。**この引用はケープルズ自身が選んだもので、私は一切手を加えていない**。他の箇所は、次のようにいくらか加筆、変更したところもあり、それによってこの本が現代でもいっそう役立つものになったと思う。

この版で変えたこと

◆**応用範囲がより広く**……ケープルズが提唱したことのほとんどは、大手代理店を想定している。しかし、その鋭い指摘は、もっと**小規模な広告部門や個人にも同じように応用できる**はずだ。そういう場合は、特に注釈を入れずに加筆した。

◆**実例が多彩に**……1990年代の優れた新聞広告や雑誌広告の他、この第5版には、テスト済みの最新のダイレクトメールやマルチメディア・キャンペーンも入れ、ケープルズの「科学的」アプローチが**どんな広告にも効き目がある実例**を挙げた。

◆**業界用語を説明**……ケープルズがこの本を書いたのは、広告を職業とする人たちにこの科学的アプローチを説くのが目的だった。だから、この業界の専門用語を特に説明もなく使っている。この第5版では、広告初心者にもわかりやすいように、業界用語が初出の際はすぐその場で説明している。

◆**事例を現代事情に**……数多くの事例を最新のものにしたり、他のものに置き換えたりしている。たとえば、女性はみんな「主婦」とか、オイル交換が3.20ドルとかいったことは、現在ではありえないからだ。

◆**「歴史上最もよく知られた広告の裏にいた男の裏話」を追加**……ゴードン・ホワイト（ケープルズについて本を書いた友人で、広告代理店BBDO社の元同僚）が、米国海軍士官学校出身のケープルズがわずか1年後にアメリカで最も有名なコピーライターになったいきさつを語ってくれている。

科学的広告の現在位置

ジョン・ケープルズが半世紀にわたって提唱し、実践してきた「科学的」広告への取組みは、これまでにも広く受け入れられてきた。それでも、他のすべての技術や科学分野と同じで、新たに広告に携わる人たち全員に繰り返し伝えていかなければならない。

この第5版に序文を寄せてくれたゴードン・ホワイトの次の言葉がしめく

くりにピッタリだ。

「『効果のわかる広告法』は非常にわかりやすく、必要なことがすべて書かれていて、すぐに実践できる。**もし宇宙人が地球にやってきてこの本を読んだとしたら、すばらしい広告を作ることができるだろう。つまり、我々にできないはずがない**、ということだ」

1996年11月15日

フレッド・E・ハーン

「広告の父」デビッド・オグルヴィによる第4版へのまえがき

この本のなかでジョン・ケープルズが、「ある広告が、他の広告の19.5倍の売上をもたらしたケースを知っている」と書いている。

この一節が、効く広告と効き目のない広告の差のバカでかさを浮き彫りにしている。効く広告を作る確率を上げることは可能だ。この本を読み、書かれている内容を頭に叩き込めばいいのだ。

私はこの1つ前の第3版で学んで、コピーを書くことについていま持っている知識のほとんどを身につけた。たとえば次のようなことだ。

1 ● 成功（最大限の費用対効果）へのカギは、広告のあらゆる要素を絶えずテストすることにある。

2 ● どう言うかより、**何を言うか**のほうが重要。

3 ● ほとんどの広告では、**見出しが1番重要**。

4 ● １番効果的な見出しは、相手の「**得になる**」とアピールするか、「**新情報**」を伝えるもの。

5 ● 中身のない短い見出しより、**何かをきちんと伝えている長い見出し**のほうが効果的。

6 ● 一般的な内容より、**具体的な内容**のほうが信用される。

7 ● 短いコピーより、**長いコピー**のほうが説得力がある。

この他にもいろいろあるが、そのすべては、通販広告のコピーライターとして長年活躍したジョン・ケープルズが、そのすばらしいキャリアを通じて発見してきたことだ。ケープルズが書いた広告はすべて、その効果を測定することができた。

普通のメーカーの場合は、複雑な流通システムが間に入っているためにこうはいかない。マーケティング・ミックス（訳注・様々な媒体を組み合わせること）で生じる他の様々な要素を切り離して、各広告だけの効果を取り出すことができない。いわば、計器なしで飛行させられるようなものである。

それでも、私の長年の経験から自信を持って言えるのだが、通販広告で効果をもたらす要素は、**他のどんな広告でも同じように効果を挙げる**。ところが、広告代理店の大半の人も、その代理店を使うクライアントのほとんども、それがどういう要素なのか聞いたことすらない。だから、どうしようもなくすべるのだ。的外れな才能の見た目のよさにまやかされて。効果のない広告に大金をムダ遣いしている。効く広告を作っていれば、19.5倍もの売上があったかもしれないのに。

ジョン・ケープルズは、私が広告業界で出会ったただ１人の海軍士官学校出身者だ。コピーライターになる前は、ニューヨーク電話会社でエンジニアとして働いたこともある。この両方の経験が下地となって、分析的手法を用い、あのように有能な広告マンになったのである。ケープルズは推測しない。**扱うのは事実だけだ。**

「私がピアノの前に座るとみんなが笑いました。
でも弾き始めると――！」

ケープルズのこの広告は広告界に新たな流れを作った。この手法がいまでも広く使われていることは、この第5版への序文の最後にある広告例（→19ページ）や、この第5版に載っている他のほぼすべての広告例やダイレクトメール・パッケージを見ればわかる。

ケープルズの手法は経験に基づいていて実践的だ。一方、クリエイティブ面でも優秀で、すばらしいコピーを数多く書いている。よく知られた広告を集めた広告事例集なら必ず載っているのが、あの代表作、米国音楽学校の広告で、その有名な見出しはこうだ（→前ページ）。

「私がピアノの前に座るとみんなが笑いました。でも弾き始めると――！」

つまり、ジョン・ケープルズは希有な才能の持ち主なのだ。粘り強く広告を分析して教えてくれるだけでなく、一流のコピーライター、それも、かつてないほど効果的なコピーを書くコピーライターでもある。

ケープルズ以外のすばらしいコピーライター（レイモンド・ルビカム、クロード・ホプキンス、ロッサー・リーブス、ハリー・シャーマン、アート・カドナーなど）の多くは、コピーを書くという大変骨の折れる仕事から離れて、管理する側になった。

ジョン・ケープルズは違う。何と**49年間も、コピーライターの仕事に専念**してきたのである。だからこそ、類のない一連の知識を蓄積してこれた。

この本は間違いなく、いままでで**１番役に立つ広告の本**である。

デビッド・オグルヴィ
オグルヴィ＆メイザー・インターナショナル会長

（訳注・1911-1999。「広告の父」「広告王」とも称される米国の広告エグゼクティブ、オグルヴィ＆メイザー創設者）

第５版への序文
歴史上最も有名な広告の裏にいた男の裏話

大恐慌前の「狂騒の1920年代」半ば、西暦と同じ25歳で、ニューヨーク市在住のある内気な青年が、広告の歴史を変えようとしていた。よりによってあの名門海軍士官学校を卒業して間もないこの青年は、新人コピーライターのある適性テストで、タイプライターを前にこんな見出しを書いた。

「私がピアノの前に座るとみんなが笑いました。でも弾き始めると――！」

シングルスペースのコピーがタイプ原稿で４ページこのあとに続く。書いた本人の気づかないところで、新しい歴史が生まれつつあった。

この若きコピーライターの名は、ジョン・ケープルズ。ニューヨークのマンハッタン生まれで、父親は医者、母親も大変教養のある女性だった。

18歳のとき、ケープルズは米国海軍の予備兵としてコロンビア大学に入学するが、まもなく中退。その１年後に２等水兵として海軍に入隊、しかも驚くべき目標を持っていた。勉学に励み、しっかり準備して、あの超難関のアナポリス海軍士官学校の試験を受けるつもりだったのだ。そんなわけで、海軍エリートを目指して切磋琢磨して授業に出席、難なく試験に合格して米国海軍士官学校に入学する。1924年兵（24期生）だった。

ここでは工学が必修科目で、ケープルズはよい成績を修める。それだけでなく、校内誌「アナポリス・ログ（アナポリス航海日誌）」に何篇か詩を投稿し、やがて副編集長を務めるようになった。

当時は第１次世界大戦後で、この1990年代と同じように、海軍は人員削減を行っていた。ケープルズもその対象となり、海軍士官になる夢はあきらめて、電気工学の学士号を取るために勉強することにする。この学位のおかげで、ニューヨーク電話会社に採用されるのだが、入ってすぐに実に退屈な仕事だと思ったという。

助け船となったのが、職業指導カウンセラーのはしりだった、キャサリン・ブラックフォード博士だった。博士のアドバイスを受けるため、当時としてはかなりの金額である25ドルを、しかも前払いして１か月待ったあと、面談のうえ、診断レポートを受け取った。

タイプ打ちで全５ページのこの診断レポートのなかで、博士は、ケープルズのいまの仕事の将来性についてネガティブな要因をいろいろと指摘していた。ところが最後に、次のようなごく短いアドバイスがあったのだ。

「書く方面で自分をもっと磨きたい、というお考えには反対しません」

ケープルズはこのアドバイスに従う。そして、コピーライターのほうが、子どもの頃の夢だった新聞記者よりも稼げると考えて、コロンビア大学の夜間コースで広告の基礎とコピーライティング講座を取る。特に、このコピーライティング講座が非常に役立った。この授業でケープルズが制作した広告サンプルが、大手通販代理店のチーフコピーライターに気に入られたのである。週給25ドルで働かないかと誘われ、技師としての稼ぎよりも６ドル安かったが、その提示に飛びついたのだ！

それが、1925年の秋のことだった。当時、新聞や雑誌には通販の広告がさかんに掲載されていた。20世紀に入ってからもずっとそういう状態だった。当時の通販で売れている様々なもののなかでも主力だったのが、いまでもそうだが、「自分を磨くもの」で、通信講座がよく売れていた。通信講座で教養を高める、語学を学ぶ、記憶力をよくする、ダンスを習う、スタイルをよくする、管理スキルを学ぶ、礼儀作法を身につける、そしてもちろん、ピアノを習うことだってできた。

ケープルズはこの新しい仕事が気に入り、どんどん仕事を覚えていった。自分の書いたものが初めて掲載されたのは、1925年10月３日の、アーサー・マレー・ダンススタジオの広告だった。見出しはこうだ。

「私がフォーパ（ドジ）を踏んでいかに人気者になったか」

初期に担当したこうした広告とその成果から、ケープルズは次の２つのことを学んだ。**人は人気者になりたくて仕方がない、しかも手っ取り早く簡単**

にそうなれる方法をいつも求めている、ということだ。

まもなく、あの米国音楽学校の通信講座のコピーを担当することになる。

このコピーはタイプ原稿で４ページに及んだ。しかもシングルスペースでだ。とは言え、人々の心をとらえたのはその見出しだった。

「私がピアノの前に座るとみんなが笑いました。でも弾き始めると――！」

この見出しはたちまち、アメリカ人なら誰でも知っているお決まりのセリフとなる。コメディアンたちはこれをネタに、「私がピアノの前に座るとみんなが笑いました。誰かが椅子を持ってっちゃったんです」などと言って、バカ受けした。新聞のコラムニストたちはこれを風刺する記事を書いた。他のコピーライターたちはこの見出しを「無断拝借」し、マネし、言い方を変えて使った。

「私がピアノの前に……」は広告としても大成功だった。１か月もしないうちに、ケープルズはこの大当たり見出しに手を入れて、フランス語の通信講座の広告に使った。

「私がウェイターにフランス語で話しかけられると、みんなニヤニヤして見ていました。でも返事をすると、今度はあっけにとられたのです」

というのがその見出しだ。これももちろん広告として成功、人気も博した。

こうしてたちまち、通販のコピーライターとして業界に知られるようになったが、ケープルズはもっと高級感のある仕事にあこがれるようになる。のちにこう語っている。

「その日が来るのを待ち望んでいたよ。自分の書いた広告が『ハーパーズ・マンスリー』『アトランティック』『サタデー・イブニング・ポスト』などの雑誌に掲載される日をね。『フィジカル・カルチャー』みたいな健康雑誌じゃなくてね」

そして1927年、ケープルズはBBDOという広告代理店に入社する。ここではゆうに50年を超えて仕事をすることになる。中断したのは第２次世界大戦中に海軍に戻った時期だけだ。ケープルズは通販広告の仕事を通じて、コピーをテストすることを学んでいた。他にもいろいろなテスト手法を開拓するようになり、その後、自分が気づいたことを記事や本に書いて発表した。『効果のわかる広告法』もその１つで、広告コピーの基本図書としていまでも最も優れた本だと教師兼文筆家の私は思っている。

ケープルズはBBDOの同僚で、そこでは20年間仲よくしてもらった。私がBBDOを辞めてイリノイ大学で教鞭を取るようになってからも友人づきあいはさらに20年続いた。私が博士論文のテーマにケープルズを選び、特にその論文がのちに一般向けの本として（脚注をすべて除いて）出版された（訳注·『John Caples : ADMAN』Craine Books, 1979）ときは、愉快そうだった。私にとっては光栄なことである。ここまで書いたことのほとんどは、この長いつきあいで交わした会話や出来事からのものだ。

さてしめくくりは、あの輝かしい1925年、医者のケープルズ先生のところの若息子が、広告業界を唸らせた年に話を戻そう。

その年のクリスマス、ケープルズは自分の書いた広告の校正刷りファイルを得意げに家に持ち帰った。母親に見せようと思ったのだ。母親の反応は、ケープルズが期待していたものとはまったく違った。こんなふうに訊いてきたのだ。

「通信教育で本当にピアノが弾けるようになるの？　この本を読めば本当に魅力的な人になれるの？」

のちにケープルズがそのときの思い出を語ってくれた。

「母は私が書いた見出しを声に出して読んでね、その声がどんどん心配そうになっていくんだ」

「肥満男性へ。この新しい減量ベルトをお試しください」

「ひと晩で負け犬を卒業しました！」

「60日前までは私が『ハゲ』と呼ばれていました！」

「そしてファイルを閉じて私に返すと、こうだよ。『お父さんには見せないほうがいいわ』だって」

60年経っても新しく、いまも効果大

ジョン・ケープルズがこの１人称コピーの訴求を広めて60年経つが、いまもすばらしい成果を挙げている。もちろん、見出しのおかげだけではない。小見出しで「無料」「50%お得」と謳い、「ご自分の目でお確かめください」のところではもっと大きく「無料」として、「各種カーペット見本帳」（各種あることに注目）を提供している。フリーダイヤルの電話番号も大きく扱い、クーポンを切り取ったあとも番号がわかるように工夫されている。なるほど、この広告でリードジェネレーション（訳注・新規見込み客データの創出）が前年比26%増、しかもコンバージョンレート（訳注・購買につながった率）もずっと高かったわけだ。ケープルズも、コピーライターの天国からにっこりして見ているに違いない。

　ケープルズはにやりとして笑って最後にこう言った。
「産みの母に才能を認めてもらえないとは、まさにこのことだよ」

（訳注・『マルコ福音書』6章4節、「預言者が敬われないのは、自分の故郷、親族、家族の間だけである」より）

ゴードン・ホワイト
イリノイ大学名誉教授

ジョン・ケープルズ・インターナショナル賞

アンディ・エマーソン（エマーソン・マーケティング・エージェンシー社長）が1978年に「ケープルズ賞」を設立。ジョン・ケープルズの功績を称え、裏方のクリエイティブスタッフたちにスポットライトを当てるのが同賞の目的だ。現在、参加者および受賞者は世界30か国にわたる（→258ページに、1994年の受賞広告を掲載）。

『ザ・コピーライティング――心の琴線にふれる言葉の法則』◆目次

［第２章］

広告は見出しが命

[第3章]

どんな見出しが1番注目されるか

[第４章]

効く見出しはこう書く

[第５章]

35の見出しの型——効果は検証済み

[第6章]

どんぴしゃりの訴求ポイントを見つけるには？

[第7章]

「テスト済み広告」と「テストしない広告」

[第８章]

熱意を込めてコピーを書く方法

[第９章]

コピーの出だしはこう書く

［第10章］

効くコピーはこう書く

［第11章］

コピーの売込み効果を高める20の方法

[第12章]

誰もがぶつかる問題を避ける方法

［第13章］

こうすればもっと問合せが増える32の方法

[第14章]

最大数のお客にアピールする方法

[第15章]

どんなレイアウトとビジュアルが1番注目されるか

[第16章]

小スペース広告で利益を上げる方法

[第17章]

頭の体操10問――成功した見出しはどっち?

［第18章］

広告をテストする17の方法

第１章
これが新しい広告戦略だ

広告を研究するうえでなかなかわかりにくいのは、実際のところどうなのか、という次のような事実を知ることだ。

◆どんな見出しが１番たくさんの人を引きつけるか？
◆どんなビジュアルが１番注目を集めるか？
◆どんな訴求ポイントで商品が１番よく売れるか？
◆どんなコピーが自社製品やサービスを売り込むのに１番効果的か？

こうした問いに対して個人的意見を求めることは簡単だ。だが、事実を把握するのは難しい。この本の狙いはこうした問いに答えることだ。しかもその答えは、**テストと効果測定が可能な広告からの、確認できた実績に基づいている。**

広告の２グループ

1●**「テスト実践グループ」**……広告を常にテストし、各広告が実際にどれだけ成果を挙げているか知ろうとするグループ。通販、各種案内広告、デパートなどがこのグループ。

2●**「テストをしないグループ」**……何らかの理由で、広告成果テストや測定をまったくしない、あるいはほとんどしないグループ。

広告に関する有名なガイドブック『ブラインド・アドバタイジング・エクスペンデチャー（無計画な広告予算）』で、ジョン・W・ブレイクが次のように書いている。

「広告を打つ理由はただ１つ、つまり、１に売上、２に売上、３に売上だ！
　すぐに上がる売上、大量の売上、儲かる売上である。こうした成果こそ、通販会社が広告に期待し、そこから得ているものなのだ。マネしない手はない。

広告の世界全般に言えることだが、個人的な意見や印象だけで判断されるコピーがあまりにも多い。金をかけた広告キャンペーンを打てば、たいていクライアントに損は出ない。しかし、１つひとつの広告の成果をクライアントが知ることは決してない。様々な広告を使ったキャンペーンでも、当初目標のほとんどは、そのなかの１、２種類の広告だけで達成できる場合もある。それ以外の広告はすべてムダかもしれない。かもしれないどころか、その確率がかなり高い。通販業界で働いている人なら、みんな知っていることだ。流行言葉を気にするようなコピーライターばかりで、売るコピーを書ける人間が少ないのだ。一般広告のクライアントはこれに異議を唱えるかもしれない。しかし、販売経験のないセールスマンばかりの販売部隊ではさっぱり売れない、ということはよくわかっているはずだ。

一般広告に大いに欠けているのは、通販の広告が行っている、沈着冷静に分析を行う科学的な手法なのだ」

近い将来、科学的手法を使うクライアントがもっと増えるだろう。テスト済みのコピーをテスト済みの媒体に掲載するクライアントもさらに多くなるだろう。「いまから30年後の広告はどうなっているでしょうか」と訊かれて、ある有名な広告マンがこう答えている。

「もっと正確で、もっと科学的なものになり、その結果、もっと成果を挙げるものになるはずです」

非科学的手法の広告でも利益を上げてきたクライアントがいるのは、その手法のおかげではなく、広告というものの驚異的な力の賜物なのだ。

最初に教わった２人

広告業界に入った最初の週のこと、あるデザイナーにこう言われた。

「こういう家具の宣伝には線画がピッタリだ。ペン描きのスケッチはとても現代的だから、こういう製品の特徴がうまく伝わるよ」

また、あるコピーライターにはこう言われた。

「この会社では香水の広告に見出しは入れないの。イメージが台なしになってしまうからよ。それに、短いコピーに見出しはいらないわね」

私は言われたとおり信じた。この人たちは実際に根拠があってそう言っているのだと思ったからだ。だから、教わったルールを忘れないように心がけた。

「家具の広告にはペン描きの線画が効果的」

「コピーが短いときは見出しは不要」

広告業界の人が広告について何か言っているときは、いつでも注意深く耳を傾けた。業界ルールを学んでいるつもりだった。

まもなく、私は通販の広告を担当するようになる。広告はそれぞれテストされ、その成果が一覧表になる。各広告だけでなく、掲載された媒体別にも、実際にどれだけの売上があったのかを証明しなければならなかった。

すぐに気づいたのは、それまで耳にし、信じてきた広告についての話のほとんどは、空論にすぎないということだ。話していることは単なる意見なのに、本人たちはそれを事実だと勘違いしていることが非常に多かった。おまけに、たいていは単に個人的なもので、業界の経験則ですらなかった。

もし、こうした個人的意見の元を催眠療法でたどることができたら、その発想の本当の根拠はバカバカしいものが多いに違いない。あるデザイナーが広告に青ばかり使いたがるのは、自分の婚約者が好きな色だったからかもしれない。あるコピーライターが短いコピーを薦めるのは、最初の上司にこんなふうに言われたからかもしれない。

「私だったらこんな小さな文字は読まないし、他の人だって誰も読まないと思う」

どこかの宣伝部長がある新聞を広告掲載リストに追加したのは、その新聞の社説が気に入っていたからかもしれないし、その新聞の広告営業担当者が非常に魅力的だったからかもしれないのだ。

広告宣伝企画の第1ステップ

　ここで大まかに説明するステップは、ほとんどすべての大手クライアントが採用しているものだ。予算や人手がもっと限られている中小企業も、時間や予算の許す範囲内でこのステップに従い、この本のあちこちで紹介しているテスト済み広告のアドバイスを活用するといい。

　広告宣伝企画の第1ステップは、感想、個人的意見、憶測、先入観といったものを一切取り払ってしまうことである。

　その次のステップは、各種広告と様々な媒体（新聞・雑誌、ラジオ・テレビ、ダイレクトメールなど）の実際の効果をテストする科学的方法を見つけることだ。

　それには次の3つのアプローチが必要だ。

1 ●「イニシャルテスト」……新聞・雑誌広告、コマーシャル、ダイレクトメール（業界用語で言うとダイレクトメール「パッケージ」）の各案を、それぞれ同じ媒体同士で比較テストする。

2 ●「効果のあった広告をさらにテストする」……各媒体で1番効果のある広告がわかったら、掲載紙/誌、放送局、ダイレクトメールリストをもっと広げて比較テストをする。

3 ●「テスト結果を研究する」……このテストを行うことで、新聞・雑誌、ラジオ・テレビ、ダイレクトメールなどのすべての広告媒体をお互いに比較テストすることになるから、将来、似たような商品やサービスの広告を作るときに役立つはずだ。つまり、新聞同士、ラジオ局同士といった同じ媒体内の比較だけでなく、同時に、新聞という媒体を、対雑誌、対ダイレクトメールというように、異なる媒体同士でも比較テストしていることになる。これで、費用対効果の高い成果を挙げる媒体の順位がわかるわけだ。この3ステップの事前テストには時間がかかるが、それでいい！

時間をかける甲斐があるのだから。**出だしを間違えないこと、つまり、何を、どこに、宣伝するのが1番適切か**を**見つけることが大変重要**なのだから、それに比べれば他のことは大したことではない。

事前テストはこんなに見合う
――コピーの差で売上が19.5倍に!

ある通販の広告が、同じ製品を宣伝しているもう1つの広告に比べて2倍、3倍どころか、**19.5倍もの売上**を実際にもたらしたケースを私は知っている。この2種類の広告はどちらも同じサイズで、同じ雑誌に掲載された。両方ともビジュアルには写真が使われ、コピーは細部までよく練られたものだった。違いは、一方が的を射た訴求をしていたのに対し、他方は的外れの訴求をしていた点だった。

仮に私がメーカー経営者で、どこかの広告代理店、あるいは社内の宣伝担当に仕事を依頼するとすれば、1番気にかけるのは、どうかどんぴしゃりの訴求をしてくれ、ということだ。大急ぎで作りはしたが訴求ポイントはきっちり的を射ている広告1種類のほうが、コピーや写真は見事でもムダな訴求をしている広告が20種類できるよりずっといい。

1番効果の上がる訴求ポイントを見つけるのは簡単なことではない。相手の興味を引く訴求ポイントはいろいろあるように思いがちだが、どんぴしゃりのものは1つしかないのだ。もし、社内の宣伝部か広告代理店が1年かけてうちの製品の広告キャンペーンを準備するとして、どんぴしゃりの訴求ポイントを見つけるのに11か月かかり、広告自体の制作には1か月、なんなら1週間で仕上げたとしても、私は大満足だ。

様々な面をテストし、「訴求する」のは１つだけ

ところで、どんぴしゃりの訴求ポイントを見つけることはほんの１段階にすぎない。次のように様々な段階を経て、**根拠のないただの感想を排除し、事実に置き換えていくこと**。

◈時間と予算が許す限り、妥当と思われるすべての媒体をテストする。

◈季節行事や記念日などをチェックする。「クリスマス」ギフトカタログを例に取ると、1996年にはその20年前と比べて２か月も早く送付されるようになっている。

◈広告を打つ場所、つまり、地理的な場所と各媒体内での位置の両方が妥当かどうか、結果を追跡調査する。

◈広告の要素（見出し、小見出し、ビジュアル、コピー）は１つ残らず、カッコいいからとかよさそうだからではなく、テストの結果、１番効果ありとわかったから、そうなっていること。**図1.1**（→48〜49ページ）は、このすべての要素を正しく把握したキャンペーンの１例。

事前テストができない場合——3Wに着目

事前テストは、不可能とまではいかなくても難しいケースもある。１回きりの広告や、非常に低予算の場合などがそうだ。それに、たとえ時間と予算が許したところで、この先何度も繰り返し使われるキャッチフレーズの長期的効果まで事前に調べるのは難しい。この問題に対処するには、すでに調査

を行ってその成果を活用しているところから学ぶこと。それをせずに感想や憶測で、次の広告の「3W」を決めてしまうクライアントがまったく多すぎる。

1 ● **Where**　どこに広告するか
2 ● **When**　いつ広告するか
3 ● **What**　何を広告で言うか

最終判断を下す人間は広告関係者ですらないことが多い。社内文書を書くのがうまい副社長かもしれないし、自社製品のことなら何でも知っているが広告のことはからきしダメなメーカー経営者かもしれないのだ。

何とムダで非効率的な状況だろう！　生産技術や販売テクニックにはますます効率性が強く求められているというのに、広告テクニックの多くがいまだ前時代的なのだ。

個人的意見ではなく、事実を！

ここで、見方を変えてみよう。意見には1銭たりとも金を出さず、事実だけに金を出すクライアントは少なくない。こういうクライアントは、広告も媒体もすべて小規模テストをしてからでないと、その広告を大々的に出さない。どの広告も媒体も、関心のある見込み客からの問合せか、販売スタッフや通販、電話セールスに利用できるリード（潜在見込み客データ）、あるいは店頭売上につながらなければならない。このように、事実に基づいて論理的な広告をしているクライアントのなかには、広告にかける費用が比較的少ないところもある。それでも、莫大な広告費用をかけているところと変わらないくらい自社製品を有名にしてきた。広告費1ドルあたり、数ドル分の効果を生み出しているのだ。どうやって？　その秘密は何だろう。

その答えは、ひたすらテストを繰り返すことにある。たとえば、通販、スーパーマーケット、デパートなどでは、すべての広告と掲載媒体の宣伝効果を厳しく観察している。その結果に基づいて、実証済みのコピーと媒体に、広告予算の大半をかけるのだ。

図1.1

「妊娠した女性の多くは食欲が旺盛になります。私は情報欲が旺盛でした」

マネジド・ケア保険はエバンストン病院、グレンブルック病院、その他多くの医師に受け入れられています

（訳注・マネジド・ケア保険はアメリカで２億人以上が加入している健康保険システム）

1歩1歩を見守っています

「エミリーはみんなに声援されてこの世に生まれてきました」

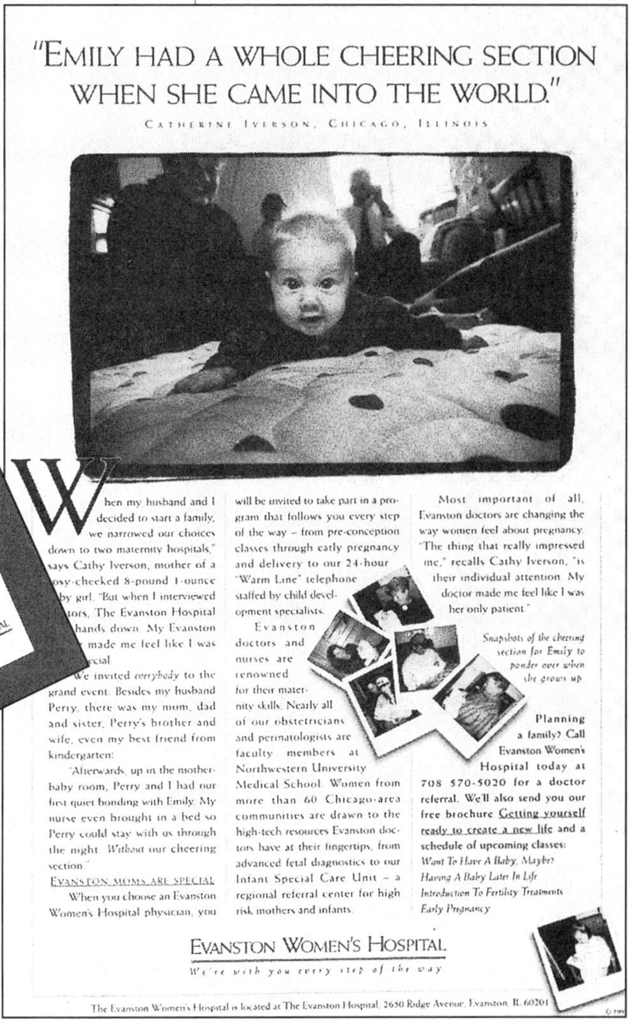

図1.1　やみくもにばらまいたダイレクトメールで目を見張るレスポンス

調査によると、初めて妊娠した女性は、妊娠をどちらかと言うと3つの異なる体験（身ごもること、妊娠中であること、出産すること）を大変なことだととらえていて、人生経験の楽しみの1つとは感じていないことがわかった。
さらに、妊婦が「情報を求めて」いる、つまり妊娠期間中に予想されることについてのアドバイスを積極的に求めていることもわかった。そこで、広告代理店とエバンストン総合病院がとにかく片っぱしからダイレクトメールを送った結果、子どものいない25〜35歳の既婚女性1万5,000人からレスポンスがあった。何と44%の回答率で、うち3,500人が近々初出産の予定だったのだ。代理店と病院側は、新聞･雑誌広告とダイレクトメールの連動キャンペーンを展開し、情報を求めている女性に無料のマタニティセミナーを案内した。もちろんこのセミナーで、当病院と産科医を女性に紹介するわけだ。このダイレクトメールは、『シカゴ･トリビューン』紙のある地域版の生活面に掲載した広告と連動させた。
このキャンペーンでセミナー登録が50%、産科医紹介が40%、当院での出産件数が10%増加した。1995年、CADMテンポ賞･マーケティング･メディアミックス･キャンペーン部門最優秀賞。

1番簡単で一般的な広告テスト

広告をテストすることになじみがない人のために、1番簡単で一般的な方法を3つ紹介しよう。

1◎小売の場合……デパートその他の小売業者が商品広告を打つ場合、その広告の効果は、広告する前と比べたその宣伝対象商品の売上増加分で判断できる。POSシステムのおかげで売上比較もすぐにできるし、必要なら自動追加発注も可能だ。

POSシステムなどまだ影も形もなかったころ、編者はその種の最も原始的なシステムをニューヨークのオーバックという店に導入した。すべての値札に切り離し可能な番号を手動キーパンチで打ち込み、あとで手間暇かけて、大騒ぎしながら集計したのが、私たち原始的「プログラマー」だった。前日の販売記録として仕入れ担当者に渡すべく、私を入れて12人が徹夜で作業した。いまならマウスクリック1つで入手できるデータだ。

2◎地域限定テスト……全国展開の広告をする企業によっては、都市や地域を限定してテストを行っている。新しいコピーやデザインがどれだけアピールするかそこで試してみて、その広告の宣伝効果をいまの広告を出している同様の都市や地域と比べるのだ。売上アップ率によってはさらに範囲を広げてテストを実施し、効果を確認したうえで、その新しい広告を「公開」、つまり全国展開する。

3◎カギ（識別記号）……広告のクーポンにカギをつけるところもある。よくある通販の広告のクーポンを見るといい。たとえば、住所が次のようになっている。

究極プロダクツ社
200 パークアベニュー R-44-1-7 部
ニューヨーク市　ニューヨーク州 10017

この広告のカギ（識別記号）は「R-44-1-7」だ。「R」はこの広告が掲載された媒体紙のコード。数字の「44」は個々の広告、つまりこの広告だけを示し、**掲載紙が変わっても同じ広告**だとわかるわけだ。「１」は月（この場合は１月）で、「７」は日にちだ。もし、同じ日に同じ広告を別の媒体に掲載し、その媒体コードが「T」だとすると、識別記号は「T-44-1-7」となる。別の広告を掲載するなら、「44」がその広告の番号に変わる。広告がまったく同じなら広告番号はずっと変わらない。これも重要なことだが、**その広告に何らかの変更を加えたときは、それがどんなに些細な変更であっても、広告の番号を変える**こと。

テスト結果の追跡を簡単でわかりやすくするために、ある広告に変更があった場合は番号を変えるのではなく、**文字を利用**するといい。つまり「44……45……50」とするのではなく「**44**A……**44**B……**44**G」とする。どちらの場合でも、６回変更があったことはわかるが、「44G」のように文字を使えば、その元の広告を探す手間が省ける。

このカギは広告における大発明で、レントゲンが医学の発展に貢献したのに匹敵する。おかげで、広告ごとに何件の問合せがあったか、あるいはいくつ商品が売れたかを正確に知ることが、実用的で簡単に、しかも低費用でできるようになった。識別記号の重要性は非常に大きい。おかげで、広告から憶測をなくす方向へ、かつてないほど大きく前進することになったのだ。

たとえば、カギを使えば、どの広告が１番たくさん注目を集めたかがわかる。その例が**図1.2**（→54～55ページ）だ。

同じ商品を宣伝する複数の広告を、それぞれ別のカギで同じ媒体に掲載すれば、問合せの数や、電話やクーポンでの注文数を数えるだけで、どの広告が１番たくさんの人を引きつけたかがわかる。この調査を行うとき、最初に掲載する広告が特別有利になる、ということを避ける方法は、第18章で説明している。もちろん、この種のテストをするときは、クーポンやフリーダイヤルが一方の広告では目立っているのに、もう一方の広告ではわかりにくい、ということがあってはならない。テスト中はどの広告でも同じ目立ち方をするように工夫すること。

問合せは重要だ

「クーポンリターンなんてどうだっていい！　必要なのは売上なんだ」とおっしゃるかもしれない。

そこで、大事なことをお伝えしよう。数多くの企業によって何度も証明されてきたことだが、きちんと行われたテストで、問合せ（広告用語で言う「2ステップ」セールスや「マルチステップ」セールスの第1ステップに当たる）が1番多い広告が、たいてい売上も1番であることがわかっているのだ。『スターチリポート』で有名なダニエル・スターチがこの結論に達したのは何十年も前のことで、165社に対する500万件の問合せを12年間ずっと分析してきたなかでわかったことだ。現在、対企業セールスが1件あたり平均300ドル以上かかるから、この結論はますますあてはまる。実際、広告クライアントの多くがまずフォローの電話でレスポンスの「絞込み」をしてから、営業担当者に訪問させるようにしている。

もちろん、問合せが重要とは言え、例外もある。無料パンフレットやすてきなプレゼントの写真を広告の頭に持ってきて、見出しで「無料プレゼントを差し上げます」と言えば、問合せは殺到するだろう。ただ、使えそうなリードはほとんど集まらない。こういう場合は、莫大な数のレスポンスがあったところで、その広告に本当に効果があったとは言えない。

応募マニアの問題もある。男性、女性、子どもを問わず、雑誌を隅々まで読み、サンプル、パンフレット、プレゼントなど、無料でもらえるものがあるクーポンは何でも切り取る人たちだ。幸い、応募マニアはそれほど多くはなく、数も割と一定している。とは言え、法律上は「無料」進呈と謳ったも

図1.2

寝不足でお悩みですか？
夜、寝返りを打ってばかりいる。ゆっくり眠れる姿勢が決まらない。朝起きると背中が痛い。これは、いまお使いのマットレスが体をきちんと支えていないサインです

夜こんなにぐっすり眠れるなんて!

セレクトコンフォートは背骨をしっかり支えながら体に沿います。体重が均等に分散されるので、圧迫感が減ります

金属コイルのマットレスは体を圧迫し、均等に支えられません

空気の上でもっとぐっすり
硬さを調節できるセレクトコンフォートのマットレスは、スプリング式でもウォーターマットレスでもありません。空気のほうが優れているのは、体の線にやさしく沿うからです

ポール・ハーベイのラジオ番組でおなじみ！

Get The Best Night's Sleep Ever!

Frustrated With Your Sleep?
Do you toss and turn at night? Can't seem to find a comfortable position? Does your back ache when you awake? These are signs that your mattress doesn't support you properly.

Select Comfort provides proper back support and contours to your body. Weight is more evenly distributed and pressure points are reduced.

Metal coil mattresses can create pressure points and provide uneven support.

Sleep Better On Air
A Select Comfort adjustable firmness mattress doesn't rely on springs or water. Air is better because it gently contours to your body's shape.

Firmer — *Softer*
With Select Comfort, you each get exactly the firmness you need.

Also it keeps your spine in its *natural alignment*. And that lowers the tension in the surrounding muscles. So you can sleep comfortably in any position and wake feeling great!

Select Comfort contours to your body.

Call For More Information
You owe it to yourself to learn more about this revolutionary way to a better night's sleep.

For FREE Video and Brochure, Call
1-800-831-1211
Ext. 4603

Yes! Please rush me a FREE Video and Brochure.
Name_____
Address_____
City_____ State_____
Zip_____ Phone_____
Ext. 4603

The Only Mattress with Push Button Firmness Control.

SELECT COMFORT
Mail to: Select Comfort Corporation
6105 Trenton Lane N., Minneapolis, MN 55442

As Heard on Paul Harvey News & Commentary
© Select Comfort Corp. 1995

[redacted]

しかも、背骨を本来の正常な位置に保ちますから、背中の筋肉のコリが軽減されます。どんな寝相でもぐっすり眠れて、気持ちよくお目覚めになれます！

硬め　柔らかめ

セレクトコンフォートなら１人ひとりの体にピッタリの硬さが調節できます

セレクトコンフォートは体に沿って支えます

詳しくはお電話で！

ご自身の健康のために、もっとぐっすり眠れるこの画期的マットレスの詳細をぜひご覧ください

無料のビデオとパンフレット進呈。お電話ください

いますぐ無料ビデオとパンフレットを送ってください

ボタン１つで硬さを調節できるマットレスは当社だけ

図1.2　広告要素すべてを正しく実践！

関心がある人を狙う見出しで始め、的を射た小見出しは、１つが肝心要の問い、もう１つがそれに対する答えになっている。商品説明のイラストと写真がおもな特徴を説明、おまけにキャプションでは商品名を３回繰り返している。事実とベネフィット（利点）をたっぷり盛り込んだコピー、大きな扱いのフリーダイヤル、内線番号はクーポンのコード番号と同じだ。クーポンのところに、無料ビデオとパンフレットの写真が小さく入っているのも、ケープルズの教えどおり。最後に、タレントを起用したラジオコマーシャルとのタイアップを知らせる「爆発マーク（ギザギザ処理）」もある。ケープルズの教えをコピーライティングのバイブルとして「完璧に再現した」この広告が、空前の成果を挙げているのももっともなことだ。

のをすべて提供しなければならない。そこにすぐに続けて、はっきりと条件が書いてある場合は別だ。そこで、企業によってはマニアからの応募を避けるためにクーポンはなしにして、コピーに「ブラインドオファー」を入れるところもある。この方法の有用性については第18章で説明する。

一連の広告をテストするときの重要な点は、**パンフレット、プレゼント、試供品などはどの広告でもあくまでも2次的に扱い、しかも同じものにすること**。これを守れば、問合せの数が1番多い広告がたいてい売上も1番大きいことがわかるはずだ。

この本で学んでほしい2つの最重要ポイント

これ以降の章では、次の2点に力を注いでいる。

1 ● 広告の法則を科学的に説明する

クライアント各社が実際に試してきてわかった法則、つまりどんな広告で商品が1番よく売れるか、どんな見出しが1番注目を集めるか、どの媒体が最適か、どんなビジュアルとレイアウトが1番効果的か、ということを学ぶ。

2 ● 広告をテストする方法を説明する

これで、最も効果的な、見出し・訴求ポイント・ビジュアル・コピー・媒体が何であるかを、自分で判断できるようになる。

「新聞は1紙しか読まない。それも、記事より広告を読むためだ」
——トーマス・ジェファーソン（訳注・1743−1826。第3代アメリカ大統領）

第２章

広告は見出しが命

この本は18章構成で、うち４章、つまり全体の５分の１以上が広告の見出しについてである。４章を割いても多すぎることはない。それくらい見出しは肝心なテーマなのだ。ビジュアルがどれほど目立っていようが、ほとんどの広告では見出しが決定的に重要だからだ。ほとんどの人が、見出しだけを見て、関心があるかどうかを判断している。新聞の報道記事や社説の見出しとまったく同じで、広告の見出しも、その続きを読んでもらうために大きな文字で印刷した、簡潔なメッセージなのだ。

広告キャンペーン全体の成否は、各広告の見出しで何を言うかで決まることが多い。ある業界誌の記事のなかで、著名な広告マンであるドン・ベルディングが次のように述べている。

問合せを見れば、その広告の効果の50～75%は見出しにあることがわかる。つまり、見出しの売込み力が何よりも重要なのだ。広告の見出しは、記事、社説、その他様々な見出しのなかで目立たなければならない。つまり、見出し１本が読み手の関心を競う相手は、平均的な新聞で言えば、350本の記事見出し、21本の特集記事見出し、85点の広告見出しなのだ。しかも時間との闘いでもある。一瞬で、注意を引くか無視されるかが決まり、無視されてしまえば読み手からの反応はないのだから……。

見出しの重要性については、ブルース・バートンも次のように語っている。ある通信教育の広告見出しを変えたことで、問合せが増えたのだ。

最初の見出しはこうでした。

「ジョン・スミスさんは映画のシナリオを書いた最初の年に110,000ドルを手にしました」

新しく変えた見出しは、

「ジョン・スミスさんが初めて書いた映画のシナリオは9,000ドルで売れました。この講座を修了した１か月後のことです」

この新しい見出しの広告にはものすごい反応がありました。

もちろん、理由は簡単です。

誰でも自分が9,000ドルを手にするところは想像できますが、110,000ドルとなると、ほとんどの人は想像がつかなくなるのです。

いまや、関心を引く見出しがかつてないほど必要とされる時代ではないでしょうか。すべてのコピーライターがすべきことは、できる限り最高の見出しを考え出すよう努力したうえで、さらに自分にこう問うことです。

「もっと関心を引く、あるいはもっと多くの人にアピールするには、この見出しをどう変えたらいいだろうか」と。

うまくいった広告、いかなかった広告

次の２つの見出しは、ある通販の広告がテストしたものだ。一方は効果があり、もう一方はダメだった。どちらが効果的だったかはたぶんおわかりだろうが、その理由もおわかりだろうか？

「言葉遣いを間違えないかと心配ですか？」

「こんな言葉遣いの間違いをしていませんか？」

この見出しがそれぞれ入った２種類の広告は、全体の印象はまったく同じで、コピーの訴求ポイントも同じものだった。したがって、読み手を引きつける力の差の大部分は見出しにある。

２番目の見出しのほうが、はるかに多くの問合せと申込みがあったのだ。なぜだろう？

２番目の見出しにあって、１番目の見出しにはない要素は何だろう？

２番目の見出しの「**こんな**」という言葉でその差が出たのだ。

「こんな言葉遣いの間違いをしていませんか？」という見出しが読み手に言

っているのは実は、「この下に、言葉遣いの間違いがあります。コピーを読んで、同じような間違いをしていないか確かめてみましょう」ということだ。

これが、読み手の「好奇心」を刺激し「得になる」と思わせる。ただで情報が手に入るわけだ。読み手はそこに書かれた言葉遣いの間違いを読んで、自分は同じ誤ちをしないようにできる。あるいは、他人の言葉遣いの間違いを読み、「私ならこんなバカな間違いは絶対にしない」と思って、気晴らしや自己満足になるかもしれない。

では、もう一方の見出し、「言葉遣いを間違えないかと心配ですか？」を検討しよう。

この見出しでは、言葉遣いの面白い間違いがこの下にある、ということが読み手に伝わりすらしない。伝わってくるのは、文法の本か正しい言葉遣い講座の売込みだろう、ということだけだ。売込みなど誰が読みたいだろうか。

いまでは、経験豊かな広告関係者はほとんどの人が気づいている。広告の効果は大いに見出しにかかっているのだ。

コピーライターなら誰だって、コピーに取り組む重要さはよくわきまえている。推敲したり、順番を入れ替えたりしながら、何時間も何日も費やす。なのに見出しとなると、最後までほったらかしにして、最後の30分、ひょっとするとたったの10分で書いてしまうという誤りを誰もが犯したことがある。私もそうだった。カギ（識別記号→詳細は51ページ）つきコピーで広告の効果追跡が可能なことを知るまでは。

いまでは、見出しを考えるのに数時間、必要なら数日間かけている。そして、いい見出しができたときは、自分の仕事はほとんど終わったも同然だと感じる。コピーは書くのに普通それほど時間はかからない。そうやって書いた広告、つまり読み手の目をしっかり「留める」見出しがあれば、いい広告になるのだ。

見出しがきちんとしていなければ、どんなに苦労して書いたコピーも何の役にも立たない。**見出しに目を留めてもらえなければ、コピーがちんぷんかんぷんだって同じことだ。**

見出しがまずければ、世界一優秀なコピーライターでも、その商品を売り込むコピーを書くのはムリ、見込みはゼロだ。見出しがよくなければ誰もコピーを読んでくれないのだから。読んでもらえないコピーで商品は売れない。反対に、見出しさえよければ、コピーを書くのは割と簡単なのだ。

見出しを先に書いてはいけない

当然ながら、見出しを真っ先に書くということはその売り物を熟知しているということだから、どこから書き始めようが コピーはスラスラと出てくるはずだ。そうでない場合は、まず広告する製品やサービスについてよく調べるところから始めよう。

次に、見出しの候補をいくつか書いてみる前に、コピーのたたき台を書いていまの自分の知識を整理する。そのコピーのどこかに、中心となるセールスポイントが多分見つかるはずだ。それを見出しのベースにする。言葉そのものではなく、見出しの元になるコンセプトだ。それから、必要なだけ時間をかけて１番いい見出しを考えたら、コピーを書き直したり練り直したりして、見出しの最終案からロゴまでが自然な流れになるようにする。

人は広告のどこを見るか。見出しだ！　自分が新聞や雑誌にざっと目を通すとき、広告のどこを見るか。やっぱり見出しだ！　広告にふと目を留めるかどうか、何ならちょっと読んでみるかどうかを決めるものは何か。見出ししかない！

もちろん、ビジュアルも重要だ。際立ったビジュアルのおかげで、見出しがつまらなくてもいい広告になる場合もある。でも、見出しがよければ、ビジュアルがいまいちでもすばらしい広告になる力がある。**図2.1**（→次ページ）のようなよい見出しとよいビジュアルの組合せなら、鬼に金棒だ。

図2.1

中央アメリカを1日17ドルで旅する方法

月々498ドルの30回払い。
頭金1,950ドル。

図2.1　4WD（4駆車）市場を勝ち抜く

課題………ほとんどの自動車メーカーがタフな4駆車市場に参入しているため、さらなる訴求が必要。
解決策……安くはない月々の支払いを「1日17ドルのエキゾチックな旅行」と言い換えた。ひと工夫した電話番号「800-Fine 4WD（800-すばらしい4WD）」も、もちろん効き目十分！

効果的な見出し３パターン
――得になること、新情報、好奇心

カギつきコピーを利用しているところなら経験上知っているが、効果的な見出しのほとんどは次の３パターンに分けられる。

1 ●得になること

１番効果的な見出しは、読み手の得になることをアピールする、つまり、**相手のベネフィット（ためになること）**に基づく見出しだ。この見出しが読み手に伝えるのは、相手のほしがるもの、しかもそれをこちら（自社）が提供する、ということだ。たとえば――

さらに50ドルの昇給

55歳で退職

2 ●新情報

２番目に効果的な見出しは、新しい情報を提供するもの。たとえば――

フォード・トラックの新機能

出ました――新タイプのハンドクリーナー

3 ●好奇心

３番目に効果的な見出しは、好奇心をそそるもの。たとえば――

行方不明：３万5,000ドル

奥さまに対してフェアですか？

とは言え、「好奇心」タイプの見出しを平均で見ると、その効果には疑問が残る。効果的な「好奇心」見出し１本に対して、効果のない「好奇心」見出しは数多くあるからだ。

なぜ、「得になる」タイプの見出しが１番効果的で、「好奇心」タイプの見出しは３番目なのか？

この質問は自分で考えてもらおう。新聞に目を通しているとする。好奇心をそそる見出しが目に入る。時間があればコピーまで読むかもしれない。でも、それが自分のほしいものを提供している見出しだとしたら、わざわざ時間を割いてでもそのコピーを読むはずだ。

相手がほしいものをはっきりと伝えている見出しはさらに強い。見出ししか読まない人にもメッセージが伝わるからだ。広告のプロなら誰でもご存じのとおり、見出しとコピーの両方を読む人１人に対し、見出ししか読まない人は大勢いるのだ。

注意！　次の「好奇心」タイプの見出しとロゴ（企業名）は、大きな活字だけをざっと拾って新聞を読む人には、ほとんど何のメッセージも伝わらない。

これは奥さまにしてはいけない質問です
（本文とビジュアル）
ABC生命保険

次は、「得になる」タイプの見出しとロゴの広告。違いに注目。

お金の心配が吹き飛ばせます
このシンプルなプランに従えばいいのです
（本文とビジュアル）
ABC生命保険

この２つ目の広告の見出しとロゴを見るだけで、どこかの会社がお金の問題解決に役立つプランを用意していることが読み手に伝わる。実際のリターンを見ても、この２つ目の広告ではクーポンでの問合せ数も売上も、１つ目の広告の２倍だった。

ときには、「得になる」タイプの見出しをしのぐ成果を挙げる「好奇心」タイプの見出しができることもある。たとえば、マナーに関する本の広告の「この絵のどこが変でしょうか？」という見出しは、すばらしい効果を挙げた。

ところが驚いたことに、一般誌や業界誌に目を通すと、「得になる」や「好奇心」などの、なくてはならない要素が１つもない見出しがいまだにあるのだ。以下は、そうした無意味な見出しの例。雑誌に載っていたものだ。

若さは若さに泣く

泣いたり笑ったり

そこでこの小さな女の子は買い物に行きました

いまは理由はありません

１つだけ質問させてください

以上の見出しを自分で考えてみよう。「新情報」はあるか？　何かほしいものを提供しているか？　好奇心が刺激されるか？

どれもまったくない。宣伝している商品名でも入っていれば、まだ少しはましだったかもしれないが、それさえない。

まあ、以上の見出しは1950年代のものだ。いまならみんなもっとよくわかっているはずだと思うがどうだろうか。

では、今度は1995年のコンピュータ雑誌から見出しを拾ってみよう。

将来の広帯域アプリケーションには超高速のネットワークが必要です

夢にまでみた理想のマシーン

できないなら黙ってろ

そして7日目に……

忍耐が美徳なら、私たちは地獄行き確実です

こういう見出しは、売り文句そのものとして、いったい何が言いたいのだろうか。ハッカーにだってわからないのでは？　この広告のコピーが読みたくなるだろうか。次のような見出しを使っている他の広告もいろいろあるのだ。

ご紹介するAPC社Smart-UPSの「5つの新しい」方法が
ネットワークの信頼性を高めます
つまり、元が取れるルータというわけです

では、なぜ上記のような見出しがいまだにたくさん使われているのか？

おそらく、広告主やコピーライターのなかに、どこでどうしたわけか、「自分たちは頭がいい。その頭を使うのだから当然、注目率や売上アップにつながるはず」と考える人たちがいるからだろう。

言うまでもなく、最初の２グループの見出しは何も提供していない。では、好奇心を刺激しようとしているに違いない、はたしてそうだろうか？　見出しを何度も読んで、自分で確かめてみてほしい。

「泣いたり笑ったり」の見出しに好奇心を覚えるだろうか？「ビジュアルと一緒に見れば、この見出しの意味がわかるかもしれない」と思うかもしれない。実は、この広告にはビジュアルがない。他の広告のビジュアルもほとんどが、昔もいまも、ひねりはあってもまったく役立たずで、見出しで言いたいことがはっきりわからないのだ。

見出しの目的は、見出しだけ読んでそのあとのコピーを読むかどうかを決める人に対して、メッセージを伝えることにあるはず。では、上記の最初の２グループの見出しに、先を読もうという気にさせるものが少しでもあるだろうか？　まったく見当たらない。

こういう見出しを書いた人はたぶんこんなふうに言うだろう。「いや、広告全体を読んでくださいよ。そうすれば見出しとコピーがいかにうまく連動しているかがわかりますから」と。

これはお笑い種だ。いったい誰が、見出しとコピーがうまく連動しているかなんてことを気にするのか。広告は後ろから読むものなのか。もちろん違う。見出しから読むものだ。そのうえで関心を持ってくれた人がいれば、コピーも間違いなく読んでもらえる。コピーを読んでから見出しの評価を決めるという考えは間違っている。誰もがコピーを読むと思うのは大間違いだ。

「5日経っても」これはいい！
「ご返金」よし買った！ に持っていく

たとえば、『ニューヨーク・タイムズ』紙に掲載された次の広告見出しは、コピーを読まなければさっぱり意味がわからない。

確実！
ずっと続く！
全部私のもの！

退職年金プランで終身年金を毎月お受け取りになり始めると、こんなふうにお感じになるはずです。

月々のお受け取りは、50～70歳の間ならいつからでも始められます。

最も魅力的な個人年金プランです。

この退職年金プランへの加入は、100ドル単位の積立てが可能です。重度の障害を負われた場合も、年金は保証されます。また、退職前に死亡された場合は、相当額のご返金を保証します。

ABC生命保険

この意味のない見出しは、おそらくヘアパーマの広告と勘違いされたに違いない。これと、次に挙げる地味ながらも効果的な通販広告の見出し兼キャプションを比べてみよう。

うおのめが5日経ってもなくならなければご返金

これこそ、ものを伝える見出しだ。積極的に、相手に通じる言葉で語りかける見出しだ。うおのめ絆創膏を貼った男性の足の絵のおかげで、見出しで言いたいことはこれ以上ないほどはっきりしている。

この見出しを細かく調べてみよう。「うおのめ」を見たら、足にトラブルのある人はすぐに自分だ、と思う。**「5日経っても」これはいい！「ご返金」よし買った！**　となる。

1番効果のある見出しは、具体的なターゲット（見込み客）を狙い、その「ターゲット層」に向けて、相手のほしいもの、ほしくてたまらないものを提供するものだ。

もう1点。こちらが提供するものを相手にしっかり記憶してもらうには、簡単な言葉で手短に伝える必要がある。広告を見聞きしているターゲットは急いでいる途中かもしれない。ページをめくりながらうとうとしているかもしれないし、テレビのチャンネルを次々と変えている最中かもしれない。ターゲットの気持ちは、こちらやこちらの商品からずっと離れたところにあるのだ。こじつけやわかりにくい言い方ではどうやっても相手に届かない。**相手の急所、つまりハートか脳に命中させないとダメだ**。相手の耳目を引きたいなら、**わかりやすい表現**、**単刀直入な表現**で、相手がほしいと思うものを伝えること。

すぐにできる、見出しの初期テスト

一般消費材や消費者向けサービスの広告なら、売り物が何かを伏せたままで、見出し案を数人に読んで聞かせて、相手の反応を見る。高度な専門商品なら、その分野に詳しい相手で試すこと。もし相手がすぐにコピーを見たがるようでなければ、見出しを練り直してまたテスト、これを何度も何度も繰り返す。

デビッド・オグルヴィは自伝で、**104の見出し案**を考えて同僚で試してみた結果、例の名コピー「**時速60マイル、新型ロールスロイスのなかで聞こえるのは時計の音だけ**」ができた、と語っている。あのオグルヴィでさえ、効果的な見出しを選ぶのに助けを必要としたのだから、私たちがその例に倣うことは全然恥ずかしいことではない。

「よい製品さえあれば、アメリカの広告産業は、情報提供や販売促進という、効果的で創意あふれる重要な仕事をして大いに貢献してくれる」
——ドワイト・D・アイゼンハワー（訳注・1890－1969。第34代アメリカ大統領）

第３章
どんな見出しが1番注目されるか

見出し成功例10本

ケープルズがよく指摘したように、ずっと効果のある見出しなど、あったとしてもほんのわずかだ。それでも、ケープルズの分析、なぜこれがうまくいったのか、なぜこれほど効果があり、これほど長く続いたのかの理由分析からわかることは、いまも十分に効果がある。

それを学んで活用することは、媒体が変わろうが、21世紀になろうが、さらにその先になろうが、変わらない。

この章では、効果のあった10本の見出しを挙げて、なぜうまくいったのかを説明している。では見ていこう。

1. どうやってわざとバカなマネをしてトップセールスマンになったか

この見出しの広告で、セールス手法に関する通信講座の売上が大きく上がり、数多くの新聞や雑誌に繰り返し何度も掲載された。もちろん、成功した理由の大半は、この一風変わった見出しのおかげだ。そこで、この見出しを細かく調べて、どこが他と違うのかを考えてみよう。そのすばらしい特徴の少しでも、これから書く見出しに取り入れられるかもしれない。

この見出しには２つの働きがある。

(1) 読み手の好奇心をそそっている。バカなマネとは何だろうと思わせる。

(2) 読み手の得になることをアピールしている。トップセールスマンになる方法がある、と知らせている部分がそうだ。

この見出しは次のように書くこともできたはずだ。

どうやってわざとバカなマネをしたか

これだって十分に「好奇心」をそそる見出しだから、たくさんの人が目を留めたかもしれない。

また、こんなふうに書くことだって考えられたはずだ。

どうやってトップセールスマンになったか

これだって申し分ない「得になる」見出しで、多くの人が関心を覚えたことだろう。

「好奇心」と「得になる」の２つを組み合わせて１本の見出し「どうやってわざとバカなマネをしてトップセールスマンになったか」にしたことで、このコピーライターは、当時の数々の通販広告のなかでも大成功を収めたのだ。

もう１点。「好奇心」と「得になる」だけでなく、この見出しにはもう１つ重要な特徴がある。**手っとり早く簡単に**トップセールスマンになれる方法がある、と知らせている点だ。もしこの見出しが、「２年間のトレーニングでいかにしてトップセールスマンになったか」だったら、これほどの効果はなかったはずだ。

他にも検証済みの見出し成功例を見て、その秘訣を探っていこう。

たとえば、次の見出しは抜群の効果があった広告からのもの。エチケットに関する本の広告だ。

2.　この絵のどこが変でしょうか?

この広告のビジュアルは、女性２人が男性１人にエスコートされて通りを歩いているところ。男性は、女性２人の間にいる。

この見出しの効果のポイントは「好奇心」をくすぐるところにある。読み手に質問しているからだ。どこが変なのかわかってはいても、コピーを読んで答えを確認したくなる。こうしてこの見出しは、その主目的をはたしている。つまり、相手がコピーを読むようにうまく仕向けているのだ。

この見出しのもう１つの効果は、読み手の「得になる」ことをアピールしている点にある。相手は「この写真のどこが変でしょうか？」に対する答えは当然この広告のコピー中にあると考える。つまり、無料の情報、エチケットに関する無料レッスンが受けられるわけだ。

次は、記憶力トレーニング講座を宣伝する見出しの成功例。

3.　こうして私はひと晩で記憶力をアップしました

「得になる」ベースの見出し。たいていの人は自分は記憶力が悪いと思っている。だから記憶力アップ法には当然魅力を感じる。しかも、この方法なら手っ取り早く簡単で、成果はたったひと晩で現れるかもしれないと匂わせている。

次に挙げる効果的な見出し例は、性格改善に関する通販書籍の広告。この種の本を疑問視する人もなかにはいるが、この見出しは威力を発揮した。

4.　私に5日ください。魅力的な性格に変えてみせます——無料でお試しください

「得になる」型見出しだ。誰もが、人に好かれたい、仲間の人気者になりたいと思っている。この広告は読み手に、魅力的な性格になることでその願いをかなえる方法を教える、と言っている。

また、「手っ取り早く簡単に魅力的な性格になれる」とも言っている。確かに早い。「5日」しかかからないと言っているのだから。それに簡単そうだ。こちらは何もしなくていいらしい。「どうやったら魅力的な性格を身につけられるか」ではなく、「**5日ください**。魅力的な性格に変えてみせます」なのだから。

次の見出しはすばらしい成果を生み出した。管理職向けに新ビジネス講座を紹介したものだ。

5. お知らせ
新講座開講、今後5年以内に独立したい方へ

ベースは「新情報」型。いままでになかったものを読み手に知らせている。さらに、「**得になる**」ことを強烈にアピールしているのが、「今後５年以内に独立したい方」だ。

次の見出しは、難聴者用の補聴器の広告。この広告にはたくさんの注文があった。

6. 難聴の方々がささやき声まで聞こえるようになります

「得になる」型の見出し。適切なターゲットにズバリ、相手が必要としているもの、つまり補聴器を勧めている。「好奇心」要素もある。読んだ人は、「いったいどんなもので、難聴の人がささやき声まで聞こえるようになるのだろう」と思う。

次は、不動産販売の通信講座の見出し。この広告は大成功で、何度も掲載された。

7. 求む――高報酬で、不動産スペシャリストとして働きませんか

これは完全に「得になる」型の見出しだ。売り込んでいるものは仕事、しかも高報酬の仕事だ。いまの仕事内容や給料に不満な人は大勢いる。そういう人たちがこの広告を見逃すはずがない。

また、「**求む**」という言葉はいつの時代も注目を集めてきたことにも注目。読み手は無意識にそこで止まり、何が求められているのかを知ろうとする。求められているものを自分が提供できれば、ひと儲けできるんじゃないかと考えるわけだ。

次の見出しもまた、見事な成果をもたらした。

8. お知らせします、在宅ワークで稼ぐ新しい仕組み

これは「新情報」と「得になる」の組合せ型。「お知らせ」と「新しい」で「新情報」だと伝えている。「得になる」をアピールしているのは、「在宅ワークで稼ぐプラン」の部分だ。

次は、目覚ましい成果を挙げた広告の見出しで、世界名作文学全集の宣伝に使われたもの。

9. 「エール大学に行く暇がなかった、自宅が大学代わりだったから」と、有名作家

「得になる」がベースの見出し。大学へ行ったことはないが、機会があれば学び続けたい人に向けたものだ。

通販の広告のなかには、すたれることなく何年も掲載され続けるものがある。次が、まさにそんな広告の見出しだ。売りものは自己啓発講座。

10. 賭けたのは切手代 2年後に3万5,840ドル儲けました

これもまた読む人の「得になる」ことをアピールする見出し。賭けたくない人などいるだろうか。切手１枚分の投資で３万5,840ドルが儲かるのなら。

この見出しは「好奇心」にもアピールしている。いったいどうやったら、そんなわずかな賭けでそれほどの大金が得られるのか知りたくなる。しかも、すごく簡単そうだ。見出しには、こちらが何かしなくてはいけないようなことは一切書かれていない。必要なのは切手代だけで、もしかすると自分も同じくらいのお金が手に入るかもしれないのだ。

広告の経験がある人なら誰だってこの仕掛けはおわかりだろう。それでも、この見出しは驚異的な成果を収めたのだ。「見出しの手口」を知り尽くしている人たちでさえ、これを読めば賭けてみようと思うかもしれない！　ここで賭けたと言っている切手代とは、この自己啓発講座の無料パンフレットの

郵送料のことなのだ。

成功した見出しの４つの秘訣とは?

ここまで見てきた10本の見出しは、どれもがその各分野で抜群の効果を挙げたものだが、そこに共通する特徴は何だろう。それがわかれば、効果的な見出しかどうかを調べるテストの公式ができるはずだ。

その共通点とは次のとおり。２本が「新情報」の見出しで、４本が「好奇心」を利用して読み手をコピーへ向かわせている。残る４本が手っ取り早くて簡単な方法で何かが達成できると伝えている。10本、つまりどの見出しも、相手のほしいものを読み手に提供すると伝えて、相手の「得になる」ことをアピールしている。

以上から、効果的な見出しには次の４つの重要な特徴があると言える。

1●得になる
2●新情報
3●好奇心
4●手っ取り早く簡単な方法

なかでも、「得になる」は特に重要だ。次に重要なのが「新情報」で、デパートその他、テスト済みのコピーを使っているところは、この「新情報」を新聞広告でも大々的に使っている。

もう１つ重要なポイントは、まだ触れていなかったが、**信頼性**だ。読み手を引きつける見出しにしようと必死になるあまり、「手っ取り早くて簡単な方法」を強調しすぎて信頼性を失ってしまってはいけない。信頼性を高める方法の１つは、**具体的な数字**を入れること。先ほどの見出し例でも具体的な数字がよく使われていたことに着目しよう。**「5日ください」「ひと晩で」「2**

年後に3万5,840ドル」などがそうだ。

広告賞を考えるに当たって、次のことを常に肝に銘じておいてほしい。広告やダイレクトレスポンス・メールの宣伝効果を本当に判断したいなら、科学的で測定可能な結果に基づいて判断すべきである、ということ。**この版に収録した広告はすべて、そうした調査証拠に基づいている。**

非科学的な広告が受賞している理由

そうした科学的評価に基づいている場合を除くと、下手な見出しを審査員が選ぶ傾向があるのには6つの理由がある。

◆**理由1**　見出しに投票する前に、審査員はコピーを読んでいる。つまり、多くのわかりにくい見出しの意味も、審査員にはよくわかるのだ。

普通は逆の読み方をする。見出しがわかりにくければ、わざわざコピーを読んだりしない。

◆**理由2**　審査員はたいてい、広告業界のイメージをアップしたいと考えている人たちだ。それはそれで立派なことだ。それでも、広告のプロなら全員が次の問いに答えるべきだろう。

「クライアントの予算を広告業界のイメージアップに使うのか、それともクライアントの売上アップに使うのか？」

◆**理由3**　生命保険の次の2本の見出しを、ある広告賞の審査委員会が審査した。

奥さまはどうなるでしょう？　あなたにもしものことがあったら

お金の心配を一生しなくて済みます！

審査員の軍配は１本目のほうで、生命保険の広告としてこのほうが理屈に合うから、ということだった。また、こちらのほうが他者への思いやりが感じられ、格調が高い、という理由もあった。ところが、実際の加入実績を見ると、２本目の見出しのほうが効果的だったのだ。

◆**理由４**　審査員は洗練された文章を必要以上に重要視する。実際のところ、洗練された文章が売上につながることはほとんどない。**重要なのは何を言うかであり、どう言うかではない**のだ。意味のある内容を単刀直入に伝えるほうが、大して意味のない内容の美辞麗句を連ねるより、相手の気持ちを動かすのだ。

◆**理由５**　会議室で広告を審査するということが、そもそも状況として間違っている。審査員は購買者ではない。広告の批評家なのだ。だから、どの広告が売りにつながるかを的確に判断できるとは限らない。

◆**理由６**　普通、広告の効果は、売上あるいはそれにつながる何らかの行動、たとえばパンフレットやサンプルへの応募といったことで判断できる。だから広告の本当の審査員とは、たとえば店でこう言う女性なのだ。「あら、このメーカーの石鹸じゃなくて、先週の新聞に載っていたのがほしいんだけど」

ますます多くの広告のプロやメーカーが受け入れるようになってきているのが、広告での憶測をやめ、もっとテストするべきという認識だ。次のエピソードはその理由をよく表している。

通販の各種広告で、成果がすでにわかっているものを一式まとめて14の広告協会へ送った。各協会の会員にその広告を見せ、売上が１番大きな広告はどれだと思うか尋ねてもらった。

結果は、この14の協会に所属する広告のベテランたちの約半数の判断が間違っていた。各広告の実際の成果とは違っていたのだ。

つまり、こう考えるのが妥当だということだ。全広告の50%は効果がなく、たとえ広告のプロであっても、**テストせずに実際の効果を判断するのは危険**である、と。

感じで判断してはいけない。客観的なテストを行い、広告の相対的な効果を判断すること。

「蜘蛛は広告を出していない店を探す。その戸口に巣を張れば、誰にも邪魔されずにすごせるから」

——マーク・トウェイン（訳注・1835－1910。アメリカの作家）

第４章
効く見出しはこう書く

前章で、非常に効果のあった見出し10本を分析してわかったのは、「得になること」がそのすべてに共通するおもな特徴ということだった。

次に挙げるのは、大失敗に終わった広告の見出し10本。この10種類の各広告は、それまでの各広告と同じ新聞・雑誌に掲載してテストされたものだ。どれも問合せや売上があまりにも少なかったために、2度と掲載されなかった。この失敗例をよく研究し、どういう見出しを書いてはいけないかを学ぼう。

見出し失敗例10本

「やめて、お願い……私にスピーチを頼まないで！」
（人前で話す講座）

あなたに勝ち目はほとんどない
（ビジネストレーニング講座）

「もうパーティなんかしない」と娘は泣きじゃくった
（パーティゲームの本）

あなたがどれだけ「よく本を読んでいる」かのテスト
（文学名作集）

心配するばかりで、人生の楽しさを忘れていませんか？
（生命保険）

既婚男性の多くが抱える問題は……
（生命保険）

奥さまに対してフェアですか？
（生命保険）

堂々めぐりの毎日を送っていませんか？
（家計簿）

不毛な数年間
（ビジネストレーニング講座）

うだつの上がらない夫に妻はこんな手紙を書いてはくれません
（ビジネストレーニング講座）

以上の見出しを読みながら、きっとここが失敗の原因だろうと考えたと思う。それは次の分析と同じだろうか。

1 ◉この10本の見出しはすべて、基本的に「好奇心」型だ。たとえば、「既婚男性の多くが抱える問題は……」という見出しは、それがどういう問題か知りたいと思わせて、読み手にコピーを読むように仕向けている。

2 ◉どの見出しにも「新情報」がない。

3 ◉どの見出しも、相手が「得になる」と思えるベネフィットを提供していない。

4 ◉７本が否定的で、マイナス面を描いている。たとえば、「『もうパーティなんかしない』と娘は泣きじゃくった」もその例。

前章での10本の成功例の分析もふまえると、このあたりで、効果的な見出しを書くための基本ルールが定められそうだ。

見出しを書く5つのルール

1 ●何よりもまず、見出しには**「得になる」ものを必ず盛り込む**こと。相手のほしいものがここにある、と見出しで知らせるのだ。このルールはあまりにも基本的なので言うまでもないことかもしれない。ところが、毎日のように大勢のコピーライターがこのルールに反しているのだ。

2 ●新製品や従来製品でも、新たな使い方などの「**新情報**」があれば、それを見出しで大々的に伝える。

3 ●**「好奇心」を刺激するだけで終わらない**ようにする。「好奇心」を、「新情報」や「得になる」と組み合わせれば強力な見出しになりやすいが、「好奇心」だけで十分強力になることはめったにない。この基本ルールが1番ないがしろにされている。どの新聞・雑誌を見ても、「好奇心」だけで売り込もうとしている広告の見出しが必ず見つかるくらいだ。

4 ●暗い面、マイナス面を描くことはなるべく避ける。**明るい面、プラス面から見て書く**こと。

5 ●**手っ取り早く簡単**に、ほしいものが手に入れられる方法があることを見出しで知らせる。

この5番目のルールで見出しを書くときは、前にも言ったように、**信頼できる内容にする**こと。次の見出しはある通信教育が試した広告見出し。

もっと楽な仕事でもっと収入アップしたい方へ

この見出しは、人類が誕生以来ずっと望んできたことを手短に要約しているようだ。ところが、この広告への問合せはあまり多くなかった。見出しに信頼性がないからだろう。話がうますぎるのだ。

見出しを書くヒント
――効果は実証済み！　13のアドバイス

効果的な見出しを書く５つの基本ルールが定まったところで、他にもいくつかのヒントを見ていこう。実際の宣伝効果は証明済み。効く見出しを書く、13の折り紙つきアドバイスだ。

1◉見出しを書くときは普通に考えて、自分だったらなぜこの商品を買うだろうと問いかけてみること。実際に頭のなかで、どんな理由なら、この見出しを書いている自分が本当にお金を支払って、その商品やサービスを購入するだろうかと考える。そして、その**購買理由を短い言葉で表現**する。それが見出しになる。

2◉見出しを短くしようとしすぎないこと。言いたいことがきちんと伝わらなくなってしまうからだ。見出しが簡潔なのはすばらしいことかもしれないが、他のすべてを犠牲にしてまで簡潔にすることはない。**言いたいことを伝えるほうが重要**なのだ。こちらの思いをすべて伝えるためなら、何文字になってもかまわない。**図4.1**（→次ページ）の広告は、文字が多くても大成功だった例。

87ページ冒頭は旅行代理店の広告から。かなり長いが優れた見出しで、言いたいことをすべて伝えている。

図4.1

リサ・クーパーさんは母親の宝石を1万2,000ドルで売り、4,000ドルの損をしました。ファブリカントにご来店ください。同じ間違いをしなくて済みます

宝石をお売りになる前に、まずファブリカントの提示額をお確かめください

> • When Lisa Cooper Sold Her Mother's Jewelry For $12,000, She Made A $4,000 Mistake.
>
> Visit The Fabrikants And You Won't Make The Same Mistake.
>
> ƒor four generations the Fabrikant fa
> ƒor integrity, fair dealing and the pu
> watches, gold, diamonds and other fin
> For your private, no obligation co
> and a free appraisal by a GIA graduat
> or Brian Fabrikant at (212) 382-2270
> If you're calling from out of town
> 1-800-581-GEMS (4367).
>
> ƒabrik
> FINE DIAMO
>
> The Jewelers Building / 576 Fifth A
> New York, NY 10036 / (212)

> Don't Even Think • About Selling Jewelry Without An Offer From The Fabrikant Family.
>
> ƒor four generations sophisticated collectors have made the Fabrikant Family their primary resource for fine watches, diamonds, gold and other valuable signed and unsigned jewelry. This constant demand enables the Fabrikants to pay you more. Assure yourself of getting the most for your jewelry by calling Andrew, Peter, Sherry or Brian Fabrikant at (212) 382-2270 or if you're calling from out-of-town 1-800-581-GEMS.
>
> ƒabrikant
> FINE DIAMONDS, Inc.
>
> The Jewelers Building / 576 Fifth Avenue (Bet. 46th & 47th St.)
> New York, NY 10036 / (212) 382-2270
> ~ OPEN SATURDAYS ~
>
> NYC Dept. of Consumer Affairs Lic. #0897408

図4.1　新聞の名前がものを言う？

ファブリカント社はダイヤモンド業界では有名だが、一般の人にはあまり知られていなかった。そこで、リサ・クーパーという個人を登場させて、一般見込み客が自分自身に引き寄せて考えられるようなアプローチを取った。この広告と、もう1つの「宝石をお売りになる前に」の広告がセットで『ニューヨーク・タイムズ』紙に掲載されるやたちまち大反響、わずか3年で、広告出稿量が12倍になった。反応がたくさんあったのがニュージャージー州の高級住宅地域だったため、計画を拡大してその地方紙にも広告を載せたところ……、反応はほとんどゼロだった。話がダイヤモンドとなると、いまも昔も媒体そのものがものを言うのだ！

この夏、アメリカ西部がわずか827ドルから
全費用込みのパックツアー
スリル満点の14か所からお好きな場所をお選びください

もし、簡潔にしようとするあまり次のように書いていたら、効果はずっと少なかったはずだ。

この夏、アメリカ西部へ行こう

次のものも長いが効果的。ニューヨーク電話会社のある広告の１番上にこうあった。

10ドルの注文１件のために３時間の移動！
電話なら３分で済んだのに

3●「生気のない」見出しを書かないように。大昔の青銅碑に刻んであるような、あるいは厳粛な会議での会長のご発言かと思うような見出しのことだ。例を挙げよう。

異常な時代
異常な価値感

品質の価値

真の楽観主義

4●「お利口すぎる」見出しも避ける。商品を買いたいと思わせる代わりに、相手に「うまい！」と言わせてしまうような見出しだ。例を見よう。

女性のみなさん!
この夏(サマー)の要点(サマリー)をお読みください

ごちそうサイズで
家族わいわい

エメラルドを譲りませんか?

5 ● 次のような中身のない見出しもダメ。

率直な人に率直な事実
もし、こんなときは……

6 ● 読んでもらえるように相手を説得する方法の1つは、コピーに役立つ情報があることを見出しで伝えること。たとえば——

お金の貯まらない夫を持つ奥様へのアドバイス

ヘアに関するジーン・キャロルのページ

字がうまくなる方法

ちょっとしたことで大きな効果

7 ● 1番重要なポイントを見出しに入れる。見出しで関心を引きたい特定層の心をつかむ。「医者の不養生」と昔から言うが、次の例はその現代版「広告コンサルタントの下手な売込み」だ。これは、ある業界誌に全面広告として掲載されたもの。下手な理由は、見出しで伝えるべき内容が、見出しではなくコピーの最後に小さな文字で入っているからだ。これがその広告。

広告主様へのお知らせ
ロンドンのXYZ社取締役
A.B. ジョーンズ

XYZ社は老舗の国際的広告代理店としてよく知られており、数多くのアメリカ企業の広告を世界各地で担当しております。弊社のジョーンズがニューヨークに５月12〜20日まで滞在する予定ですので、海外市場に関する広告のご相談をご希望の方は、下記まで書面でご連絡ください。

ニューヨーク５番街
○○エージェンシー気付
A.B.ジョーンズ宛

最後にようやく「海外市場」という言葉が出てくる。これがこの広告の１番重要なポイントなのだ。この広告は、海外市場情報がほしいクライアントや代理店に向けたもの。なのにそのことに触れるのが１番最後になっている。適切な相手の関心を引こうと思うなら、見出しで言うべきだった。海外市場の情報を探しているクライアントが、この広告の見出しを読んだだけでページをめくってしまうかもしれない。コピー中にまさに自分の求めるものがあるとは知らずに。

8◉「好奇心」だけで十分効果的な見出しができることはめったにないが、「得になる」型の見出しに「好奇心」を盛り込むのはいい考えだ。たとえば、次の２本は「得になる」型だけの見出し。

こうしてハゲにならずに済みました

1日200ドル稼ごう

この見出しは次のように改善された。相手のほしいものを提供するだけでなく、好奇心もかき立てるように見直したのだ。

こんなちょっと変わったことでハゲにならずに済みました

1日200ドル稼げるとしたら、切手代を払ってもいいと思いますか？

この見出しの広告は共に雑誌に掲載されたものだ。どちらも大成功で、何年間も繰り返し掲載された。広告スペース料金が売上利益を上回るようになるまでずっと。

テスト済みのこの見出しを、次に挙げる未テストの広告の見出しと比べてみよう。

男性は認めないかもしれませんが……

子どもが喜びの声を上げる

海に目を向けよう！

何とどうしようもない、役立たずで無意味な見出しだろう！　何も言わず、何も意味せず、何も売り込んでいない。なのに、多くの広告主がこれと同じくらいひどい見出しを使い続けている。自社の広告コピーをテストしないとは嘆かわしいことだ。それとも、幸せなことと言うべきだろうか。「知らぬが仏」ということもあるから。

9●ただ事実を伝えるだけの見出しでは、相手にコピーを読ませるには効果的でない。たとえば――

歯が白くないと、笑顔の魅力も半減
（歯磨き粉）

ボールほど快調に進むものはない
（ボールベアリング）

その理由は、先を読まなくてもコピーに何が書いてあるかわかってしまうからだ。「Xブランドの歯磨き粉を使おう」とか「ボールベアリングならYブランド」と言っているに決まっている。とは言え、このタイプの見出しにも長所はある。見出ししか読まない人に簡潔なメッセージを伝えることができるからだ。

10●広告の１番下にある広告主のロゴも、見出しの一部とみなすことができる。見出しを読んだあと相手は無意識に目をロゴに落として、どこの会社の広告かを確認するものだ。つまり、見出しで言いたいことを補ったりはっきりさせたりするのに、ロゴに頼ってかまわないわけだ。たとえば、次の４つはすべて同じ見出しだが、それぞれのロゴが違うおかげで、言おうとしていることは異なっている。

お金の心配はもうおしまい
［コピーとビジュアル］
ニューヨーク・ビジネストレーニング研究所

この広告が伝えているのは⑴何か会計システムに関することか、⑵収入アップにつながるトレーニング講座で、お金の心配にケリをつけられるということだ。

お金の心配はもうおしまい
[コピーとビジュアル]
生命保険会社

これは、加入すればお金の心配をしなくてもいい保険プランがある、と伝えている。

お金の心配はもうおしまい
[コピーとビジュアル]
メイシーズ・デパート

メイシーズの値下げ価格で買い物をすれば節約になるから、お金の心配不要、と謳っている。

お金の心配はもうおしまい
[コピーとビジュアル]
ファースト・ナショナル・バンク

明らかに、貯蓄プランでお金の心配をなくそうと提案している。

つまり、見出しを書くときは、その企業の**ロゴの効果も計算に入れる**こと。

11 ● ロゴについて言えることが、広告で使うビジュアルにも言える。ビジュアルは見出しを補い、言いたいことをはっきりさせるためによく使われる。たとえば、効果のあったある通販広告は、見出しが「肥満男性」だけだった。 この見出しが何を言いたいのかがはっきりわかるのは、太った男性が減量ベルトでお腹を凹ませている写真があるからだ。

12 ●「わかりにくい」見出しを避ける。考えなければ理解できない、一目で意味がわからない見出しはダメだ。例を挙げる。

信頼性、それは真実から出た約束

ニューオーリンズへの往来で
大勢の人々がひと息ついて元気を取り戻していく

もし妻の誰もが、未亡人なら誰でも知っていることを知っていれば、
生命保険に入っていない夫はこの世にいないはず

忘れてはいけない。相手の目が広告に注がれるのは、**1度きりの何気ない一瞬**なのだ。貴重な時間を割いて、これはどういう意味だろうと考えてくれたりはしない。ページをめくられてしまうだけだ。

13◉見出しのない広告を打ってはいけない。そのほうがスマート、モダン、洗練されている、という間違った認識で、そんな広告を打つところもなかにはある。そういうところは広告をテストしていないから、そんな広告のコピーを読むのは、仕事で読む校正者だけ、ということにも気がつかない。

コピーを読んでもらいたいなら、**読むべき説得力のある理由をまず見出しのなかで示す**べきだ。見出しのない広告は、何の店かを示す看板も掲げずに店を開くようなもの。入ってくるお客も少しはいるかもしれない。でも、多くの見込み客を失うことになる。

このルールに例外があるとしたら、その商品の見事な写真を使う場合だ。たとえば、美しい4色刷りの写真で、器に盛られたおいしそうな桃と、その下に「デルモンテ」とあれば、見出しがなくてもメッセージは伝わる。

見出しを書くコツ

どんな広告でも、見出しをたくさん書いてから1番いいものを選ぶこと。懸賞クイズにたくさん応募する人のほうが、1回しか応募しない人よりも当選する確率は高い。それと同じで、たくさん見出しを書くコピーライターのほうが、1本しか書かない人よりも効果的な見出しができるチャンスは大きいのだ。

もし、25本もの見出しを書く時間があれば、効果的な見出しを書く確率はさらに高くなる。書いた見出しを**ひと晩寝かせ、次の日にまた読んでみる**。**広告にうんざりしている消費者の立場**で考えてみよう。自分が新聞や雑誌を読んでいて、広告にはまったく興味がないとして、それでも1番、目を引きそうなのはどの見出しだろうかと考えるのだ。

使う見出しを最終的に決める前に候補案をいくつか、まだ1度も読んだことがない人に見てもらうのもいい考えだ。ある人の判断が以前正しかったなら、その人を自分のコピーチーフにしてしまおう。

自分の判断だけを頼りにしてはいけない。偏っている可能性がある。自分で書いた見出しにあまりにも近すぎるのだ。自分には完璧によくわかる見出しでも、他の人にはわけがわからないかもしれない。

もし、見出しを1か月寝かせたあとで読み返せるようなら、自分でも実際のお客の立場で見られるかもしれない。でも普通は1か月も待てない。だからこそ、誰か他の人に見てもらうことで、お客の反応をいますぐに知るのだ。

よく、見出しが2通りに解釈できて、その一方は自分が思いもしなかった、ということがある。たとえば、先日あるコピーライターが、たとえ話風のコピーを見せてくれた。次はその冒頭文だ。

ダビデがゴリアテを落とした

この文を読んだ私は、ダビデがゴリアテを高く持ち上げてから、突然地面に投げ落とすところを思い浮かべた。ところがそれは、コピーライターが私に期待したイメージではなかった。ここで言いたかったのは、ダビデがゴリアテを打ち負かした、打ち倒した、ということだったのだ（訳注・『旧約聖書』で、少年ダビデが巨人ゴリアテを倒したことから、小さな者が大きな者を倒すたとえ）。

長い見出しの処理の仕方

前に述べたとおり、何かをきちんと言っている長い見出しのほうが、何も言っていない簡潔な見出しよりも効果的だ。とは言え、長い見出しの見せ方が重要だ。次の２本の見出しはある全国誌に載っていたもので、長い見出しの見せ方が下手な例。

なぜ
2両目の模型列車だけ
現金で買うことができたのか

ご自宅のバスルームが
お客様に気に入られていると
知るのは
うれしいものです

この２本の見出しの扱いの問題点は、大きいポイント（文字のサイズ）の言葉がそれだけでは何の意味も持たないということにある。見出しのなかにある言葉を強調したいなら、それが意味のある言葉であるように注意すること。

次の２本は全国誌から拾った、長い見出しの処理が上手な例。強調された言葉にきちんと意味がある点に注目。

お住まいがどこであろうと必要なのは十分な
災害保険

Xブランドの
おいしいコーヒーを
ご愛飲いただいているのは
意外に家庭的なこの独身男性たちです

長い見出しの扱い方は２通りある。

1 ● 見出しの文字をすべて同じ大きさにする。
2 ● 見出しのなかの重要な言葉だけを大きくしたり、極太にしたりする。

１の扱い方の問題は、長い見出しを全部同じ大きさの文字にすると、その広告全体が黒々と見えてしまう点だ。そうなると、単調でつまらない。相手の注意を引くような目立つものがないのだ。

２の扱い方のほうがいい。１の不都合な点が解決できる。この処理のほうがいい理由は３つある。

1 ● 強調する言葉の文字の大きさそのものが、相手の注意を引く役割をはたす。

2 ● 大きなポイントや太字扱いにした言葉が適切であれば、大勢のなかからこちらの「ターゲット」、つまりその商品の見込み客となる特定層を絞り込める。

3 ● 大きなポイントや太字扱いの言葉が、絞り込んだ見込み客に簡潔にメッセージを伝える。どんなに速くページをめくろうと、まず見落とされることがない。

見出しの処理がうまい例をもう１つ。書評週刊誌の定期購読を宣伝する広告の見出しだ。

他の人と本の話ができますか?

この見出しは、実際には次のように印刷された。

他の人と
本の話が
できますか？

適切なターゲットに向けて、大きく太字で扱ったメッセージが興味をかき立てている。

なかにはこうした強調に向かない見出しもある。内容を簡潔に伝える言葉がどうしても選べない場合だ。そういう場合は、次の２通りの方法がある。

1●見出しを書き直す。
2●見出しの半分を大きな文字か太字扱いにして、残りを普通の扱いにする。

どの言葉を強調するか――うまい例と下手な例

99ページ冒頭は、**図4.2**（→次ページ）のように見出しのなかの言葉の強調がうまい例、それと下手な例だ。

図4.2

ゴールドのように価値ある評判

（訳注·as good as goldで「とてもいい」という意味のイディオム）

A REPUTATION
as good as GOLD.
It's been called the BEST car built in AMERICA.* It has won awards, DISTINCTIONS and the LOYALTY of millions of owners. Along the way, it has earned a glittering REPUTATION as the GOLD STANDARD of sedans.
With its SOPHISTICATED safety systems, including DUAL AIR BAGS,** the POWER of an available V6 engine and starting at around $16,830,† Camry CONTINUES to make a NAME for itself.
The 1995 Toyota Camry. Newly RESTYLED. Yet with a HERITAGE of QUALITY craftsmanship that only the best REPUTATIONS are MADE OF.
Call 1-800-GO-TOYOTA for a BROCHURE and location of your nearest DEALER.
Rave reviews put Camry at the top of the stack.
New styling makes the Camry as beautiful to look at as it is to drive.
TOYOTA CAMRY
I Love What You Do For Me

アメリカで生産される車の**最高峰**と呼ばれてきました。数々の受賞、**名声**、そして何百万人ものドライバーからご**信頼**をいただいています。これまでに、セダンの**ゴールド・スタンダード**として輝かしい**評判**を得てきました。

最新の安全システムは**デュアルエアバッグ**標準、V6エンジン搭載**パワー**、価格は1万6,830ドルから。カムリはその**名声**をこれからも獲得し**続けます**。

1995年型トヨタ・カムリ。**新デザイン**ながら、ハイクオリティの職人技の**伝統**を受け継ぐ車。最高の**評判**だけを**築いて**きました。

カタログ、最寄りの**販売店**のお問合せは、1-800-GO-TOYOTAにお電話ください。

図4.2　大文字できっぱり！

ケープルズが提唱する「強調する言葉を大文字に」の唯一の問題点は、どの言葉を強調するかがわかっていなければならない点だ。トヨタほどこれをうまくやっているところは少ない（この見出しで「good」が大文字ではない理由？　GOOD……GOLDとするとそこで目が止まってしまい、あとのコピーを読んでもらえないからだ）。大文字になっている言葉、最高峰……アメリカ……評判……ゴールド・スタンダード……エアバッグ……パワー……新デザイン……カタログなどが、まるで19本の小見出しのように際立っている。**見出しをメインビジュアルの下に持ってきていること、商品名がどちらのキャプションにも入っていることも**、宣伝効果を高めるさらなるポイントだ。なのに忘れられがち。

○　**背が高くなる** **秘訣**	×　**この秘訣で** **背が高くなる**
○　**アルミ製手すり** **現在手に入る最高品質です**	×　**最高品質の** **アルミ製手すりが手に入ります**
○　**いい家具なら** **いまがお買いどき**	×　**いまがチャンス** **いい家具を買うとき**
○　**ついに登場のヘアスプレーは** **パサパサの髪専用**	×　**ついに登場** **パサパサの髪専用ヘアスプレー**
○　**ハイパワー自動** **ペンキスプレー**	×　**ハイパワー** **自動ペンキスプレー**

広告の見出しのなかで強調すべき言葉が間違っている原因の１つは、コピーライターがデザイナーにコピー原稿を渡して、見出しのどの言葉を強調するかを任せてしまうからだ。これは愚かなやり方だ。コピーライターはデザイナーと話し合って、強調すべき意味のある言葉を選ばないといけない。デザイナーは、色調とか明暗のバランスでものを考えがちだ。

見出しの最初か最後の言葉を大きく扱えばレイアウト上バランスがよくなると考えれば、その言葉に意味があろうがなかろうが、デザイナーはそうするかもしれない。次のような興味深い言葉をコピーライターとデザイナーが交わしているのを聞いたことがある。

「デザイナーの問題点は、広告は見るもので、読むものじゃないと考えているところだ」とコピーライター。
「コピーライターの問題点は、広告は読むもので、見るものじゃないと考えているところだ」とデザイナー。

つまり最高の広告は、**コピーライターとデザイナーがチームに**なって取り組んだときに生まれる、ということだ。

通販広告の見出しから学ぶこと

現在流通している新聞や雑誌で、一般のマス広告の見出しと、通販の広告の見出しを比べると勉強になる。通販は、すべての広告の売上成果が追跡できる。

次に挙げる見出しはすべて、ある雑誌１冊から抜き出したもの。一般広告の見出し（リスト１）があいまいさでお利口ぶっているのに対し、通販の広告の見出し（リスト２）はわかりやすく単刀直入であることに注目。

◆ リスト１（一般マス広告の見出し）

夏こそたくさんの昼食会！

女の子が男の子勝りなこの時代、この世に正しいことなどあるでしょうか?

これはやりくり上手な女性の鼻です

○○のキャンディ――４人組を作った５人目
（訳注・人気コメディ『ストレンジャーズ・ウィズ・キャンディ』のもじり）

幸運な赤ちゃん

まずよく聞いて！　それからスプーンを突っ込んで
使えなくなることはありません！

◆ リスト２（通販広告の見出し）

ホテルの女性支配人になりませんか

グラグラする家具は処分しましょう

一生もののフロアコーティング

副業収入

アリの巣を根こそぎ駆除

ウィード・アウトスプレーで雑草（ウィード）駆除

マタニティドレス

１万ドルの生命保険が１ドルから

すばらしいフォード・モデルT消防車 （図4.3→102〜103ページ）

ハリウッドのメイクアップの秘密

通販のこうした広告の見出しほど、わかりやすくて単刀直入なものはない。簡潔だ。**ごく簡単な短い言葉で情報を相手に伝えている**。実にはっきりしていてわかりやすい。

このような通販の広告は何度も繰り返し使われている。なかには、何年も効果が衰えないものもあるのだ。

「広告は人々の消費力を高める。よりよい生活への欲求を生む。広告は人に、もっといい家、もっといい服、もっとおいしい食べ物を、自分や家族のために手に入れるよう目標を立てさせる。努力するよう個人にはっぱをかけ、大量生産に拍車をかける」

——ウィンストン・チャーチル（訳注・1874－1965。イギリス首相）

図4.3

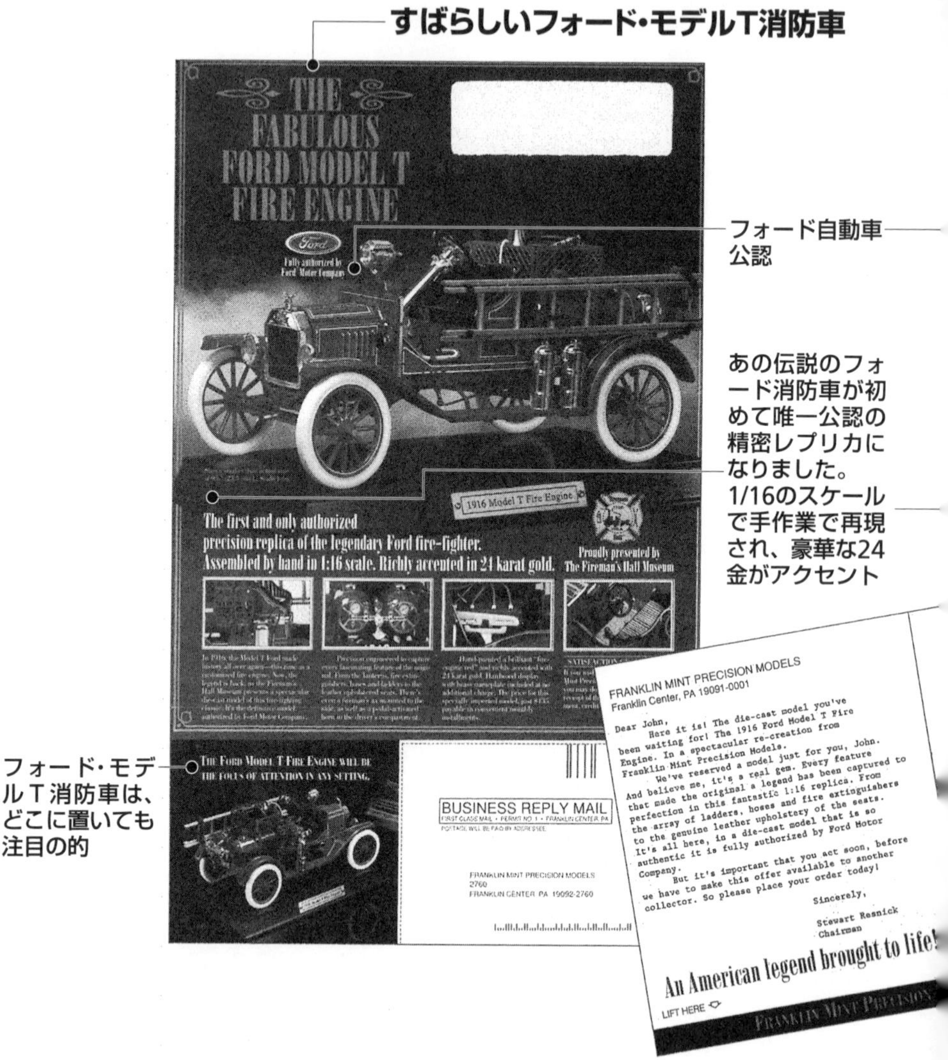

図4.3　何よりも１番重要なリスト

まずテストするのは、「自社」リストのうち、ダイレクトレスポンスで購入して満足している実績のあるお客だ。この人たちに売り込めなければ、いったい何のために広告するのか。フランクリン・ミント社のマーケティング担当にこの手のテストを行わせたら、右に出る者はいない。宛名を入れて送ったダイレクトメールにすばや

1916年、史上最も有名な自動車が消防車の伝説を作った
すばらしいフォード・モデルT消防車

1995年3月31日までにお送りください

い反応があるや成功の見込みありと見て、最終的な広告ではさらに効果を高めるために、いくつかの変更を加えた（その5か所がおわかりだろうか）。「○○までにお送りください」と、返信はがきとクーポンの両方に期限が入っている。これが効いている。

第5章

35の見出しの型
――効果は検証済み

型というものを利用して、小説、芝居、歌詞、毎日のように放送されるテレビドラマの脚本が書かれている。

では、広告の見出しやティーザー（じらし）コピーを書くための型もあるのだろうか？

もちろんある。効果のあった見出しの多くは、型を利用して書かれている。

この章では、**見出しを書く35の型のチェックリスト**を紹介する。

いままで実際に効果があり、またこれからも効果が期待できるはずだ。

自分が担当する商品やサービスを頭に置きながらこうした型を読めば、効果的な見出し作りに使える型が見つかるだろう。見つからなくても、自分で新しい型を考えるきっかけになるかもしれない。

新しい型は日々生み出されていくものだ。

あるいは、古い型に手を加えて新しいパターンができるかもしれない。

ここで紹介する型のリストは、クリエイティブ思考を妨げるものではなく、有益に筋道立てて考えられるよう手引きするものだ。こうした型に頼りきるのではなく、ぜひ踏み台としてもらいたい。

忘れないように！　効果的な見出しができれば、仕事は半分以上終わったも同然。コピーを書くのは比較的簡単になる。逆に、見出しがまずいとどんなにコピーに力を入れても意味がない。誰にも読まれないのだから。

ここに挙げた見出しの型は、新聞・雑誌広告だけでなく、ダイレクトメールの封筒に入れる見出し（ティーザー）にも、ラジオやテレビコマーシャルの出だしの文章を書くのにも使える。

「新情報」見出し――8つの型

まず「新情報」見出しから始めよう。

広告の最も重要な役割の1つは、新製品の紹介や、従来製品の新しい使い方や改良点を知らせることにある。デパートが「新情報」見出しを使うのは、それで人が店に来るから。通販もできるだけ「新情報」見出しを使っている。集客効果が高いからだ。「新情報」見出しは、注意を引いて販売を促進するのに効果的だ。

そこで、最初の８つの型は「新情報」をテーマにしたもの。

では見ていこう。

型1. 見出しを「ご紹介」で始める

（ブランド名）**をご紹介。アートを学ぶ方にお求め安い新型アート用品**

ご紹介します、家庭用フリース（商品名）

ご紹介。アスペンGPSシステム

ご紹介、特別なシーズンのとっておきギフト

ご紹介、まったく新しいフォード・トーラス

ご紹介、かわいがっていることを毎日伝える新しい４つの方法（キャットフード）

ご紹介するのは、退職後に必要なお金と貯金との差額を埋める新しい方法です

型2. 見出しを「発表」で始める

発表します。最新型の車

発表。新しい辞書が出ました

発表、(ブランド名)ビデオカメラの新製品ラインアップ

発表、ファイアストンの新タイヤ

発表。自宅所有者が抱える問題の新しい解決法

「発表」という言葉は、次のように別の形でも使える。

ガルフ社が発表するのは、まったく新しいガソリン

家をお持ちのみなさまへ重大発表

型3. 発表のニュアンスがある言葉を使う

ついに登場、刺激的な新しいスタイルはレトロ感がまったくありません

おかげさまで全米を代表するトラック会社になりました

ご覧ください、背丈90センチの新しいバレリーナ人形

最新のデュポン強力スポンジ

さようなら、時代遅れのエアコン

最新刊の百科辞典

新製品や従来製品の改良版を市場に出すときは、そのことを必ず告知すること。図5.1（→次ページ）のように大々的に発表する。「**ご紹介**」や「**発表**」という言葉を大きな文字で広告いっぱいにはっきりと出す。**人は発表に関心**

図5.1

United Airlines proudly introduces something shockingly amazing...
ユナイテッド
航空が
自信を持って
ご紹介します
すばらしく
ビックリするもの
それは……
Nothing.
何もないこと（ナッシング）
E-Ticket. The new ticketing service involving no paper ticket whatsoever.
Purchase now for flights on or after September 18. Then just flash a picture I.D. at the gate and you're on.
How in the world can we do that? It's nothing.
UNITED AIRLINES

図5.1　何もかも（エブリシング）より優れた唯一のこと（シング）

紙の航空券がいらない新しい「Eチケット」制度をどうやって知らせよう？　ティーザーコピーを新聞の全面広告に載せ、次のページにひと言だけ載せるのだ。これで読み手は、広告の下のほうにある、さほど小さくはない文字のコピーを確実に読むはずだ。これは見開き広告ではなく、新聞の連続する右側ページに掲載された広告であることに注目。

がある。改良製品や新製品発表はよく読んでもらえるのだ。その製品が特にいますぐ必要かどうかは関係ない。

告知型コピーは目新しいものではない。大昔も使われた。昔の広告の多くは、布告という形の告知広告だったのだ。

新製品や改良点をいったん紹介したあとも、その「新情報」性を引き続き広告で保てるのが、次の型４だ。

型4. 見出しを「新」で始める

新登場、レモンブロッサム・パイ

新登場、ドライバー用エアバッグ標準。新エルゴノミクス内装。新しい4WD-AB5。新しい６枚CDチェンジャー。さらにパワフルなエンジン

新製品、プログレッソのチキン100%スープ

新型10チャンネル携帯GPSはマゼランだけ

新型ブラック・アンド・デッカー電動ドリル

新手法で個人資産管理

「新」という言葉をさんざん使ったら、引き続き広告に「新情報」性を加えられるのが、型５。

型5. 見出しを「いま、さあ、ついに」で始める

ついにペーパーバックで！

いまなら、出版を目指した２通りの書き方が学べます

ついに均一に耕すことがもっと簡単に

ボストン・ロサンゼルス間、いまなら毎時運行の○○航空

ついにビデオで登場

「いま、さあ、ついに」と「新」の両方が入った効果的な見出しがある。

ついに出た勉強法！　高校卒業資格試験合格のための新シリーズ

型6. 見出しを「とうとう、いよいよ」で始める

とうとう出ました！　「魔法の頭脳」を持つスチームアイロン

いよいよ登場！　このわかりやすい道路地図１冊でヨーロッパ中を車で移動できます

とうとう出た！　６か月保証つき歯ブラシ

「とうとう、いよいよ」という言葉には、長い準備期間を経て、多くの人々が待ち望んだ商品がついに登場、というイメージがある。

次のように、「とうとう」を見出しの後ろに持ってくるパターンもある。

風邪の特効薬、とうとう見つかったか?

次の２本は、「とうとう、いよいよ」という言葉を使わずに、その「新情報」性を伝えている。

ようやく本格的ノミ駆除剤がお手頃価格になりました

想像してみてください。まるでたった1枚のスチールからできているように感じられるほど、精巧に作られた車を

型7. 見出しに日付や年を入れる

6月1日スタート……マイアミ・ビルトモア・ホテルのサマーセール

1日限り。8月6日、日曜日AM10:00〜PM 6:00まで（ピアノのセール）

おしゃれ手袋の7月セール

月曜は本が30〜60%オフ

今年、GE社の電球がさらに明るくなったわけ

ウォールストリート・ジャーナル紙からの19XX年の警告

新しい19XX年型ゴルフ・クラブで、ハンディキャップを減らそう

この夏、人に差をつける方法

10月15日までにフランス語が話せるようになります

型8. 見出しをニュースネタ風にする

パリでお気に入りのワインが入荷しました

突然、耳がよく聞こえるように

世界初の電波腕時計

古代メキシコからの現代ギフト

発見――髪が生えてくるすばらしい方法

躁うつ病患者はみんな同じではない（受賞）

快適、暖か、静かで安全。注目のヒーターの登場

赤ちゃんに関する神話はもうありません。この画期的おもちゃが取って代わったのです

この他にも「新情報」を感じさせる言葉やフレーズに、「新発明」や「刷りたて」などがある。

次の効果的な「新情報」型見出しは、ビジネス通信講座の広告の1番上に印刷されたもの。

刷りたて
新しいパンフレットで発表します
ビジネス講座の新シリーズ

この見出しには「新情報」の型が4回も使われている。

(1) 刷りたて　(2) 新しいパンフレット　(3) 発表　(4) 新シリーズ。

価格に関する見出し――5つの型

宣伝効果テストでわかっているのは、何を売る場合でも１番重要な要素の１つは「価格」だということ。また、注目率調査で、人は広告の大きな文字のコピーさえ飛ばして下に目をやり、小さな文字で書かれた価格をまず読むことが多いこともわかっている。

次の３つは、価格そのものを扱う型。全国誌に出す広告で価格を掲載するのは必ずしも現実的ではない。地域によって価格が変わる場合があるからだ。でも、地方紙に掲載する広告やローカル放送のコマーシャルなら、価格に言及したほうが効果的で好ましい場合が多い。

型9. 価格を見出しのメインにする

GEの軽量ハンドミキサーにすべてお任せ、たったの27.95ドル

全マホガニー仕上げの格調高いダイニングセット、749ドル

保証つき17石の高品質腕時計、16.95ドル

5ドルで100万ドルの気分を味わいませんか?

本当です。本物のキッド革製がたったの29.95ドル（靴）

「決定版500ドルCDプレーヤー」（カギカッコつき証言で、価格を強調）

図5.2

Semi-annual,
all-encompassing,
completely
colossal,
summertime
clearance
40% to 75% off original prices.
Clearance prices have been marked on the price tags.
HUDSON'S
HUDSON'S IS OPEN MONDAY-SATURDAY 10-9, SUNDAY 11-6.
USE YOUR HUDSON'S CARD, VISA, MASTERCARD, DISCOVER CARD OR THE AMERICAN EXPRESS CARD.

半年に1度
全商品対象の
完全にケタ外れの
サマータイム
クリアランス
セール

定価の40～75%オフ。
クリアランスセール
価格は、値札に表示
されています

図5.2　８ワードで800ワード分伝える！

厳密にはいわゆる判じ絵とは違うが、ハドソンズのこのビジュアルの使い方にはそれとほぼ同じ効果がある。言葉でくどくど説明せずに、在庫一掃セール対象品の幅広さをうまく「伝えている」。人物と犬の計４点のイメージ中３点がこちらをまっすぐに見て注目を引いている。ハドソンズが１店舗しかない地域では、その店の住所が店名の下に入る。

型10. 割引価格をメインにする

この型は、図5.2（→前ページ）のように小売業者の広告でよく使われている。例を挙げよう。

最高2,000ドルまでのオプション割引で、これまで以上にお求め安く（車）

ツイストウールの広幅じゅうたんが、通常12.95ドル/平方ヤードのところ、8.88ドル/平方ヤードでセール

豚革の高級書類カバンが19.80ドル（通常価格35ドル）

ワムスッタ社製の高級コットンシーツがわずかに規格外のため3.95ドル（正規品は6.95ドル）

全国展開の広告でこの型を使うこともある。たとえば——

コーヒー大特価、2ドル引き

半額以下、ステンレス製キッチンセット

型11. 特価品をメインにする

このタイプの見出しは、赤字覚悟の提供になることもよくある。それでも提供するのは、お客にまず自社製品を使ってもらうよう促すのが目的だからだ。

のどがひどく渇いたときに。48オンス、49セント

毛皮の下取り価格が２倍に

年中大特価、デルフィニウム10本１ドル（生花）

半額で特別提供……８か月で８ドル

ビタミンサプリメント30日分を2.65ドルで

お好きな本４冊（合計43.95ドル分まで）を１冊１ドルで

（訳注・「配送手数料」など別途費用がいる場合はその旨を記載すること）

型12. 支払いの簡単さをメインにする

宣伝効果テストによると、商品が分割払いで購入できることを示したほうが、そうしない場合よりたくさん売れることがわかっている。支払い方法の簡単さにコピーで触れている広告は多いが、この訴求ポイントを見出しに持ってきてうまくいった例もある。

いますぐご注文ください。１月10日までお支払いは不要です

毎週たった２ドルでこの新型カセットプレーヤーが手に入ります

頭金不要、分割払いで防風フェンスがご購入いただけます

型13. 無料提供をメインにする

無料提供の仕掛けは、あとで販売につながることが多い。無料提供の仕方

図5.3

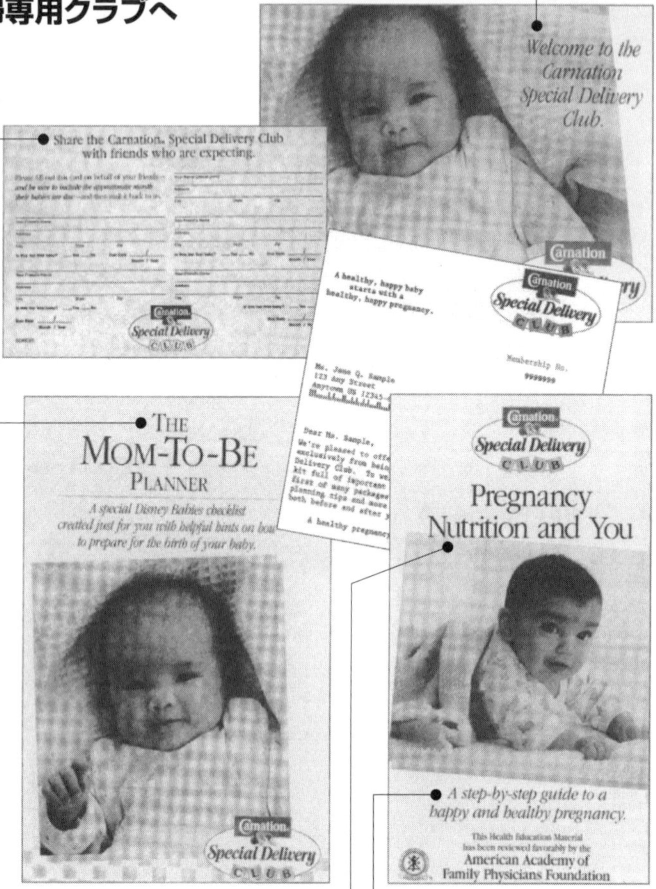

図5.3　リレーションシップ・マーケティング（訳注・顧客とよい関係を築き、維持することで、長期にわたる取引関係を保とうとするマーケティング手法）**で成功**

問題点……粉ミルク市場の90%が、製薬会社の関連病院や小児科医が薦める数ブランドに独占されていた。
解決策……一般消費者向け広告を通して妊婦や新米ママに直接語りかける、唯一の粉ミルクメーカーになる。雑誌、テレビ、POPを使い、それまでにないユニークなベネフィットとなる、カーネーション社の無料「妊婦専用クラブ」を謳う。

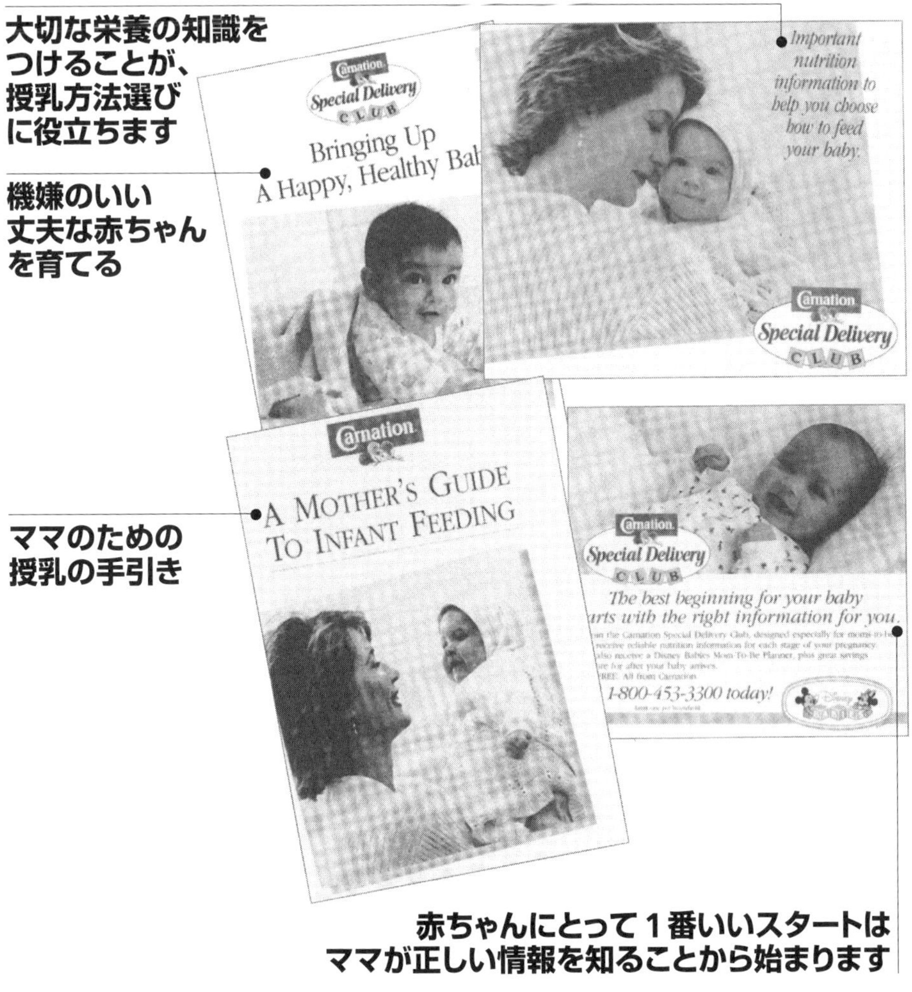

大切な栄養の知識をつけることが、授乳方法選びに役立ちます
機嫌のいい丈夫な赤ちゃんを育てる
ママのための授乳の手引き
赤ちゃんにとって１番いいスタートはママが正しい情報を知ることから始まります
Carnation
Special Delivery
CLUB
Important nutrition information to help you choose how to feed your baby.
A MOTHER'S GUIDE TO INFANT FEEDING
The best beginning for your baby
1-800-453-3300 today!

結果、何十万人もが入会した。会員が別の会員を紹介すると**会費が半額**になるようにしたのだ。会員が受け取るダイレクトメールには、妊娠中から出産までのすごし方や、出産後の母子のケアについての役立つ情報が載っている。

成果……カーネーション社のリレーションシップ・マーケティング活動は、予想をはるかに超える大成功を収めた。1992～95年の景気停滞期に、**市場シェアが２倍**になったのだ。何よりの賛辞は、競合相手がこれと似たような「クラブ」を始めたことだろう！

には何通りかある。(1) 無料お試し、(2) 試供品やサービスのお試し、(3) 製品パンフレット、(4) 商品購入につける景品、(5) 以上4つの任意の組合せ（**図5.3→118〜119ページ**）。例を挙げると——

3枚組レコードアルバムの10日間無料試聴

プラトンとアリストテレスが無料

無料トライアルレッスン

無料相談

新婦は無料。その他の方は2ドル

無料の白髪用トリートメント

気の利いたバレンタインパーティを無料企画

「無料」という言葉を必ずしも頭に持ってくる必要はないが、ブラインドオファーのテスト中でもない限り、その部分を特に強調すること。

イースター・シールズに10ドル寄附してください。モトローラの携帯電話を無料で寄贈します（携帯電話サービス）　（訳注・イースター・シールズは障害者の自立支援団体）

貴社だけに特別の中小企業割引価格。8月の通話料金無料（電話会社）

100名様に無料（フリー）でヘアカット。もし土曜日お時間（フリー）がありましたら、当店も無料（フリー）にします

ワールプール社の新製品、コンロ上に取りつける電子レンジなら、いまカウンタ

ーに置いているスペースが自由（フリー）になります（訳注・別の意味の「フリー」を提供）

情報やエピソードを提供する見出し――２つの型

型14. 役に立つ情報を提供する

人が新聞や雑誌を買うのは、記事を読んで新しい情報を得るためだ。したがって、役に立つ記事体の広告を書くことで、注目率を高めることができる。

普通、コピーは次の３つのパートで成り立っている。パート１はセールストークなしの情報、パート２はセールストークを織り交ぜた情報、パート３はセールストークのみ。このタイプの広告の見出し例を見てみよう。

こうした安全機能のうち１種類だけが、事故防止につながります

古書などについての事情通の手引き

ミニスカートだけが若返る方法ではありません

世界がどこへ向かっているかを知りたいなら、こちらへ（大学）

こんな言葉遣いの間違いをしていませんか?

利益を上げるべきタイミングのまぎれもない事実

２通りの簡単レシピ、ビスクイックを使ったツナ「ショートパイ」

「合成洗剤」がいかに新市場を創出しつつあるか、『バロンズ』誌を読めばわかります

このアグリコプランでもっと青々とした芝生を

型15.「エピソード」を伝える

雑誌を買うのは、フィクションやノンフィクションのエピソードを読むためだ。したがって、何らかのエピソードを伝える見出しを書くことで、注目をたくさん集められる。しかもこの手法には、図5.4(→次ページ)のように、次のような利点がある。

(1) ふさわしいエピソードはこちらのメッセージがしっかりと伝わる、(2) ふさわしいエピソードはこちらのメッセージに説得力が加わる。「エピソード」の効果は聖書に出てくるたとえ話でもわかるように、大昔から明らかだ。

次の見出しのなかには、ただ商品やサービスが売れただけでなく、話題にもなったものがある。

こうして私はひと晩で記憶力をアップしました

私がピアノの前に座るとみんなが笑いました

ある孤独な少女の日記

どうやってひと晩で人気者になれたか

花嫁つき添い人は何度も経験済み、でも花嫁にはまだ1度も

最初の1か月は数百マイルごとに車を停めて、ニヤニヤしすぎて疲れたお顔の筋肉をほぐされることをお勧めします(車)

図5.4

12マイルものコットンから
ランズエンドのピンポイント・オックスフォードシャツ１枚が作られます
しかもそれはほんの序の口です

図5.4　事実だけを興味深く

事実をエピソード仕立てにして、相手の心に残るように語る。見出し（何と12マイル！）に続き、糸と織り方の話に入る（シャツの専門用語は覚えられなくても、ほう！と思わせる）。縫製工程の（69工程すべてではなく）いくつかと、「超長持ち」ボタン（世界で62種類だけ）の採用、120針のロックステッチ仕上げのボタンホールなどを詳しく説明。全部で10あまりの事実、さらに、お得な価格と無料カタログ送付を伝える。見出しを写真の下に持ってくる。フリーダイヤルの電話番号とクーポン番号を同じにする。電話がジャンジャンかかってくるわけだ！

ロジャース先生の4年生のクラスが証明しました。ヒーローはこの世界に本当にいるのです（テーマパーク）

1番ウソくさいリサイクルの話

ただし、（売上の観点から見て）最も効果的な「エピソード」型見出しは、適切なターゲットを絞り込んでいる。たとえば、先ほどの記憶術講座の広告では、見出しの「記憶力」という言葉がそうだ。

キーワードを使う見出し――10の型

続く10の型は、キーワードを使うもの。

型16. 見出しを「○○する方法」とする

見出しにキーワードを使うと注目率が上がるだけでなく、コピーライターにとっても効果がある。そのキーワードにきちんと合うようにコピーを書かないといけないからだ。たとえば、見出しを「○○する方法」としたら、何かの仕方を伝えるコピーを書かないといけない。そしてそれこそが、相手の読みたいコピーなのだ。

40歳になっても遠近両用メガネに頼らなくても済む方法（使い捨てコンタクトレンズ）

ご家庭にピッタリのホームシアターシステムの選び方

トイレ・お風呂の正しい使い方（水の使用についての広報ガイド）

中央アメリカを1日17ドルで旅する方法（SUV車）

お金の心配をなくす方法

もっといい仕事に就く方法

庭作りの方法

夫が喜んで家にいつく方法

人には物事のやり方を学びたいという気持ちがある。自分がやりたいことの方法が書いてある広告なら、熱心に読むものだ。
「○○する方法」という言葉は広告以外でも効果的なことがわかっている。私はある雑誌の編集者にこう言ったことがある。
「通販の広告ならとっくの昔に知っていることだけど、『○○する方法』という見出しの広告を出すと、問合せがたくさんあるんだよ」
その編集者はこう答えた。

「雑誌の仕事でも同じだよ。『○○する方法』というタイトルの記事はよく読んでもらえるんだ。そういう記事のおかげで雑誌の売行きもアップするよ」

この見出しに近いのが、「どうやって」で始まる見出しだ。

型17. 見出しを「どうやって、このように、どうして」とする

「どうやってうちのビジネスにインターネットを取り入れたらいい?」1-800-827-ETCにお電話ください

このようにたくさんの古くなったキッチンがリフォームされました

どのようにしてこの新製品がコンクリート施工に革命をもたらしたか
この世界一手軽で温かい朝食で、あなたの活力がこのように変わります

こうして私は１日４時間の仕事で生計を立てています

こうやって７ドルで新しい人生をスタートしました

どうしてペパーリッジファームのパンを食べると表情がイキイキするのか

どうしてこのすばらしい自然ガイドブックがたったの○ドルなのか

型18. 見出しに「理由、なぜ」を入れる

このビタミン類でもっと元気になる理由

なぜ足が痛くなるのか

今年、GE社の電球がさらに明るくなったわけ

なぜ一部の人たちだけが株で必ず儲けているのか

型19. 見出しに「どれ、どの」を入れる

どの株が向こう12か月でS&P500®（訳注・スタンダード・アンド・プアーズ社が発表する株価指数）を上回るか?

どのバッテリーが自分の車にピッタリか?

次の５つのお肌のトラブルのうち、なくしたいのはどれですか?

この型を少しだけ変えたのが次の見出し。

このような神経衰弱の症状はありませんか?

この見出しには強みが２つある。

⑴ 興味をそそる。自分自身への強い関心にアピールする。読んだ人は自分の抱えている症状がこのなかにあるかどうか知りたくなる。

⑵ たくさんの症状を入れることで、ターゲットを広くカバーするコピーを書くことができる。たいてい誰だって少なくともどれか１つはあてはまるだろうから。

型20. 見出しに「他に（誰か）」を入れる

他に試したい方は? もっと白く洗いあげるのに苦労はいりません

キスしたくなるようなお肌に30日以内になる方法を知りたい人は他にいませんか?

髪がはねてお困りの方は他にいませんか?

型21. 見出しに「求む」を入れる

求む！ 自分の車で移動販売をしたい方

求む、肉筆原稿や歴史文書

求む、健全な市民若干名
（長年使われている、アメリカ海兵隊の新兵募集キャッチフレーズ）

求む。高報酬で、不動産スペシャリストとして働きませんか

求む、危険な時代に信頼できる人

「求む」という言葉には人を引きつける力がある。読んだ人は何が求められているのか知りたくなるからだ。さらに、「求む。高報酬で、不動産スペシャリストとして働きませんか」の見出しからは、不動産スペシャリストの需要の大きさがわかる。前に説明したとおり、これはあるクーポン（資料請求券）つき広告の見出しで、いろいろな雑誌に何度も繰り返し掲載された。効果があった十分な証拠だ！

型22. 見出しを「これ、この」で始める

この心を落ち着かせる入浴剤なら、こだわり派の女性もビックリ

このホリデーシーズンは、親戚家族から逃れませんか（ホテルチェーン）

この贅沢さはまるで1980年代にあと戻りしたかのよう。ただし今回はお求めやすい価格です（車）

これはアメリカで１番静かな食器洗浄機

この親切な表示が、至るところに

「これ、この」で始まる見出しには２つの強みがある。
⑴ 見出しが具体的になる　⑵ 宣伝商品に注目がいく。

型23. 見出しに理由の「〜だから」を入れる

ペットの快適な毎日はあなたにとって大切なことだから（キャットフード）

ノミがまた戻ってくるから

型24. 見出しに仮定の「（もし）〜なら、（もし）〜しても」を入れる

もし資金管理賞があったら、当社が受賞スピーチをしているでしょう

もしアメリカにアウトバーンができても、準備万端です

もしお宅の社員がいつもよりテキパキと仕事しているように見えても、それはコーヒーのせいではありません（オフィス機器）

もし成長と安定がお望みでしたら、当社がお力になります

究極のスピーカーシステムにはサブウーファがついているはず、とお考えでしたら、半分は正解です

それなりの比較をご希望でしたら、色違いを見せてもらってください（オートバイ）

　次は、ほとんどどんな広告にも応用できる「もし〜なら」の型だ。

もしこの（商品/サービス）**を買う余裕はないとお考えでしたら、**（特別割引/利用条件など）**をお確かめください**

カギつき広告を使っている企業でその効果が証明されている型の１つが、アドバイスのある見出し。型25がそうだ。

型25. 見出しに「アドバイス」という言葉を入れる

ビジネスを始めようとしている若い人たちへのアドバイス

夫へのアドバイス

花嫁へのアドバイス

「アドバイス」という言葉が相手に伝えるのは、このコピーを読めばちょっと役に立つ情報がありますよ、ということだ。見出しでは何かを買えとは言わない。無料のアドバイスを知らせているだけ。当然ながら、興味をそそるお知らせだ。こうして相手をコピーに誘い込んだら、そのなかでアドバイスだけでなくセールストークを交えればいい。

ここまで、キーワードを使った10の型を紹介してきたが、もちろん、すべてのキーワードを網羅しているわけではない。この他にも様々なキーワードが、新聞の見出し、本や雑誌記事の見出しに見つけられるはずだ。たとえば次の見出しでは、下線部分が各キーワードになっている。

夫妻の率直な相談話

言葉遣いによくある間違い

電気の原理

すべての女の子が知っておくべきこと

スキンケアについて知っておくべき事実

その他の見出し——10の型

型26. 見出しを証言スタイルにする

実際の証言を見出しにしてもいいし、証言風の見出しでもいい。それぞれ3例ずつ挙げる。

私がどれほど本気で減量したか聞いてください

式のあとで私が泣いた理由

私は破産寸前でした。そこで、『ウォールストリート・ジャーナル』紙を読み始めたのです

「最高級スピーカーのすばらしい性能が楽しめる」（雑誌に掲載された評価）

「タクラマカン砂漠で数か月すごして、この保護機能に絶大な信頼を置くようになりました。私たちだけじゃなくラクダも大喜びでした」（アパレル）

「このクリーミーなチョコレートプディングにどれだけ脂肪分が含まれているかわかりますか?　ゼロなんです」（語り手の写真掲載）

型27. 読み手を試す質問をする

あなたの頭皮は爪でかいても大丈夫ですか?

キッチンをお客様に見られても大丈夫ですか?

この記憶力テストに合格できますか?

文章能力テスト

型28. 1ワード見出しにする

小スペースの広告を出しているところは、たった1ワードで見出しになる単語をうまく見つけることがある。この型が効果的なのは、その単語にきちんと意味があり、適切なターゲットが選別できる場合だ。この型の強みは、1ワードだから文字を大きくできるため、小さな広告面でも見出しを目立たせることができる点にある。例を挙げよう。

会計
航空業
ダイヤモンド
減量
人見知り?
法律
特許
神経
うおのめ
ビタミン

当然、こうした1ワード見出しは効果があると思って大丈夫。さもなければ、通販や薬の広告で何年も使われ続けているはずがないからだ。

昔からずっと変わらない1ワード見出しの代表例が「ヘルニア（脱腸）」と「セックス」だ。前者はヘルニア帯（バンド）の広告で、『ポピュラー・メカニクス』

誌などの男性誌の案内広告欄に何十年も掲載されている。ターゲットを絞り込んで売り込むのに大変効果があったので、編者の広告代理店で見出し案を検討するときはまず、「『ヘルニア』はどこだ？」と言って確認するのがお決まりになっているほどだ。

後者の「セックス」の見出しは、50年以上にわたって数多くの大学新聞のなかで使われてきた。学年末の直前にこんな感じで、割と大きなサイズで載る。

> **セックス**
> **さて、ご注目いただいたところでご紹介します**
> **不要になったテキストを売って最大限のお金を得る方法……**
> （本屋のロゴ）

型29. 2ワード見出しにする

宣伝商品やサービスについて中身のあるメッセージが伝わるような１ワードが見つからない場合もある。そんなときは、２ワードの見出しにすればいい。

たとえば、「ヘルニア」の１ワード見出しの1996年版は、「ヘルニア帯（バンド）」と２ワードになっている。他にも例を挙げよう。

FREE MONEY 〈無料マネー〉（オンラインバンキング用ソフト）

空前の成功を収めたこの２ワード見出しの広告は図5.5（→次ページ）参照。

BE STRONG 〈丈夫になろう〉（食品）

ENGINEERING OPPORTUNITIES 〈エンジニア募集〉

FARM ANIMAL 〈家畜動物〉

図5.5

FREE MONEY.®
For a limited time, Microsoft® Money for Windows® 95 is yours free from Chemical Bank.
At Chemical, we believe the best way to bank is the way that's best for you. That's why we've introduced Online Banking. It's the most efficient way ever to manage your money, because now you can download your account information directly into Microsoft® Money for Windows® 95. You can even pay your bills and E-mail our Chemical Customer Service Department, right from your PC. And if you sign up before January 31, 1996, we'll give you Microsoft® Money for free.
For more information or to get started with Online Banking today, call 1-800-CHEMBANK.
CHEMICAL
Expect more from us®
無料マネー
期間限定で、ウィンドウズ®95用マイクロソフトマネー®を
ケミカル・バンクが無料で差し上げます

図5.5　断られるはずがないオファーをする

2ワード見出しのこの最高傑作は『ニューヨーク・タイムズ』紙に掲載された全面広告のもの。3回掲載された最初の1週間で578件の電話問合せと349件の申込みがあった。これ以上の説明は不要だろう。

WALK SOFTLY　〈軽やかに歩こう〉（ハイキングシューズ）

GOOD RIDDANCE　〈やれやれホッとした〉（スキンクリーム）
（訳注・「しっかり除去」の意味もかけている）

ABSOLUT PARIS　〈アブソルート・パリ〉（有名都市名を使ったアブソルートウォッカのシリーズ広告の１つ）

ITCHY SCALP　〈頭のかゆみ〉

DIAPER RASH　〈オムツかぶれ〉

PUBLIC SPEAKING　〈スピーチ術〉

HEAD COLD　〈鼻風邪〉

型30. ３ワード見出しにする

BURN FAT FASTER　〈もっと速く脂肪燃焼〉

GET AUGUST FREE　〈８月分通話料無料〉（長距離電話サービス）

EXPAND WITH STYLE　〈スタイルのある増築〉（家のリフォーム）

DOUBLE BONUS SALE!　〈ダブルボーナスセール！〉

型31. いまはまだ買わないように伝える

見出しの多くは何かを買え買えと促すものだ。だから、「買うな」と言っている見出しは効果的に相手の目を引く。例を挙げよう。

机を購入される前に、まずこの新しいスティール製高級デスクをご覧ください。

お庭の芝生を注文される前に、まずこれをお読みください

自動車保険に入る前に、この実例をお読みください

新しい石鹸を買うのは、このすばらしい(ブランド名)の新製品をお試しになってから

ときに、まったく予期しない、しかもうれしい結果になることもある。ランドマクナリー社があるとき、予定していた学校用地図帳の新シリーズ発表を遅らせることを余儀なくされた。大口取引の見本市でのことだ。宣伝部長のジャック・ハイマーディンガーは、見本市会場の周辺の広告掲示板を借りてこんなメッセージを貼り出した。

地図は買わないでください

まずは当社販売員にご相談ください。
ランドマクナリー社は138番ブースです。

数週間後、社長のアンドリュー・マクナリー３世がジャックに言うには、ライバル会社数社の社長連中から電話がかかってきて、あまり褒められたアプローチではない、とたしなめられたという。
「だから言ってやったんだ、そんなふうに言われるとは心外だ、見本市であんなに地図が売れたことはこの業界始まって以来のことだったのに、とね」

さらに意外なことは続いた。大勢の人が集まる会場にもかかわらず、例の広告掲示板を借りる会社がすぐに現れなかったために、さらに4つの教育関連見本市の期間中、あのメッセージが掲載され続けたのだ。ランドマクナリー社は出展していなかったにもかかわらず。

4つの各見本市が終わるたびに、ジャックのところに、138番ブースを使用した会社の宣伝部長から電話がかかってきた。みんながみんな同じことを言う。

「お宅が出した広告のおかげで、いままでで1番来訪者があったことをお知らせしたかったんです。たくさんの人に買ってもらえましたよ。初めはみんな驚いていましたけどね、うちの会社がそのブースにいるもんですから。また同じ広告を出されるときは知らせてください！」

型32. 広告主から相手に直接語りかける

当社がこの新タイプのパイプを5ドルでご提供する理由

コンピュータプログラミングのよい職に就けるよう、ご自宅で指導します

ご自身の努力の賜物です。さあ、お楽しみください（車）

下水管を流れているものを考えれば、当社の製品にふれるのが1度で済むのは幸運なことです

乳歯は特別なお手入れが必要です。小児科医のお薦めは（ブランド名）**オーラルケア製品です**

1年で2,000ドル相当の成果をお約束します

みんなにバカだと思われました。生きたままのメーン・ロブスターを海から1,800マイル（3,000キロ）も離れた場所に送るんですから

型33. 特定の個人やグループに呼びかける

年収５万ドル稼ぎたいとお考えの、年収２万5,000ドルの方へ

ガソリン代を節約したいドライバーのみなさん

かつてない最高の語学教材を４ワードで言うと！　無料、速い、楽しい、保証つき

毎日退屈な仕事（グラインド）にうんざり？　当社の月替わりの挽き立て（グラインド）をお試しください（コーヒー）

他の病院では断わられるような心臓病患者も当院はお受けします

アレルギーに苦しむ方へ、お医者さんに鼻をスッキリさせるアレルギー薬を頼んでください

（社名）は準備万端整えてあなたのインターネットビジネスのお手伝いをします

あなたも株取引で勝つことができます（通信社）

（社名）ほどインターネットを簡単にするところは他にありません

25マイル。君はよくがんばっている。でももっとがんばれないだろうか？（スポーツドリンク）

ひざが喜ぶ（ランニングシューズ）

成長する。老いるのではない

成功したい若い人たちへ

収入を確保して退職したい方へ

このタイプの見出しには重要な働きが2つある。まず、ふさわしい見込み客を絞り込む。そして、相手がいつも考えている特定の問題の解決策を提供する。

型34. 見出しを質問形式にする

せっかく貯めたマイルが自分より先に飛んで行ってしまうようなマイレージプログラムが何の役に立つでしょうか？

愛犬に完全な栄養を与えてあげられることをご存じですか？（別の広告では「犬」を「猫」に置き換えている）

いつか木はなくなってしまうのでしょうか？（林業）

右側の（ミルク名）**のほうが45％低カロリーだなんて信じられますか？**

この写真に26種類のアムウェイ製品があるのがわかりますか？

型35. ベネフィットを事実と数字で伝える

(商品名)**なら通常のランニングマシンよりカロリー消費量が最大で79%多くなります**

当社は1年に1億本以上のペットボトルをリサイクルしていますので、埋立てゴミ処理地が他のもので埋められます。たとえば、土そのもので

(車のモデル名)**より5,000ドルお安い価格で、お金では買えないほどの機能が手に入ります**

事実と数字を証言に組み込んだ例を1つ。

ジョン・ティモンズが530ドルの(自転車のモデル名)**をテストし、あなたにピッタリだと宣言しました。**

まとめ

見出しの型は売込みのアイデアであり、過去に何度も成果を挙げてきたし、これからも引き続き成果を挙げていくと期待できるものだ。

たとえば、「見出しを『○○する方法』とする」いう型は、広告がこの世にある限り使われ続けるだろう。人の本質が極端に変わらない限り、自分のやりたいことをしたりほしいものを手に入れたりする方法を学ぶことに人が飽きることはない。

もう1つ、おそらくいつまでも効果が薄れない見出しの型は「発表」だ。この地球上に人が住んでいる限り、新しいもの、変わったもの、よりよいものを求め続けるはずだ。

医者が効果的な処方薬を何度も使うように、土木技師が橋の建設に同じ構造計算式を繰り返し用いるように、コピーライターもまた、過去に成果を挙げた型が何度でも使えるはずだ。

以下に、この章で見てきた35すべての型を一覧にした。この一覧を、⑴すぐに見出しが必要なときのツールとして、⑵新しい型を考え出す想像力の刺激剤として、役立ててほしい。

型１．　見出しを「ご紹介」で始める
型２．　見出しを「発表」で始める
型３．　発表のニュアンスがある言葉を使う
型４．　見出しを「新」で始める
型５．　見出しを「いま、さあ、ついに」で始める
型６．　見出しを「とうとう、いよいよ」で始める
型７．　見出しに日付や年を入れる
型８．　見出しをニュースネタ風にする
型９．　価格を見出しのメインにする
型10．　割引価格をメインにする
型11．　特価品をメインにする
型12．　支払いの簡単さをメインにする
型13．　無料提供をメインにする
型14．　役に立つ情報を提供する
型15．　「エピソード」を伝える
型16．　見出しを「〇〇する方法」とする
型17．　見出しを「どうやって、このように、どうして」とする
型18．　見出しに「理由、なぜ」を入れる
型19．　見出しに「どれ、どの」を入れる
型20．　見出しに「他に（誰か）」を入れる
型21．　見出しに「求む」を入れる
型22．　見出しを「これ、この」で始める

型23.　見出しに理由の「～だから」を入れる
型24.　見出しに仮定の「（もし）～なら、（もし）～しても」を入れる
型25.　見出しに「アドバイス」という言葉を入れる
型26.　見出しを証言スタイルにする
型27.　読み手を試す質問をする
型28.　１ワード見出しにする
型29.　２ワード見出しにする
型30.　３ワード見出しにする
型31.　いまはまだ買わないように伝える
型32.　広告主から相手に直接語りかける
型33.　特定の個人やグループに呼びかける
型34.　見出しを質問形式にする
型35.　ベネフィットを事実と数字で伝える

「ビジネスとしての広告の歴史は浅いが、その影響力は太古からある。神が初めに発した『光あれ』という短い言葉が、広告というものの本質だ。あらゆるものが広告に刺激されて活気にあふれるのである」
――ブルース・バートン（訳注・1886－1967。BBDO創立者。作家、政治家でもある）

第６章

どんぴしゃりの訴求ポイントを見つけるには?

編者が広告の世界に入って間もない頃、ある先輩からこう教えられた。うまくいった広告はすべて、次の3つのいずれかに基づいたアピールになっている、すなわち、「**セックス、欲、不安**」である。もっと話を聞くと、次のように詳しく説明してくれた。

1 ●「**セックス、セックスアピール**」……そもそもの肉体的行為だけでなく、愛情、好意、友情も含む。

2 ●「**欲**」……物であれ心であれ、お金で買えるあらゆるもの。

3 ●「**不安**」……いまあるものを失う不安、手に入れたいものが得られない不安、あるいはその両方。

4 ●「**義務感、自尊心、プロ意識**」……自分が得することではなく、自分の仕事を通じて接する相手にとって1番いいこと、たとえば、症状に合った薬、耐久性抜群の下水管、最も性能のいい消防車など。

4つ目の「義務感や自尊心」への訴求は、編者自身がブリタニカ社の火災時安全教育映画を宣伝したときの経験に基づくものだ。課題は、消防署に売り込めるかどうかと、販促用の数種類のプレミアムをテストすることだった。「テレマーケティング」という言葉もまだ知らなかったにもかかわらず（用語を知らなくても実践はできる！）全米各地の消防署長に電話をかけて、次の2つの質問をした。

◆消防隊員の安全教育プログラムとして購入を検討するため、この映画を見てみたいか？　誰もが積極的に「もちろん！」と答えてくれた。

◆映画を見てくれたお礼に、大型ポップコーンマシンか本格的肉切りナイフの豪華セットのどちらを消防隊員は好むだろうか？　最初の2人の署長はたちまち怒声を発した。「**そんな――、ポップコーンマシンほしさに、火**

災安全プログラムを使うとでも思ってるのか！」

それ以降はプレミアムに関する質問はしなかったが、子どもたちの安全を売り物の目玉にすることで、その教育映画は製作会社にとってロングセラーとなった。

ここに注目！　以上の４つの訴求はすべて、**買い手にとって１番いいこと**に焦点を当てている。売り手にとって１番いいことにふれているものは**１つもない！**

広告が失敗する原因で１番多いのは、クライアントが自社の業績（世界一の芝の種です！）をアピールすることで頭がいっぱいで、消費者がその商品を買ったほうがいい理由（**世界一見事な芝生がご自宅に！**）を伝えていないからだ。この差については、この本の至るところでもっと説明されている。

少し前までは、次のような広告でもたいてい効果があったものだ。

(見出し)**簡単にガッポリ稼げます**
[読者を指差している人のビジュアル]

いまなら、こうしたアプローチに対して人はこんな態度を取る。
「冗談じゃない！　こんなもの真に受けたら死に物狂いで働かされるか、役にも立たないガラクタを友達や親戚に５倍の値段で売りつけなくちゃいけなくなるのがオチだ」

もちろん、お金の訴求という昔からの定番を使うなということではない。金儲けをしたい気持ちは相変わらず十分にある。しかし、広告のほうが変わる必要に迫られた。法律上、業務上両方の理由で、もっと信用があり、当然もっと本当のことを伝えるものへと変わる必要があったのだ。**図6.1**（→次ページ）の例のように、広告においては、**たとえ少人数でも信じてもらえるほうが、大勢から半信半疑に思われるより大事**なのだ！

147ページ冒頭は現代版の、ずっと信頼性のあるお金訴求型見出しの例。

図6.1

どの株が
向こう12か月で
S&P500®を
上回るか？

発表します。
スミス・バーニー証券の
TENプラス株リスト

7月5日、スミス・バーニー証券リサーチ部がTENプラス株リストを公表しました。このリストどおり購入されると、向こう12か月で最も有望なトータルリターンになるものと確信しております。TENプラス株リストをぜひご利用ください。
このリストでこんなことがわかります。
・TENプラスのどの株が、向こう12か月で大きな利回りになりそうか
・それぞれの株が魅力的な理由
・リストの有望各社の見通し

**1 800 EARNS-IT 内線81
にお電話ください**

1 800 327-6748 内線81にお電話ください。TENプラス株リストを無料で差し上げます。

·Which Stocks Will Outperform The S&P 500® Over The Next 12 Months?

• Announcing The Smith Barney TEN+ Stock List.

● On July 5, the Smith Barney Research Department released their TEN+ Stock List. We believe this list, if purchased in its entirety, offers the best potential for total returns over the next 12 months. Now our TEN+ Stock List is available to you.

Get your copy to find out:
• which TEN+ stocks we believe offer superior growth and return for the next 12 months.
• reasons why each stock is attractive.
• projections for each company listed.

CALL 1 800 EARNS-IT, EXT. 81

Call 1 800 327-6748, ext. 81 for your complimentary copy of "The TEN+ Stock List."

SMITH BARNEY
We make money
the old-fashioned way.
We earn it.℠

A Member of TravelersGroup.℠

© 1995 SMITH BARNEY INC. MEMBER SIPC

図6.1 事実を伝える

金融市場の広告ほど厳密に規制され、監視されている広告はない。それでも、効果的なコピーとデザインで工夫して、言いたいことを伝えている。太字のこの見出しは、すべての投資家が持っている問いを発している。小見出しは可能性のある答えであり、はたせないような約束はしていない。コピーとイラストで話を無料提供へと持っていき、フリーダイヤルの電話番号が丁寧に2通り表示してある。電話のプッシュボタンの文字が見えなくなってしまっている場合を考慮しているのだ。すべてをきちんと実践したこの広告はもちろん、スミス・バーニー証券が1995年に行った広告のなかでも、1番多くの新規見込み客獲得につながった。

どうすれば40歳で15年後の退職計画を立てられるか

（株ファンド）

この見出しの「**計画**」という言葉に注目。この言葉がないと、成果を保証することになってしまう。

今後５年以内に独立したい方へ
（職業専門学校、MBAプログラム、ロースクールなど）

空き時間と副収入についての話
（コンピュータ研修、アルバイト紹介など）

広告で何よりも重要なのは訴求ポイント、つまり購入してもらう理由だ。見出しが重要というこれまでの説明と矛盾するように感じるなら、思い出そう。見出しと訴求ポイントはまったく同じものなのだ。効果のあった広告では、訴求ポイントはまず間違いなく見出しで述べられている。

効果的な訴求ポイント

以下は、売上をアップし続ける訴求ポイントの例。

- **収入を増やす**
- **お金を節約する**
- **退職後の生活の安心**
- **もっと健康に**
- **医療対策**

◆**老後の安心**
◆**仕事やビジネスで成功する**
◆**名声**
◆**喜び**
◆**家事をもっと楽に**
◆**もっと余暇を**
◆**快適さ**
◆**脂肪を減らす**
◆**心配から解放される**

他にもこんな効果的な訴求ポイントがある。

「みんなと同じ」でいたいという願望。ここにアピールすれば、身につけるものからCD、何をどこで食べるかに至るまで、どんなものでも売り込める。

一般の人々がお買い得品をあてにする気持ちも、強力な訴求ポイントになる。ディスカウントチェーン店、デパート、スーパー、その他ほぼすべての小売業者が、メガネ特価（「１つ買うと２つ目は無料！」）から、高級車（「３万ドルぐらいだろうと思いますか？」）に至るまで使っている。

人気者になりたい、注目されたいという願望も、あらゆる商品の宣伝に利用できる。化粧品、水着、シェービングクリーム、スポーツチームのユニフォーム、スキー用具、マウンテンバイクなど。

ご近所に差をつける（しかもそうとわかるように！）という訴求ポイントなら、授業料の高い私立の学校や、高級車、値の張るボート、贅をつくした家、造園、豪華なプールなどが売り込める。他の訴求ポイントと違い、これに限っては、ハッキリと言うよりも暗に伝えるのが１番効果的なことが多い。

お金を訴求ポイントにするのは１番効果的な方法の１つで、様々な伝え方ができる。たとえば、あるアパレルメーカーがいろいろと試したなかで１番効果的だった訴求は、「このハイグレードな服を着れば、もっと収入を得ることも思いのまま」だった。

また、1980年代のあるキャンペーンでの、あるビジネス書出版社の１番効果的な訴求は、「**収入アップにつながる８冊**」だった。（「収入がアップする」

ではなく、「収入アップ**につながる**」であることに注目)。

このあと、クーポンや電話で注文が多かった書籍には、そのタイトルだけで別途大型の広告を作った。この複数の書籍の広告はそれ自体が成功しただけでなく、媒体別にどの本が売れるかを調べる低コストのテストとしても効果を発揮した。保険会社、銀行、投資会社、証券会社、その他多くの企業が、何らかの形でお金の訴求をしている。

訴求ポイントの重要性を物語る実例

広告での訴求ポイントの重要性に私が注目せざるをえなくなったのは、次の実験のおかげだった。あるクライアントの1年間の雑誌全面広告を11点用意して、テストのためにクーポン返信数を調べたのだ。結果は次のようになった。

広告	返信数
A	218
B	666
C	240
D	191
E	502
F	511
G	263
H	550
I	867
J	194
K	210

これを各広告の効果順に並べ替えたのが次だ（最も効果が低かったのが最初で、最も効果があったのが最後）。

広告	返信数
D（最低）	191
J	194
K	210
A	218
C	240
G	263
E	502
F	511
H	550
B	666
I（最高）	867

この11点の広告が次の２グループにはっきりと分かれていることに注目。

◈ **グループ１（効果の低かったグループ）**

次の６点の広告はクーポン返信が最多でも263件。

広告	返信数
D	191
J	194
K	210
A	218
C	240
G	263

◈ **グループ2（効果の高かったグループ）**

次の5点の広告はクーポン返信が最少でも502件。

広告	返信数
E	502
F	511
H	550
B	666
I	867

さらに調べると、次の重要なことがわかった。

グループ2（効果の高かったグループ）の広告はどれも説得力のある具体的な訴求ポイントが1つ、見出しに入っていた。

グループ1（効果の低かったグループ）には、このような訴求ポイントの見出しの広告は1点もなかった。つまり、効果の高かった5点の広告には、例外なくはっきりした共通の特徴があったことになる。それがこの見出しのベースとなるある**特定の訴求ポイント**なのだ。

効果の低かった広告の見出しは、それぞれまったく異なる訴求ポイントに基づいていた。ただし、こうした見出しが説得力のある訴求をしていなかったわけではなく、その商品とターゲットに合わない訴求をしていたのだ。「テストする」ことでどういう訴求が効き目があるかがわかり、しかもそれは、その後数年にわたって有効だったのだ。

見出しの分析から学ぶべきこと

以上の分析から、当然とも言うべき次の結論が示された。

1◉訴求ポイントは広告制作のベースとして極めて重要である。

2●効果を挙げるためには、効果的な**訴求ポイントを見出しに入れる**こと。コピーのなかで訴求するだけでは不十分。効果の低かった広告には、コピー中に訴求ポイントが入っているものもあった。

もう1つ、この分析でわかった重要なポイントは、広告G（効果が低かったグループのなかで1番マシだったもの）には、成果につながる訴求ポイントが小見出しの1つに目立たずに入っていた点だ。もし見出しにもその訴求ポイントが入っていたら、どうなっていたかおわかりだろう！

こうしたやり方で一連の広告を分析すると、まず間違いなくいくつかの重要なポイントが見えてくる。しかも簡単にできる方法だ。テストする一連の広告を用意し、それぞれの隅にその広告から得られた**返信数**や**売上高**を記入する。

次に、広告を効果順に並び替えて、効果の高かった広告に共通する特徴は何かを調べる。ただ眺めるだけではダメだ。次のような**チェックリスト**を作って、違う点、同じ点、すべてを**広告ごとに記録**すること。

◆**見出し、小見出し**——訴求ポイント、言い回し、文字の大きさ、位置
◆**ビジュアル**——テーマ、大きさ、種類、位置
◆**レイアウトや色使い**——成功例と失敗例の全般的な違いのすべて
◆**コピー**——分量、書体とポイント（文字の大きさ）
◆**オファー**——注文や購入方法も含む
◆**サイズ**——掲載ページに対する広告のサイズの割合
◆**媒体**——媒体名、種類、日刊/週刊/月刊の別
◆**位置**——掲載媒体中のどのあたりに掲載されたか

効果の高かった広告には、たいていそうでない広告にはないはっきりとした特徴が1つ以上あることがわかるはずだ。

たとえば、効果の高い広告はすべてコピーが長く、そうでない広告はすべてコピーが短いとか、あるいはその逆の場合もありうる。または、効果の高い広告には全部、ある特定のビジュアルが入っているのに、そうでない広告

にはそれがないのかもしれない。

大切なのは、成果をもたらす特徴がわかったらそれをさらに磨いて、次の広告で最大限に活用することだ。

訴求ポイントを自分自身で試してみる

ある方法を使えば、適切な訴求ポイントを見つけることの重要性がよくわかる。同じ製品やサービスに２種類の見出しを用意して、その宣伝効果を自分で試してみるのだ。たとえば、歯磨き粉の広告２種類の見出しを見せられたとする。

広告1　**A社の歯磨き粉は、世界中のどの歯磨き粉よりもたくさん売れています**

広告2　**B社の歯磨き粉は、特許取得の特殊チューブ入り。キャップがチューブに固定されているのでなくす心配がありません**

言うまでもなく、広告１のほうが説得力のある訴求だ。A社の歯磨き粉が世界中のどの歯磨き粉よりも売れているならいい商品に違いないと、人は当然思う。広告２はマイナーな点を強調しすぎだ。

ここで仮に、A社の歯磨き粉は世界で１番売れているという広告がいい加減な作りで、書体の選び方はまずいし、ビジュアルも一切なく、色刷りではなくモノクロだったとする。

一方、キャップをなくす心配がないと言っている広告が美しい４色刷りで、ビジュアルにはお金のかかったイラストが使われているとする。自分の判定は変わるだろうか？

たぶん変わらないだろう。ベースとなる訴求そのもののほうが、それをどう見せるかよりも人を動かすからだ。

では、広告２にちょっと変更を加えてみよう。

「**キャップをひねって外さなくても、簡単にポンと開きます**」

とする。

もしこの広告がお年寄りをターゲットにしたものだとしたら、お年寄りは小さなものをつかみにくいことがよくあるわけだが、それでも広告1の勝ちだろうか？　こうなってくると、結果はまったくわからなくなってくる。それを知る方法は、**1にテスト、2にテスト、ひたすらテストすること！**

次に、ビジネススクールの2種類の広告を見せられたとしよう。1つ目の広告では、このビジネス講座が収入アップにいかに役立つかが語られている。受講したことで実際に収入がアップした人たちの具体例（受講前とあとの収入比較）もある。

2つ目の広告は、ビジネス研修の重要性についての一般論だ。具体的な事実や数字、成果を裏づけるものが一切ない。

1つ目の広告（受講者の収入が正確にいくらアップしたかを伝えている広告）に、より心を動かされるのではないだろうか？　そしてここでも、広告が伝える事実そのもののほうが、その事実の見せ方よりも重要ではないだろうか。

広告のレイアウト、ビジュアル、書体よりも、そこで言っている中身のほうが相手にはるかに大きな影響を与える。つまりまとめると、**どう言うかよりも、何を言うかのほうが断然重要**だということだ。

注意点。クライアントや自分のところの社長が、あまり効果のない2つ目のタイプを使えと主張する可能性は、効果的な1つ目のタイプに同意する可能性と同じくらいありうることだ。言い争うことなく、こちらの主張がうまく通る確率を高めるには、次のようにしよう。

◆複数の広告案（または他のプロモーション案）を提案する場合は、クライアントでも社内でも、必ず上層部の決定権者に対して一押しの広告を薦めること。この件の専門家はこちらで、そのためにお金をもらっているのだ。きっちり仕事をしよう！

◆決定権者には広告の「ラフ」（訳注・広告全体のイメージがわかるようにざっと描いたスケッチ）

を絶対に見せないこと。広告のプロならそれが最終的にどんな広告になるかイメージできるが、他の人にはイメージできない！

◈決定権者に見せるのは、必ず「フィニッシュ（訳注・最終原稿まで入った出稿前の状態）」そっくりの広告案（訳注・要はカンプ）、つまり見た目がフィニッシュのように完成されたものにすること。

◈必ずコピーをきちんと編集してある広告案を見せること。別案で違う文体を使っている場合は、まずその理由を説明してから、相手に読んでもらうこと。

◈掲載する広告が１種類で、確実にダメな案とこちらが思っているものを上層部が使えと言ってきた場合は、この案の効果を証明するためにABスプリットランテスト（→第18章で説明）を行いましょう、と提案する。もし上層部の判断が正しければ、「うまくいってよかったですね」と言えばいい。こちらが正しい場合は、尋ねられない限りこちらからは何も言わないこと。

「よさそうに見えるアイデア」と「本当にいいアイデア」

もう１点。クライアントや社内の上層部に説明するときはよさそうに思えた訴求ポイントでも、必ずしも１番効果的とは限らない。気の利いたひねりのあるアイデアは、会議室で説明されるとよさそうに思えるものだ。

しかしたいていの場合、シンプルで基本を押さえたわかりやすいアイデアのほうが商品はよく売れる。

全国展開で広告しているあるビジネススクールが、こんな見出しの広告を出した。

うだつの上がらない夫に妻はこんな手紙を書いてはくれません

この広告の目玉は、次の見事な手紙だった。

愛するフレッドへ

明日は８回目の結婚記念日。あっという間だったわね。つい８年前は２人とも何と楽観的で、希望にあふれて人生を歩み出したことでしょう。「がんばって働いて早く出世するよ」ってあなたは言っていた。覚えてる？

本当にあなたは一生懸命働いてきた。疲れと気苦労でできた顔のシワが何よりの証拠よ。私だってがんばった。子どもたちが生まれてからは、代わりばえのしないお給料で４人が生活できるように、１ドルが２ドル分になるように、やりくりしてきた。

誤解しないで。私は愚痴を言っているんじゃないの。自分がどうのこうのじゃなくて、あなたのことを考えているの。夜、ベッドのなかで眠れずによく考えるのよ。知り合いの何人かはもう出世しているのに、あなたがまだなのはなぜなのかって。あなたほど頭もよくないし、あなたの人当たりのよさの半分も持ち合わせていない人たちなのに。そう言えば、最初にガックリきたのはジョー･エドワーズが社長付になったときだった。あなたが狙っていたポストで、しかもあなたのほうがジョーよりも一歩先を行っていた。だけど、こう言われたのね。

「ジョーにはオールラウンドな経験があるが、君にはそれがない」って。

あなた、もうずっと同じことの繰り返しよ。夜、疲れて帰ってくる、払わなくちゃいけない請求書がある、口げんかになって、あなたがこう言う。「もっと稼ぎさえすればいいんだろう」って。だけどその後、何も行動していないように思えるの。何とかならないの？　２人ともまだ若いうちに、あなたが出世できるようお手伝いさせて。何かいい方法はないかしら？

愛してるわ

ヘレン

これは広告業界の人たちから、ここ数年のどのビジネススクールの広告よりも絶賛された。この手紙を読んだ広告のプロたちは「すばらしい！」と声を上げげた。

ところが、これは大失敗だったのだ。クーポンの返送がなかった。うだつの上がらない夫たちは、妻にまた小言を言われるのは御免だったのだ。たとえそれが見事な手紙の形であっても。

つまり、**評価の高い広告がいつも売れる広告とは限らない**、ということだ。

もう1つ、テストしてみて効果なしとわかったコピーのタイプは、語っているのが一般論で、要点を言っていないもの。投資プランのこの広告がその例だ。

誰にでも人生を楽しむ権利があります

誰にでも、生きがいのある人生を送るためのものを
手に入れる権利があります。
ところが、ごく普通の収入がある大勢の人が
いいものとは手の届かない贅沢品だと考えています。

この調子で延々と数段落続く。最後にようやく、2、3の事実を語っている。その後やり方を改め、**事実を真っ先に言うコピー**に変更された。その結果、問合せと売上がアップしたのだ。

反感を生む訴求
——広告で最悪なのは気づいてもらえないこと

訴求の仕方によっては、商品が売れないだけでなく、広告主に対して反感を覚えさせてしまう可能性もある。

友人がいつかこんなことを言った。

「あの（商品名の）広告を見たかい？　デブの男がニヤニヤしているやつだよ。まん丸顔でバカみたいにニヤつきやがって。あの顔には我慢できない！

あれはやりすぎだよ」

また、ある女性はとあるキャッチフレーズについて、「自分に向けられているのだろうが意味不明」とこぼした。

「あのキャッチフレーズは私には無意味ね。見るたびにイライラするわ」

さらに別の友人は、あるPOP（訳注・ポスター、ディスプレイ、シールなど、店頭で消費者に購入を促す広告の総称）がうっとうしいと言った。家庭用殺虫剤の広告で、女性がにっこりとウィンクしている写真に、「私は賢い。あなたは？」とある。「まったく理解できないよ。いったい何が言いたいんだ？」と友人。

こうした話から、人は理解できない広告には怒りすら感じることがわかる。パッと見てわからないキャッチフレーズや見出しにイライラしてくるのだ。

注意点……どんな広告でも多少の苦情は出るもの。だからあわてることはないが、無視もいけない。それよりこうしよう。

◆苦情があったら、その広告の成果を調べる。

◆その反感がどの程度の範囲に及んでいるのかを調べる。もし売上が順調なら、広告を変更することで売上が落ちてしまう可能性もある。

反感を覚える広告の逆もまた真なりだ。目にした人の印象もよく、売込み効果もある広告は、その広告主に対する好感度がアップする。

とは言え、ある広告キャンペーンに好感を持ってもらったからといって、その商品を必ず買ってもらえるとは限らない。あるデザイナーが、どこかの歯磨き粉のキャンペーンがいかにすばらしいかを語ってくれたことがある。特に、アクロポリスの古代ギリシャ神殿が崩壊していくビジュアルの広告に感心していた。神殿の底辺に線が１本引いてあり、そのそばにあるキャッチフレーズが「危険ラインを食い止めろ」というものだ。

「ところで、どこの歯磨き粉を使っているの？」と私が尋ねると、そのデザイナーは笑って、別のブランド名を答えたのだ！

人の広告に対する反応にはたいてい２通りある。自覚している反応と、無意識の反応だ。自覚して行う判断は、その広告のビジュアルや言葉に対する反応だ。無意識の判断、つまり本当の判断は、店に買い物に行ったときに表に現れてくる。

広告を試す最善のテストは、その広告で商品が実際に売れているかどうかしかない！　つまりそれが、広告が効いているかどうかを判断できる唯一の確かな方法なのだ。

友人が反感を覚えた先ほどのキャッチフレーズについては、好感は持たれなくても、気づいてもらえたこと自体、その広告が認められたことだ、と言えるかもしれない。気づかれもしないキャッチフレーズや、好感であれ反感であれ、思い出してもらえない広告のほうがダメな広告、と言えるかもしれない。有名なコピーライターがこんなふうに言った。

「**広告で最悪なのは、気づいてもらえないことだ**」

人目を引くことがいかに重要かを物語るエピソードがある。シカゴが拠点の大手小売チェーン店で、子どものおもちゃの仕入れを担当しているアル・メイの話だ。その年のベストセラーになった、ビックリするほど不細工な人形をどうやって仕入れることにしたのか、そのいきさつを編者が尋ねると、メイはこう答えた。

> 「店で売る人形を選ぶとき、３つのタイプに分けられます。１つ目はとても感じがいいなと思う人形。２つ目は嫌な感じだなと思う、本当に不細工な人形。３つ目はどちらでもない人形です。
>
> 私は常々、インパクトのある人形を仕入れるようにしています。きれい、あるいはまったく逆だと思う人形を買うのです。長年の経験でわかったんですが、きれいな人形だけでなく、まったく不細工に思える人形も決まって、子どもと大人の両方の目を引きつけるのです。
>
> 絶対に仕入れないのは、きれいでも不細工でもない人形です。そういうのは売れないことがわかっていますから」

これと同じことが、子ども服や婦人服にも言える。本の表紙、朝食用シリアルのパッケージ、39セントのサインペンから３万9,000ドルの車まで、ほとんど何にでもあてはまるのだ。そもそも気づかれもしなければ、その商品はいったいどうやって売れるのか。

「具体的な訴求」と「一般論の訴求」

ある中古車ディーラーが、新聞広告を打って商売をもっと繁盛させようと思い、こんな見出しのイメージ広告をいくつか出した。

より価値ある車

低価格で長寿命

縁取り処理や厳選された書体を使った、見事なレイアウトの広告だった。

ところが、結果は芳しくなかった。ショールームに来た客はほんのわずかだったのだ。「広告はよさそうに見えたが、大失敗だった」と、そのディーラー。

そこで、コピーを変えてみた。お買い得車を具体的に取り上げて、その車の型、製造年、販売価格をコピーにはっきりと入れた。この広告は、通販広告のように、人気カタログのなかにセットされた。成果はすぐに表れた。この広告には**3倍もの数の反応**があったのだ。

これは典型的な例だ。この例からも、洗練された言葉や見栄えのいいレイアウトは、それだけでは効果的な広告にはならないことがわかる。どう言うかより、**何を言うか**のほうが重要なのだ。

第18章で、効果的な訴求ポイントを見つける方法を詳しく説明している。テストしてみて効果的な訴求ポイントが1つ見つかれば、そのバリエーションがいろいろと考えられる。

たとえば、あるファイナンシャルアドバイザーがいくつもの訴求ポイントを試してみた結果、次の見出しの広告が最高の効果を生み出すことがわかった。

お金の心配から一生解放されます

その後、基本的にこれと同じ訴求ポイントのバリエーションを見出しにして、同様の広告が作られた。

お金の心配に終止符を打つ方法

このプランで、大勢の人たちがお金の心配をしなくて済むようになりました

これはお金の心配をなくす画期的な方法です

お金の心配が吹き飛ばせます。このプランに従えばいいのです

よく似たこうした広告のどれもが、すばらしい効果を挙げた。

効果的な訴求ポイントを見つけて活用するテクニックは、次の４つの基本ステップにまとめられる。

1●単なる「感覚」ではなく、根拠のある訴求ポイントを選ぶ。

2●異なる訴求ポイントをいろいろテストしてみる。

3●結果分析に基づいて、１番いい訴求ポイントを決める。

4●これと決めた訴求ポイントをメインにして、新聞･雑誌広告、テレビ･ラジオコマーシャル、ダイレクトメール、屋外看板など、ありとあらゆる媒体に活用する。

最強の訴求ポイントを見つけるこの方法を使い、世界有数の企業が繁栄してきた。貴社にも同じことが言えるはずだ。

「あなたがたの光を人々の前に輝かしなさい。人々があなたがたの立派な行いを見るように」
――『聖書』(『マタイによる福音書』5章16節より)

第７章

「テスト済み広告」と「テストしない広告」

コピーライターは通販広告に学べ

選出・任命される公職人は別として、次の3つのグループが、人に訴えかけることを仕事にしている。(1) 芸能人、(2) 販売員、(3) コピーライターだ。

芸能人は、コピーライターより明らかに有利だ。

たとえば、ナイトクラブの女性コメディアンを例に取ろう。

お客に向かってジョークを言う。お客は笑うか、しーんとしたままかのどちらかだ。笑ってくれれば、その笑いの度合いを測ることができる。気のない笑い、まあまあの笑い、腹がよじれるほどの笑いという具合に。つまりコメディアンは、自分のジョークがどれだけ受けたかがはっきりとわかるわけだ。週に何度も舞台に立つなら、お客の反応を試すチャンスは毎週何十回もある。ジョークの言い方を変えてみることもできる。何をやろうと、自分の努力に対する評価がすぐにわかる。しかも、自分が楽しませようとしている相手から直接得られるのだ。

販売員の場合、買ってもらおうと思う相手の客は、自分から数メートルの場所に座っているか立っている。お客の表情を観察できるし、話していることに耳をそばだてることもできる。自分が売り込んでどの程度まで行けそうかが、客の表情や身振りからかなり判断できる。あまり乗り気ではない反応や特別な事情に応じて、いつでもセールストークに変化をつけられる。

重要なのは、販売員が買ってもらおうと思う相手から直接、自分の仕事ぶりに対する正確な評価が受けられる点だ。

では、コピーライターのなかでも、お客からの反応を測る方法がそもそもない、企業イメージ広告やその他様々な広告を担当している人の場合を考えてみよう。

このコピーライターたちは、自分たちがすばらしいと思うコピーを書く。それはシリーズ広告のなかの1点である場合も多い。数週間後か、ひょっとすると数か月後にその広告が新聞・雑誌広告やコマーシャルとなって世に出る。宣伝されているものによっては、何人かのディーラーが広告にコメントしてくるかもしれない。FAXやeメールで感想を送ってくる消費者がちらほらといるかもしれない。

でも、その広告に効果があったかどうかは、誰にもわからないのだ。製品が売れ続けていれば、その広告がビジネスに害をもたらさなかったことだけは確かだが！

あるいは、売上が伸びるかもしれない。

では、それはその広告のおかげなのか？　それは誰にもわからないのだ。

シリーズ広告全体のおかげで売上アップにつながった可能性のほうが高い。それだって誰にも確実なことは言えない。セールス部隊ががんばってくれたおかげかもしれないし、単にシーズン変動でアップしたのかもしれない。あるいは何らかの事情で需要が増えている場合もある。つまり、売上が上がろうが下がろうが、その広告の効果の大小を判断することは難しいということだ。何年も長期にわたって、大まかに知ることしかできないのだ。

それに、広告以外にも売上に影響する要因はたくさんある。ハッキリとわかっているのは、何年も一貫して広告を出してきた多くの企業（リグレーのガム、P&Gのアイボリーソープ、キャンベルのスープなど）が、大きな成功を収めてきたということだけだ。

なぜ、コピーライターの仕事は他と違うのか

以上のことがコピーライターとどういう関係があるのか。つまり、コピーライターの仕事は、芸能人や販売員の仕事とは違うということ。コピーライターには、相手との密接な個人的接点がない、ということなのだ。

すなわち、反応がわからない広告を書くコピーライターとは、考え方次第で、難しい仕事だとも簡単な仕事だとも言える。プロ意識が高く、売上に確実に効く広告を作りたいと考えるコピーライターなら、その仕事は難しいと言える。相手からすぐに反応が返ってこないため、その努力を正しい方向に向けられる指針がないのだ。

反対に、上層部やクライアントのOKがもらえるような広告を作ることしか考えていないコピーライターなら、その仕事は割と簡単だ。月並みなコピーを何年書き続けていても平気なこともある。クライアントの元に消費者団

体がやってきて、「お宅の広告は売る力に欠けていますよ」などと言われることはありえないのだから。

何としても売りにつなげなければならないコピーライター

売りにつながるコピーを書くか、月並みなコピーを書くかという選択などそもそもできないコピーライターも大勢いる。デパートや通販の広告を手がけるコピーライターもそうだ。商品が売れるコピーを書かなければ仕事が来なくなる。そんな状況だから、次のようなちょっとしたやりとりも出てくるわけだ。通販広告のデザイナーとコピーライターの間で交わされたものだ。

「日曜日が雨になるといいな」コピーライターがデザイナーに言う。

デザイナーが笑って答える。「どうして？　新しい広告が日曜の新聞に載るのか？」

「そうなんだ。例の新しい百科辞典のキャンペーンが始まるんだよ。１発目の広告でたくさんの問合せと注文がほしいからね」

なぜ、通販広告のプロたちは雨の日曜日がいいのか。過去の経験から、雨の日にはクーポンの返送率やフリーダイヤルへの電話が増えることを知っているからだ。雨の日はそうではない日より多くの人が家にいて新聞を読む。テレビを見たり、テレビゲームをして遊んだりする時間も増えるかもしれない。それでも、新聞や雑誌もその分け前に預かり、当然その分、広告も読まれることになる。

ここで、イメージ広告やその他の成果を調べようがない、あるいは単に調べていない広告について考えてみよう。

その広告のコピーライターかデザイナーが「日曜日は雨になりますように！　たくさんの人に広告を読んでもらいたいから」とそもそも言うだろうか？　たぶん言わない。しかしこうした広告もまた、通販の広告と同じくらい天候に左右されるのだ。

通販の広告は、**徹底的に売らなければならない**。広告の結果はチェックできるし、実際ほとんど必ず調べられる。だから、いい結果を出そうとみんな必死だ。コピーライターは効果のあるコピーを書こうと猛烈に仕事をする。デザイナーは知っている限りの技を駆使して、その広告が掲載ページのなかで目立つようにする。AE（訳注・アカウントエグゼクティブ、日本では一般に「クライアント担当営業職」を指すことが多いが、本来のAEとは、クライアントの商品とその市場に精通して的確な提案ができるプランナー、状況に応じて各分野の専門スタッフを編成できるプロデューサー、的確な指示が出せるディレクターを兼ねている）や企業の宣伝部長は、広告の見た目やコピーの読まれ方について、いろいろと意見を出す。全員の意見がまとまると、上層部やクライアントが最終広告案を見て、OKを出すか、口を出してくる、つまり、ケチをつけたり、変更したり、単にこうしてはと言ったりするわけだ。誰もが、売る広告にするためにあらゆる手を尽くしたいと考えている。通販の広告が非常に効果的なのも当然だ。売りにつながる広告を作ろうと全員が懸命に仕事をしているのだ。雨乞いまでして！

「コピーの読まれ**方**」の「方」という言葉に特に注目。詩の古典的定義、「適切な言葉を適切なところに」と同じく、広告でも、何を言うかと同じくらい、**言葉をどこに置くか**が重要だ。

たとえば、次の見出しは1行にしたときと同じようにわかりやすいだろうか。あるいはもし、「とんでもない」と「広告」の間で改行してあったらどうだろうか。

どうして、非科学的な
とんでもない広告ができてしまうのか

ここで、企業イメージ広告のキャンペーンを企画する人たちの制作態度を検討してみよう。

もちろんこの人たちも、広告で何を言うか、どんな感じにするか、については大いに議論する。ところが、こうした議論はたいていが空理空論だ。個人的な好みに基づくことも少なくなく、何が効果的で何がそうでないかにつ

いて、調査で実証されたとか、過去の経験とかで判断することがあまりない。なぜかと言うと、広告の成果を何らかの方法でテストしていないところでは、何が1番効果的なのか、なかなかわからないからだ。

ここで、あまりにも多い非科学的な広告キャンペーンのテーマはいったいどのようにして決められるのか、その典型的な例を見てみよう。

ある友人が、「父がフィラデルフィアで旅行代理店を始めることになってね」と私に言ってきた。友人は、どんなふうに広告すればフィラデルフィアの人たちにその代理店のことを知ってもらい、そこで海外旅行の情報を得たりチケットを買ったりしてもらえるようになるか、教えてほしいと言う。

私は旅行関係の仕事を何度かしたことがあったので、アイデアを2つ3つ話した。ところが、友人は私の話をほとんど聞いていない。私が話し終わるのをいまかいまかと待ちかまえている。その旅行代理店を宣伝する自分の壮大な構想を私に聞いてもらいたかったのだ。

友人はこう言った。「大学1年のときに授業で作った、あのクリスマスカードを覚えてるか？　横帆船のカッコいい写真を入れたやつだ。ああいうビジュアルをベースにしたらカッコいい広告になるんじゃないかな。センス抜群で、うんと個性的な広告になるよ。船の帆にP.T.A.（フィラデルフィア・トラベル・エージェント）とイニシャルを入れてもいいかもしれない」

友人は、その広告全体のイメージや、帆船の写真は高級紙にカラー印刷でなくちゃと言ったことを延々と説明した。

私は気がついた。友人は私のアドバイスなど端から求めていなかったのだ。ただ同意して「うん、広告のプロの私から見ても君のアイデアはすばらしいと思うよ」と言ってほしかったのだ。

「帆船の写真は主要全国誌に載せるのにピッタリだと思う」とも友人は語った。

私は、「海外へ行くのにほとんどの人は飛行機を使うから、旅行と帆船とはうまく結びつかないかもしれない」とコメントした。それに「全国誌に広告を出しても、利益につながるような読者はフィラデルフィアに住むごく一部の人だけだ」ともつけ加えた。

私が違う意見を言ったので、友人は面白くなさそうだった。私の提案もすべて気に入らないようだった。提案も異論も聞きたくない、ただ自分の「壮大な構想」に対して私にも乗り気になってほしかったのだ。

もちろん、これは極端な例だ。とは言え、似たような経験は他にもある。とにかく、このエピソードから、クライアントや上層部が広告のプロにダメな広告を作らせてしまうことがなぜ起こるのかがわかる。クライアントが使えと言って聞かないお気に入りのアイデアがあるとする。そんなアイデアの元はと言えば、何十年も前のクリスマスカードのデザイン程度のものかもしれないのだ。

通販の広告が確実に結果を出している方法

ある種の広告では、好きなだけバカバカしいことを書いても平気だ。結果を調査しない限り、その広告はよくない、と誰にも証明できないのだから。相手が関心を持ってくれたか、そうでないかがわかる、直接返ってくるものが何もないのだ。

では、通販の場合をまた考えよう。仮にクライアントが、効果的でない奇抜なアイデアを出してきたとする。広告代理店のAEはあらゆる手段を尽くして、クライアントにそのアイデアをあきらめてもらおうとする。AEには、その広告案に効果がないことがすでにわかっているからだ。効果のない広告を出してあとでクライアントの機嫌を損なうよりも、いまここで機嫌を損なうほうがまだましだ。経験上、どうなるかは目に見えている。広告が失敗すれば、クライアントは自分がアイデアを使えと主張したことをすっかり忘れてしまうのが常なのだから。

反対に、もしAEやコピーライターが明らかにまずいアイデアを提案するようなことがあれば、おそらくクライアントがボツにするはずだ。

つまり、通販の広告はどれも、3人の厳しい評論家（コピーライター、社内の宣伝部長またはAE、クライアント）の審査をパスしなければならない。

アイデアがまずければ、この３人の誰かがボツにする。言葉巧みに理論や主張をとうとうと述べたところで、まずい案が通ることはありえないのだ。

そうするとどうなるか。何でもいいから新聞や雑誌を開いてみれば、それはわかるはずだ。1955年同様、1997年でもまだ、ゴテゴテと派手な装飾、中身のない見出し、読みにくい書体、お利口なつもりのコピー、大きな余白の広告があふれている。そして、1955年でも1997年でも、こうした広告はすべて、テストされていない広告なのだ。

では、チラシ、ダイレクトレスポンス広告を見てみよう。**図7.1**（→次ページ）がその例だ。何が目に入ってくるだろうか。太字で目立たせた見出し。読みやすい書体。効果的なセールスポイント満載のコピー。余白はない。通販の広告では何年も前に、余白はムダなスペースでしかないことが証明されているのだ。

ジョン・W・ブレイクの『ブラインド・アドバタイジング・エクスペンディチャー（無計画な広告予算）』の次の文章を読めば、**テスト済み広告と未テスト広告**についての、いくつかの重要な点がわかる。

> （「通販」広告と区別しての）一般広告は、個人的感想や憶測で構成されていることが多い。つまり、土台がない。証明されていないそうした屁理屈があまりにも深く根を張り、もう自社の信条にまでなっている。何百万ドルもの費用をかける根拠として、理にかなっているように思うのだ。これだけの費用をかけて売り込む宣伝活動なのだから、大いに説得力があるはず、つまり、信じてもらえるはずだと考える。
>
> 広告にもし何らかの反応があるなら、掲載媒体だけでなく、各広告もテストすべきだ。そして、結果を丹念に記録していく。すぐにわかるはずだ。ごく簡単なことだが、自社の懐具合にとって極めて重要なことだ。もし広告をテストする方法はないが、人々を店へ買いに行くよう仕向ける広告を作らなければならないのであれば、それにかかる費用のためにも、そして自社のためにも、可能なら何らかの「返信を促すコピー」を広告に入れるべきだ。
>
> たとえば、「**無料カタログにご応募ください**」のようなコピーだ。**広告**

図7.1

図7.1　できる！

そのとおり。自分の「フリースピーチ」（訳注・「言論の自由」と「無料通話」をかけている）を2ワード見出しの形で守れるのだ。商標デザイン化して注目度の高いメッセージを伝えているのは、ダイレクトレスポンスで強力な売込みを狙っているとしか考えられない。このダイレクトメールには10%の反応（コストあたりテレビの4倍）があり、フォローの電話をしたその場での成約率が87%。コストのかかったプロモーションが、収益を生み出すものになった。

に大金をかけるのは、まずその広告をテストしてからだ。

「テスト済み広告」の実例

通販広告のあるベテランが、ソフトドリンクの売上のてこ入れに力を貸してほしいと頼まれた。調査をしたその男性はこう言った。
「問題は、ひいきにしてくれている顧客がおもに高齢者である点です。昔からの商品が、顧客が亡くなっていくあおりを受けることはよくあります。その損失を補うために、新しい世代の顧客を獲得しなければなりません。解決策は簡単です。まず試供品を提供し、試し買いを促して、新しい顧客につなげる。クーポンで行きましょう。すべてをクーポンにかかる費用と、効果が証明できた広告に集中して取り組むのです」

これを元にすべての計画が練られ、実行された。クーポン1枚あたりにかかったコストは、当初の1.20ドルから65セント、そして55セント、最終的には24セントまで下がった。1枚あたり1.20ドルだったクーポンは、濃縮ソフトドリンクのフルサイズボトルを1本30セントで、あるいは各種ドリンクの詰合せを2ドルで提供するものだった。これ以降のクーポンでは、ドリンク8本分に相当する試供品を提供した。クーポンコストが高いほうはカラーの全面広告、安いほうはおもに4分の1ページの広告に使った。高いクーポンを使った年の純利益は、22万4,854.18ドル。24セントのクーポンを使った年（3年後）は、**純利益が88万9,701.60ドル**になった。

この商品の広告はすべて慎重にテストされ、それから数シーズンをかけて「育成」段階に入った。最終的に、コストが割高な広告はすべてなくして、費用対効果の高い広告をどんどん使うようになった。こうして、最終的な広告が、15種類の広告をテストした結果に基づいて作られた。

もう1つ、別のサンプリングを使った効果的なプロモーション例、しかも2ワード見出しの見事な例として、**図7.2**（→次ページ）を参照してほしい。

図7.2

図7.2　これ以上の見出しが書けるものなら……

このプロモーションでは、全国のおもな新聞（都市部、地方、郊外）への4色刷り折込みチラシ、おもなターゲット地域の屋外看板、ラジオコマーシャル（内容はご想像にお任せ）、主要なドッグショーやキャットショーでのサンプル配布などを行った。統合型マーケティングの結果、店舗売上のアップはもちろん、この商品を置いていないところではお客から問合せがあった。とてもお利口な広告なら成功もありうる見本だ！

人の出入りが多い場所での、簡単でお金のかからない事前テスト

ある大手銀行の宣伝部長は、銀行の広告のテスト方法をこう説明した。手短に言うと、宣伝ポスターを用意して各支店のロビーや窓に貼る。調査員を配置し、(1) ポスターの前を通った人の数、(2) ポスターに興味を持ち、立ち止まって読んだ人の数、を記録させる。ロビーのポスターには、チラシを取ってもらえるようポケットラックに入れ（テイクワン）、さらに詳しい情報を提供してレスポンス追跡に役立てる。これはうまいテスト方法だ。デパートやスーパーマーケットなど、人の出入りが多い場所なら、ほぼどこででも使える。

このテストの正確さは、その銀行の4支店で行われた同種類の広告テストの結果が、ほとんど同じだったことからわかる。

同宣伝部長は、このテストについて業界誌で次のように述べている。

> 広告のアイデア次第で注目度に大きな開きが出ることにはよく驚かされる。貯蓄についての2種類のポスターを同じような条件で貼り出したときは、一方のポスターの前で足を止めた人が1,000人中9人、もう一方は34人だった。
>
> 投資信託を宣伝した2種類のポスターでは、一方が6人、他方は16人だった。ポスターによっては10人に1人が立ち止まって見るものもあれば、注目する人があまりにも少なくて、広告する意味がほとんどないものもあった。また、ほとんど違いがないにもかかわらず、大勢の人に注目されるポスターもある。
>
> こうしたポスターのテストでわかったことの1つが、全国的に有名な人を起用するとコピーへの注目度がアップするということだ。貯蓄についての有名人のひと言を載せたポスターをしばらくテストしてみた。たとえば、アメリカの元大統領を何人かと、他にも有名人を何人か起用した。こうしたポスターはすべて平均を大きく上回る注目を集めた。試しに、あるポスターから有名人の名前と写真を外して、誰の言葉かも言わずにそのセリフ

だけをポスターにしたところ、**注目度は50%も下がった。**

当行のこうしたテストについては、疑問の声もあるかもしれない。「注目度のテストだけでその広告の効果がわかるのか」と。もちろん注目度がすべてではないが、これがなければ話にならない。

注目されなければ、その広告を云々する点は他にほとんどない。品があり、すばらしく、売り文句満載かもしれないが、読んでもらえなければ、そうした強みでも挽回することはできない。広告の訴求ポイント、全般的な効果、タイミングというようなことは、その広告が注目を集めて初めて議論されるべきものだ。注目度テストの結果、とても効果的なセールスコピーなのにほとんど注目されなくて意味がなかった、ということもあれば、別の広告で同じくらい効果的なアピールをしているものが多くの注目を集める、ということもある。あるいは、１番読んでもらえた広告なのに、商品やサービスの説明の仕方が弱かった、ということもある。

このような広告のなかから選ぶときは、効果を挙げるのに必要なすべての要素を考えなければならない。そのなかでも**注目度は、最重要の要素**だ。

「かのように」考える

19世紀に流行したドイツ哲学で、「かのように」の哲学（訳注・ハンス・ファイヒンガーが提唱。ドイツ語の原書発表は1911年だが、書かれたのはその30年以上前）というのがあるが、これは形而上学だけでなく、広告にもあてはめられる。どんな広告も、通販の広告である「かのように」制作するのだ。自分が宣伝する商品やサービスと同類のものを、通販ならどう売り込むのが１番効果的かを学び、そのすべてを応用する。通販タイプの見出し、通販タイプのデザイン、通販タイプのコピー、通販タイプの書体を使う。

そして何よりも重要なのは、**相手が納得する理由を説明**して、こちらがし

てほしい行動を起こしてもらうように仕向けること。これでたいてい、「通販広告であるかのように」が本物そっくりになるはずだ！

この章で学んだこと

1●広告をテストする何らかの方法を見つけること。これで、効果的な広告とそうでない広告が確実にわかる。そのやり方については第18章参照。

2●広告キャンペーンのアイデアを探しているなら、テストしていない広告によく見られる、手が込んだデザインやしゃれた言葉をマネしてはいけない。そういう広告は宣伝効果を測りようがない。そうではなく、宣伝効果が日々測定されているもの、つまり、通販の広告やダイレクトレスポンス広告、ダイレクトマーケティング広告、デパートの広告を見習い、その手法を取り入れること。特に注目すべきは、何度も繰り返し使われているテスト済みの広告だ。こういう広告こそ、利益を上げて成功している広告であり、こういう広告にこそ、うまくいくヒントがあるのだ。

「広告しよう。さもないと保安官にお尋ね者広告を出されてしまう（訳注・つまり、あなたのビジネスはおしまいだ）」
――フィニアス・T・バーナム（訳注・1810－1891。アメリカの興行師）

第8章

熱意を込めて
コピーを書く方法

広告コピーにも熱意が必要なわけ

ある日、古くからの友人の息子が私のオフィスにやってきた。「あるバイオメディカル企業の新株を買わないか」と言うのだ。ごく普通の青年で、それほど個性的なタイプではない。もちろん、経験豊かなセールスマンでもなかった。にもかかわらず、私はその話にいままでで1番引きつけられたのだ。

なぜ、それほどの説得力があったのか？　その青年に熱意があったからだ。その株の将来性を完全に信じて疑っていなかった。自分でもその株を買い、それを友人たちに売っている。3か月で株価が2倍になると絶対的に確信していた。

あとでわかったのだが、そのバイオメディカル企業の創業者は若い人たちを集めて、同社の新しい研究がいかにすばらしい可能性を秘めているか、その新規事業株を買ってもらうことがいかに買い手にとって利益になるかを、懇切丁寧に説明していたのである。売ってくれる人にまず売り込むこのプロセスは、その場にいたすべての若者の士気が高まるまで続けられた。この士気こそが、何年も訓練して身につける販売テクニック以上に説得力のある熱意なのだ。

販売活動同様、広告でも熱意は不可欠だ。だから、多くのコピーライターにとってコピーで1番難しいのが、書き出しの部分なのかもしれない。なかなか書き出せないものだ。

広告代理店に勤めるあるコピーライターが私にこう言った。その会社では、クリエイティブ・ディレクターから見出しとレイアウトのコンセプトが渡される。

「コピーを書こうと机に向かっていると、いつの間にか小さなメモ用紙にいたずら書きをしてるんです。鉛筆の端をかじってみたり、何もない壁に目をやったり。窓の外を眺めたり、冷水器までちょっと水を飲みに行ったりします。

そうこうしてようやく2、3行書きます。それからレイアウトをしばらくじっと眺めるのです。与えられた見出しはまったくの見当違いじゃないのかと思うこともあります。自分が書いたコピーを読み直し、言葉を１つカットしたり、文を書き直したりします。

あとになって、また元通りに戻すこともあります。直しても直しても、これでよしと思えることがありませんよ」

なぜ、書き始めにこれほど苦労するのか？

多くのコピーライターが書き始めを難しいと感じるのはなぜか。
理由は３つある。

1 ◉人の脳は車のエンジンのようなもので、温まったときに最高の力を発揮するようになっている。コピーを書こうと机についたときは、脳がまだ温まっていない。つまり、座ってすぐにコピーの冒頭部を書こうとするのは、**車のエンジンがまだ温まっていないのに、急な上り坂を走ろうとするのと同じ**ことなのだ。

2 ◉経験豊富なコピーライターは、コピーで最も重要な部分が冒頭であることを知っている。書き出しがよくなければ、読んでもらえないことがわかっているのだ。

3 ◉見出しやレイアウトのアイデアがクリエイティブ・ディレクターから渡されるところでは、コピーライターにとってそれが助けになるどころか、かえって邪魔になる場合もある。これについてコピーライターにできることは、自分が勤めている代理店や社内宣伝部次第だ。別案を考えてくれるところもあるだろうが、たいていは、渡したものでやれと言われる。優秀なコピーライターはこの難題を受けて立ちながら、いつか自分がクリエイティブ・ディレクターになる日を待つわけだ。

「まだエンジンがかかっていない脳」に活(カツ)を入れる方法

この難問を打開する方法はいくつかある。1つは、自分にこう言い聞かせることだ。

「さあ、この商品のコピーを書くぞ。書いても最初の数段落は使わないかもしれないけど、とにかく書き始めよう。そのうちに冒頭に使えるコピーが書けるだろう」

こう言い聞かせる方法もある。

「このコピーは最初から書くのではなく、真ん中から書こう。そうやってしばらく書いて調子が出てきたら、コピーを読み返して1番いい段落を選び、それをそのままか、手を加えて冒頭に使おう。そうやって少なくともあと3～4回繰り返せば、冒頭部は何とかなるはずだ」

あるベテランのコピーライターがこう明かしている。

「私は書くのが好きじゃない。でも、コピーの編集は大の得意で、抜群にうまい。だからアイデアをどんどん紙やパソコンのモニター上に書き留めていく。あとは編集するだけだ」

コピーライターが「書くネタがなくなる」ことはあるのだろうか？　もちろんある。

書けなくて行き詰まったコピーライターが、新しいアシスタントに言った。

「シンプレクス社の新しい携帯電話を宣伝するクリスマス商戦用の広告を作らなくちゃいけない。君に手伝ってもらえて本当に助かるよ。この3年間ずっと毎月1回、シンプレクスのコピーを書き飛ばしてきたから、僕はもう書き尽くしてしまった。

ビジネス用のコピーも書いた。上司に好印象を与えよう、あるいは自分が楽しむために使おう、それから、両親が子どもに買い与える、妻が夫に、夫が妻にプレゼントする、子どもたちから父親へのプレゼントにしたり、兄弟姉妹で贈り合ったり、考えられる組合せは全部書いた。もう他に何を書けばいいかわからない。なのにクライアントときたら、毎月のように新しいアイデアを要求してくるんだから！」

コピーを36通り、いや6通りであっても、科学的テストの原則を1度もあてはめることなく、コピーが売上に及ぼす効果も確かめずに、それだけのコピーを書くとは！　このコピーライターに書くネタがなくなってしまったのもムリはない。

書くネタがなくなったときにどうしたらいいかは難しい問題だ。なかには、数年おきに職場を変えてこの問題を解決しているコピーライターもいるくらいだ。

そこまで極端でない方法でマンネリから抜け出すには、いわゆる「普通の」人々、つまり、自分が長年コピーを書く対象に想定してきた人々にこだわらないこと。

友達に手紙を書いているかのようにコピーを書くといい。こう考えるのだ。「この商品を買ってみたら、実にいい。友人のジムとベティもきっと知りたがるはずだ。手紙を書いて教えてあげよう」

次の手紙は、ある協会の会長が友人にあてて書き、あとから、これは協会会員にも送るべきだと気がついて送ったものだ。読んでみて、手紙から熱意が感じられないだろうか。

協会員のみなさまへ

もし金曜日に私と共にモントリオールにいらっしゃっていたら、大いに感動されたはずです。

ご存じのように、モントリオールはこの9月に行われるコンベンションの開催地です。そこで開催された当協会の理事会会議に出席してきました。

このコンベンションの主会場となるクイーンエリザベスホテルのことを、どうしてもお伝えしたくてペンを執っています。このホテルはコンベンション用に特別に設計されていて、会議施設（受付、会議室、展示室、バーなど）がすべて同じフロアにあります。実にすばらしいホテルで、見事な部屋、快適なエレベータ、それに、おそらく他のどこよりもおいしい食事。パワーブレックファースト（朝の8時です！）でエッグベネディクトが出ましたが、絶妙な味でした。室料はもちろん、バトラーサービス、ランドリーサービス、ルームサービスなども手頃な値段です。

モントリオール運営委員会は本当に全力を尽くしてくれています。完成間近のプログラムを同封しました。ご覧のように、誰もが満足できる内容です。

飛行機で到着される方には、空港でホテルの部屋のカギが渡されます（少なくとも、このクイーンエリザベスホテルを早めに予約する先見の明がある方々には)。ユナイテッド航空、エア・カナダ共に、アメリカの全主要空港から「スペシャルデリバリー便」を提供してくれます。荷物にクイーンエリザベスホテルの専用ステッカーが貼られ、そのままホテルまで運んでくれるのです。ホテルの宿泊客とわかるバッジもすぐに配られます。鉄道でいらっしゃる方は、ホテルの真下の駅に到着します。ラッキーなお車の方は、特別に同ホテルの駐車料金が無料になります！

ご夫人（独身の方は今回のためだけでもご結婚なさっては？）には、ローレンシア山脈ツアーですばらしい時間をすごしていただきます。このツアーには、昼食とクリスチャン・ディオールのファッションショーも含まれています。ツアーで行くリゾート地にはユニークな見せ物があるのです。それは、２頭のヤギに草むしりをさせている草葺き屋根です。ぜひ、ご自分の目でお確かめください。理事会役員のなかには、実際にヤギが屋根の上でムシャムシャしているところを見た人もいました！

私たちの滞在中、クライスラー自動車が展示会を開いていました。展示エリアには、何と２万5,000人が１度に収容できたのです。この展示エリアの長所は、会議室、宴会場、受付へのアクセスのよさです。当協会の出展者にとって、いままで最高のものになるでしょう。また、専門業者を手配して、展示品の輸送にともなう税関手続きのわずらわしさを軽減するよう努めています。

スケジュールは（同封プログラムのとおり）魅力満載ですが、もちろん自由時間も十分に取ってありますので、モントリオールの極上のフレンチレストランなどを訪れることもできます。ちなみに、プログラムは英仏併記で印刷され、バイリンガルな雰囲気を添えています。モントリオールは世界でもパリに次いでフランス語を話す人の多い街です。その雰囲気を味わうだけでも、めったにないチャンスです。

モントリオールを発ったあとも興奮が冷めず、このことをすぐにお伝えするのが1番だと思った次第です。クイーンエリザベスホテルに予約が取れなければ、今回のコンベンションの楽しみも減ってしまうでしょう。いますぐに予約されることをお勧めします。私もさっそく予約しました。

どうぞよろしくお願いします。

ボブ

この会長は興奮冷めやらぬうちにこの手紙を書いた。つまり、ワクワクすることを経験してすぐにそのことを書いたのだ。**熱意が冷める余地を与えなかった**。これが、熱意を持って書く秘訣の1つだ。もし何かにワクワクしたら、鉛筆を握るなりキーボードに向かうなりして、そのワクワクをすぐにその場で書き留めること。

同じことは話す場合でもあてはまる。ワクワクする出来事を目撃したり胸が躍るようなアイデアを思いついたりして、それをその日にうちに誰かに話せば、ずっと印象的な説明ができる。1週間経ってからでは、細部やそのときの興奮が頭から抜けてしまって、同じようにはいかない。

似たようなアプローチが、プレゼンの準備やスピーチにも役立つ。**もちろんトイレに行くときも、常にメモ帳や携帯用ボイスレコーダーを持ち歩こう**。潜在意識のなかでうごめくインスピレーションが消えてしまわないうちにとらえるのだ。放っておくと、たいてい別の人の熱心なアイデアが割り込んできて、こちらのアイデアが押し流されてしまう。たとえこちらのアイデアのほうがいいとわかっていてもだ。

以下は、熱意が伝わってくるコピー例。

1 ● 退職年金プラン

これは、いつかのんびりしたいとお考えのみなさんへのお知らせです。将来に備えて、生涯続く収入を用意する方法をお伝えします。

現在の収入が十分でも、平均的でも関係ありません。このプランに従えば、いつか十分な収入を確保して退職できるのです。

このプランに必要なのは、**毎月わずか数ドルの積立金**です（正確な金額はご年齢によって変わります）。初回積立金をお支払いいただいた瞬間に、お金に関する１番の不安が消えていきます。たとえ重度の障害を負うことになっても、ご心配はいりません。そのための特別基金から、当社が代わりに積立てを続けます。

それだけではありません。障害が続いている間ずっと、毎月小切手をお送りします。障害がどれだけ長期にわたっても、生涯ずっとです。

2 ● 新聞の定期購読

「数年前、私は破産寸前でした。物価の高さと税金に押し潰されていました。もっと稼ぐか、さもなければ生活水準を下げるしか道は残されていませんでした。

そこで私は、『ウォールストリート・ジャーナル』のお試し購読に申し込んだのです。そこに書かれていたアドバイスに従いました。収入アップや支出を減らすアイデアも活用しました。そして、必要なお金を手に入れたのです。それからはどんどんうまくいき始めました。去年は**収入が40%アップ**したんです。本当です。『ウォールストリート・ジャーナル』を毎日読むことは、前進するための素晴らしい道しるべです。おかげさまでいまでは人生を満喫しています！」

これは代表的な体験談です。『ウォールストリート・ジャーナル』はプロフェッショナルな方々を強力にサポート。中小企業の経営者にもお役に立ちます。成功を目指す若い人たちにとって、お金では買えないほどプラスになります。

3◉速達配送の箱詰めフルーツ

いまこれを書いている９月末、このすばらしい盆地に当果樹園のロイヤルリビエラ梨がなっています。まるで巨大なペンダントが樹齢40年の木々にぶら下がっているようです。これから収穫期までずっと、この梨を赤ん坊のように見守らなければなりません。収穫直前まで、１葉たりとも実にふれることがあってはいけないのです。もうすぐベテランたちが手袋をして梨をそっともぎ取り、クッションを敷いたトレーの上に慎重に並べていきます。その後１つずつ薄紙に包み、緩衝材のなかに詰め、カラーリトグラフ印刷の素敵なギフトボックスで、ご自宅やご友人のお宅にお届けします。どっしりと見事な梨は、ご家庭でちょうどいい食べ頃になります。うらやましい限りです。ロイヤルリビエラ梨を初めて味わう方が、太陽の恵みの甘い果汁を滴らせているところを想像すると。

4◉ダイエット

10日間で、あなたの体重を２キロから５キロ減らします。あなたがどんなに太っていようとかまいません。あなたがいままでに何度、減量に挑戦して失敗したかも関係ありません。私が開発した画期的な方法で、あなたの余分な脂肪は**魔法のように消えていきます**。標準的な若々しいスタイルが手に入り、スリムで、軽快で、活発になれます。つまり、本来のあなたの姿に戻るわけです。そうでなければ、このダイエットに対する**費用は一切いただきません！**

空腹を我慢することも、運動も、薬も、外からの力も、器械も必要ありません。**私の指示に数日間従うだけでいい**のです。余分な脂肪が消えてなくなり、ちょうどいい体重になります。とてもシンプルな方法なので、この仕組みはどなたにもおわかりいただけます。とても理にかなった実用的な方法ですから、聞いた瞬間に本能的にその効果がおわかりになるはずです。

お金はまだ送らないでください。あと払いです。**お名前とご住所だけ**お知らせいただければ、この「ダイエット法」を特別価格でお届けします。もし、10日経っても完全にご満足いただけない場合、つまり体重がすぐ簡単に落ちない場合は、請求書にその旨を書いてお知らせください。**代金は一切いただきません。いますぐお申込みください。**

シズル感のあるコピーで熱を注ぎ込む

コピーライターのやる気を失わせる、精神衛生上よくないことの1つは、自分のコピーがいろいろな人から批評される、とわかっていることだ。それはこんな人たちだ。

◆社内のコピーチーフ
◆社内のAE
◆社内の宣伝部長
◆社内の営業部長
◆社長
◆それに、コピーライターがそう思い込んでいるのだが、広告のテスト中、その広告の前をたまたま通りがかる見ず知らずの人々

批評する人それぞれに、コピーに対する自分なりの考えがある。全員を満足させようとするのは、1本の矢でいくつもの的を射抜こうとするようなものだ。熱意のあるコピーを書こうと思うなら、こうした批評家たちのことは頭から完全に追い出すこと。無視し、存在を忘れるのだ。自分の書きたいように書く。それが、効果的なコピーを書く方法だ。

それと、どんどん書くこと。勢いよく、**シズル感のある**（訳注・5感に訴える、ジュッと音を立てるほど熱々の）コピーを書こう。**暴走する機関車並みの力**をすべてコ

ピーに注ぎ込むのだ。あとで冷静に読み返して、**批評する人たちに反対されそうな箇所を削ればいい**。そうすれば、イキイキとしてかつOKの出るコピーができる。他の人の先入観や好みを最優先して書けば、小学生の作文みたいにお行儀のいいコピーにはなるかもしれない。しかし、コピーとしては完全に死んでいる。

他にもある精神衛生上の妨げを克服する——自分で自分をその気にさせる!

熱意あふれるコピーを書くことは、他にも２つある精神衛生上の障害克服に役立つ。

1◉宣伝対象商品について言ってはいけないこと。

2◉宣伝上言わなければならないこと。

この２つを忘れてしまうこと。頭のなかに「これは絶対に言っちゃダメ」とか「これはどうしても言わなくちゃ」と操り糸を張りめぐらせたままで机に向かっても、いいコピーは書けない。

自己暗示を行うのだ。「スミス社の歯磨き粉は世界一だ、こんな歯磨き粉は他にはない」と自分に言い聞かせる。この暗示は短時間ですばらしい効果を生み出す。

自分で自分を煽り、その気になるよう持っていくのだ！　人類の月面着陸以来の大ニュースをいまから伝えようとしている、と自分に言い聞かせる。覚えておこう。**熱意は、はしかと同じで人に伝染する**。話す人から聞く人へ、書く人から読む人へと、広がっていくのだ。

その気になったらすぐに書き始めること。どんどん、猛烈な勢いで書く。早く書いてしまわないと**飛行機に乗り遅れるつもりで書く**。**いまから５分で**

アイデアを全部書き留めてしまわないと、そのアイデアはもう2度と戻ってこないつもりで書くのだ。

最初に書いた文章は、ありえないと思うかもしれない。いいのだ。とにかく書き続けよう。そのうちに、どうにかして、本当に売れるコピーが書けるものだ。そんなコピーの何かが、読んだ人の気持ちに働きかける。それは、書いた本人にもたぶんわからないようなわずかなものだ。それが知らず知らずにちょっとした感動を生み、その感動が読んだり聞いたりした人を刺激して行動に駆り立てるのだ。

アクション——これが、感情に訴えるコピーにはあって、「理由説明」型コピーにはない、極めて重要な特徴だ。「理由説明」型コピーは相手の知性に訴え、そうだそうだ、とうなずいてもらうように持っていく。一方、感情に訴えるコピーはもっと深いところに訴える。脳のなかでも、**愛、憎しみ、不安、欲望を司る部分**まで入り込むのだ。

このどちらのタイプのコピーも重要で、2つをうまく組み合わせれば、じっと座っている相手を立ち上がらせて店に買いに行かせることだってできる。

熱意を込めたコピーについてもう1つ。ご存じのように、野生の馬は飼い慣らして人の役に立つようにできる。しかし、死んだ馬を生き返らせることはできない。コピーでも同じことが言える。白熱するほど熱意を燃やしてガンガン書いたコピーなら、あとで調子を和らげて効果的に変えようもある。しかし、すでに死んでいるコピーをイキイキさせることはできないのだ。

もちろん、あとから行う推敲や書き直しも非常に大事なことを忘れないように。フランスの高名な小説家、アナトール・フランスは、すべての段落を5回書き直すという。本人がこう語っている。

「初めの4回は、まるで誰か他の人が書いた文章のようです。5回目の書き直しでようやく、アナトール・フランスらしくなってくるのです」

「ビジネスにとっての広告は、機械にとっての蒸気と同じだ。つまり、大きな推進力である」

——トーマス・マコーリー（訳注・1800－1859。イギリスの歴史家、政治家）

第９章

コピーの出だしはこう書く

こんなコピーは何も売り込まない

コピーを書くということのごく初期の定義は、「活字でのセールスマンシップ（販売術）」だった（図9.1→次ページ）。その後6、7回定義が世代交代して、いまや多くのコピーライターが忘れてしまっているが、「セールスマンシップ」はいまでもこの仕事における決定的要素なのだ。大勢のコピーライターが売るチャンスを逃しているのは、相手の関心を引きつけるどころか失ってしまうようなコピーの出だしを書いているからだ。

ちょっと考えてみよう。テレビを買おうと思っているとする。ショーウインドーにカッコいいテレビを見つける。よく見ようと思って店に入る。まず頭に浮かぶのは、何チャンネル受信できるか、受信感度は、本格的ステレオサウンドか、そしてもちろん、いくらするのか、といったことだ。

店員が近づいてきて、こう言ったとする。

「いまはデザイン重視の時代ですから云々、魅力が云々、スタイルがどうのこうの」

あっけに取られないだろうか。この店員はどこかおかしいんじゃないかと思うのでは？　そもそも、いま自分がここにいるのはテレビを買おうと思っているからなのだ。ちなみにこの「デザイン重視の時代、魅力、スタイル」という言い回しは、あるテレビの宣伝のために1万6,000ドルをかけた雑誌広告の冒頭部そのままなのである。こういうコピーは例外ではない。それどころかすっかりおなじみになっている。あまりにもたくさん目にするからだ。

何百万点という広告が読まれないままページがめくられていくのは、次のようなコピーで始まっているからだ。

現代の女性は、快適さや実用性以上のものを家のなかに求めています。スタイルや美しさに強い関心を持っています。色やデザインにこだわりがあります。洗練された上品なセンスの持ち主です。知識が豊富で、偽物を嫌い、価格に見合う本物を期待しています。

図9.1

何とおっしゃろうと、あの人はどえらいホテルを経営している

> SAY WHAT YOU WILL, SHE RUNS A HELLUVA HOTEL.
>
> The Helmsley Park Lane
> 36 Central Park South
> New York, NY 10019
> (212) 371-4000
>
> The New York Helmsley
> 212 East 42nd Street
> New York, NY 10017
> (212) 490-8900
>
> The Helmsley Middletowne
> 148 East 48th Street
> New York, NY 10017
> (212) 755-3000
>
> The Helmsley Windsor
> 100 West 58th Street
> New York, NY 10019
> (212) 265-2100
>
> The Helmsley Carlton House
> 680 Madison Avenue
> New York, NY 10021
> (212) 838-3000
>
> For reservations & information
> call (800) 221-4982
> or in New York, (212) 888-1624
> or call your Travel Agent
>
> At every Helmsley Hotel, a thousand and two details are constantly polished, perfected and inspected to make sure we always satisfy you. And you-know-who. For reservations and information, call (800) 221-4982, or in New York, (212) 888-1624.

ヘルムズリーホテルでは、1,002項目を常に完璧に磨き上げ、チェックしております。お客様に常に満足していただくためです。だってあの人をご存じでしょう？ ご予約とお問合せは(800) 221-4982にお電話ください。ニューヨーク市内からは、(212) 888-1624にどうぞ。

図9.1　ホテル名を正しく書いてもらえるように！
このキャンペーンを始めてから、50％を切っていたニューヨーク・ヘルムズリーホテルの客室稼働率が7か月で90％以上に跳ね上がった。何と言うと、あの人のおかげでどえらい広告キャンペーンがひらめいたのだ！
(訳注：「あの人」とは、このホテルのオーナーである不動産王ヘンリー・ヘルムズリーの妻、レオナのこと。この広告キャンペーンのなかで、宿泊客への最高のサービスを要求するクイーンとして登場した)

このご大層な人生哲学は、全国誌に掲載された4色刷り全面広告の冒頭部だ。何の商品の広告かわかるだろうか。その商品がどう役に立つのか思いつくだろうか？

さっぱりわからない。ヒントや手がかりが一切ない。何も言わない、何も売り込まないコピーだ。相手と、相手の知りたいことの間に壁を作っているにすぎない。

よく、コピーチーフや宣伝部長が冒頭文や最初の段落を削るだけで、コピーライターの書いた1回目のドラフトコピーがよくなることがある。「ここから始めろ」と、コピーチーフが言って指差すのは、そのコピー原稿のなかほどだったりする。

野球のピッチャーが試合前にウォーミングアップしているのを見たことがあるだろうか？

両腕をちょっと振ってみたり、何度かピッチングしたりしないと、ベストコンディションに持っていけない。さらに、ちゃんと仕上がったときに知らせてくれるベテランのピッチングコーチも必要だ。コピーライターによっては、同じことが必要なのだ。数行か数段落、あるいはドラフトを全部書いてみて、ようやく本調子が出てくる。コピーチーフは、コピーのなかで何か意味のあることを言い始めている箇所を正確に指摘することで、そのコピーライターを手助けできるのだ。

自分が書いたコピーを指導してくれる宣伝部長やコピーチーフがいない場合は、1日か2日置いてから、新たな目でコピーを見直すといい。初めに書いたものよりもっといい冒頭になりそうな文章を思いつくかもしれない。それどころか、初めに書いた冒頭部分をそのまま削っても、その広告に不可欠なアイデアはなくならないことに気づく可能性のほうが大きいのだ。

モートン・レビンは、合同書籍カタログで成功した広告ディレクターだが、コピーライターたちにこう指示していた。

すべての説明文を「この物語は～」か「この本は～」で始め、あとからその部分を削除するように、というものだ。つまり、「この本は、思っていたよりもっと効果的なコピーを書く方法についてです」が、「**もっと効果的なコピーを書く方法**」となるわけだ。これはいまでも、そしていつでもうまくいく。

『リーダーズ・ダイジェスト』に学ぶ６つの型

何年か前、私は『リーダーズ・ダイジェスト』誌のある号を手に取り、出ているすべての記事の冒頭文を書き写してみた。記事は全部で35本あった。知りたかったのは、発行部数世界一の雑誌の編集者たちが、記事タイトルで読者の興味を刺激したあと、どうやってその関心を引きつけたまま離さないように工夫しているか、ということだった。記事のライターもコピーライター同様、この同じ問題に直面している。つまり、タイトルや写真で読者の興味を引いたあと、どうやって読者をつかんだままでいられるか、という問題だ。

たった１冊の『リーダーズ・ダイジェスト』で実験した結果、いろいろなことがわかったので、他にもたくさんの号を調べてみた。

わかったのは、**効果的な同じ型が何度も繰り返されている**、ということだった。そうした型のなかには、記事だけでなく広告のコピーを書くときにもあてはまるものがある。それが以下の型だ。

１◉ハッとすること

記事の多くが「ハッとすること」とでも言える文で始まっている。ハッとすることとは何か。意表をつくような話や奇抜な仕掛けのことで、これで相手の頭のなかにありがちな、つまらない、という壁を打ち破るのだ。たとえば、家庭用芳香剤のある記事はタイトルが「いやな臭いをいい匂いに」で、その後こんな文章で始まる。

> 数か月前にニューヨークで開催された毎年恒例のケミカルショーで、今年人気だったのは、プラスチックの檻に入れられた２匹のスカンクだった。

あと４つ、ハッとする内容のテクニックを使った雑誌記事の冒頭部を紹介しよう。

じっと座ってこの記事を読んでいる最中にも、あなたの体のなかは目まぐるしく活動している。

ペンギンは見た目も動きも人間みたい、と私たちは考えるが、ペンギンのほうは私たちをただの大きなペンギンと見ているという、ハッとさせられるような証拠がある。

人間の舌を喜ばせることがここのところ、世界最大産業のおもな関心事になっている。

毎日、悩みを抱える何十万人という若い母親がざっとページをめくっている本がある。ページの端が折れ、食べ物のシミがついたその本は、いままでに出版されたなかでも、最もけた外れの本だ。

2 ● ギョッとすること

ハッとすることに近いのが、もっと衝撃的な、「ギョッとすること」とでも言えるもの。例を挙げよう。

フランス人が酔っ払っている姿はあまり目にしないが、フランスはアルコール依存症の率が世界で最も高い。

今朝全米で、昨日の朝よりさらに8,000人多くの赤ちゃんが生まれた。

私はかつて、子どもを産むしか能がない女性をバカな生き物だと思っていた。

犯罪のなかには、ゆすり屋がまず必ず弁護士に会ってから犯すものがある。

3●ニュースネタ

編集者がよく使う他の冒頭部の型は、「ニュースネタ」だ。次に４例挙げる。

新しい委員会がワシントンにある。

ここ２年の間に、胸躍る探検の時代が始まった。

10億ドル産業王国が突如、ミシシッピ川両岸に出現した。

心温まる興味深い出来事が、アメリカのこの大学キャンパス内で最近起こっている。

4●予告

雑誌記事の導入によく使われるのが、その記事の内容を簡単に予告する文だ。例を挙げよう。

ハイチの首都ポルトープランスは、カリブ海で１番にぎやかで、騒々しく、色彩豊かな街だ。

15年ほど前まで、マメコガネを食い止める方法はなさそうだと考えられていた。

（訳注・マメコガネはコガネムシ科の甲虫で、日本では天敵が多いため大発生することはないが、天敵のいなかった全米で大害虫になった）

理性的に分析すると、私たちが見る夢は、自分が抱えている問題や人間関係に関する鋭い指摘となりうる。

5●引用

次は、言葉の力についての記事の冒頭部。言葉に携わる仕事をする人すべての心をとらえる。

ダニエル・ウェブスター（訳注・1782－1852。アメリカの政治家、法律家）は言った。「財産と能力のすべてを奪われ、１つだけ残せるとしたら、私は言葉の能力を取る。それさえあれば、他のすべては取り戻すことができるからだ」

6●エピソード

何と言っても１番興味深い発見は、『リーダーズ・ダイジェスト』の記事の半分以上が何らかの「エピソード」で始まっていることだ。ご存じのように、『リーダーズ・ダイジェスト』はフィクションを掲載する雑誌ではなく、ノンフィクション雑誌だ。それでも半分以上の記事が、逸話や体験談といったエピソードで始まっている。こうした事実と、いままでで最も有名な広告コピーの多くが「エピソード」仕立てで書かれているという事実を考え合わせると、コピーライターがよく考えるべき点が浮かび上がってくる。

以下は「エピソード」型の冒頭例。

昨秋のある晩、ニューヨークを訪れていたある人が、５番街南にある教会に灯がともっているのを見つけた。

時刻は夜中の１時、場所はシカゴ、サウス・サイドの警察署。

ある晴れた午後、オレゴン州ポートランドで、娘を週１回の水泳教室へ車で送っているときのことだった。

モントリオール神経学研究所の主手術室の見学室から、７時間に及ぶ脳手術を最近見学した。

テネシー州キングスポートにあるイーストマン・ケミカル・プロダクツの研究所で、技術者がスポイトから、新開発の接着剤を2インチのスチール棒の先に1滴落とした。

去年の夏、コロンビア大学の学生で、ボストン郊外の富裕層地域出身の青年、アレクサンダー・H・ラッドは、夏休み中、モービル石油のガソリンスタンドで整備士として働いた。

手紙をポストに投函したとき、まるでメッセージ入りボトルを海に投げたかのように感じた。

昨秋のある日、ボストン港の夜が明ける頃、タグボートのアイリーン・メイ号が大西洋へゆらゆらと進んでいったのは、ちょっと変わった任務によるものだった。

つい最近の土曜日、ある医師がイリノイ州スプリング・フィールド上空をスポーツ機で飛行中、小型無線機を耳に当ててボタンを押したその瞬間、女性の声が聞こえてきた。「1-5-4、コード3、緊急事態発生、ロケーション20」

8月8日、緊張続きの34分間に、テスト飛行中の9人の空軍パイロットはいつ死んでもおかしくないと思った。

『リーダーズ・ダイジェスト』の記事の様々な冒頭文について、注目すべき点がいくつかある。

1◎事実がたくさん詰まっている
2◎簡潔な文体
3◎具体的である
4◎形容詞が少ない
5◎好奇心をかき立てる

今度、広告の冒頭コピーを書くときは、ハッとすること、ギョッとすること、ニュースネタ、エピソードが使えないか、考えてみよう。

出だしを書くもう1つの型

こうした方法のどれも自分が書く広告にはあてはまらない、ちょうどいいエピソードやハッとすることが見つからない、という場合でも使える1番簡単な型がある。ティーザーや見出しで書いたアイデアをそのまま続けて、コピーの冒頭を書くのだ。このテクニックを使ったダイレクトメールの例が、**図9.2**（→次ページ）だ。

たとえば、ある人が家の塗装に関する見出しに目を留めたとしたら、その人について少なくとも1つは確かなことがある。つまり、その人は家の塗装についてもっと知りたがっているということだ。こちらがその願いに応え続ける限り、その人の関心を失うことはない。

この方法の効果の証明が必要なら、何点か通販広告の冒頭の段落を読むだけでわかるはずだ。こうした広告は、実売で採算が取れている。

次に挙げるのは、吃音を治す方法を売り込む通販広告の冒頭部。この広告は1ワード見出しで適切なターゲットを絞り込んでいる。**冒頭部の文章が見出しから引き続いている**ことに注目。

（見出し）**吃音**

（冒頭部）吃音はすぐに治せます。2.95ドルお送りください。吃音に関する全288ページの布装本をお送りします。20年間言葉に詰まっていた私がどうやって治したかを書いた本です。

地味な内容の、小さな広告だ。しかし、この冒頭部には、多くの全面広告

図9.2

もしお取引先にムリな注文をされても、そこであきらめないでください……

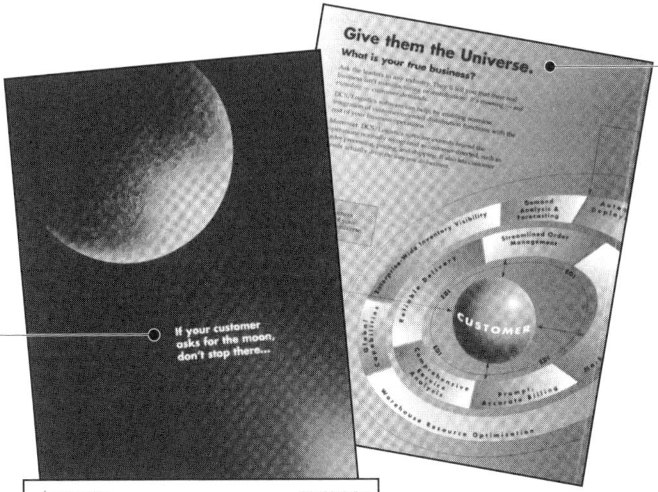

トータルサービス力を見せるのです

貴社の真のビジネスとは？

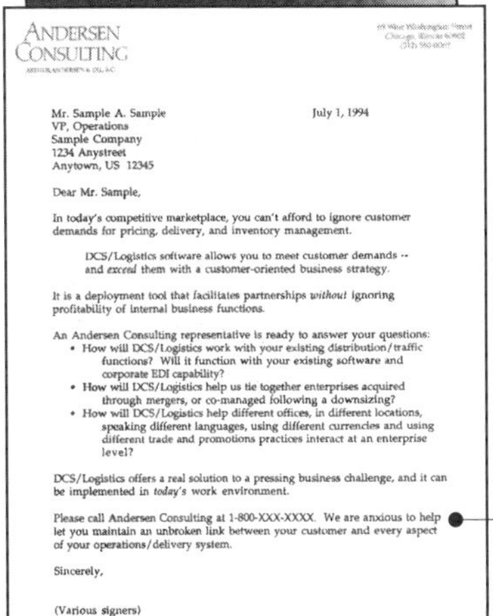

ANDERSEN CONSULTING

Mr. Sample A. Sample　　July 1, 1994
VP, Operations
Sample Company
1234 Anystreet
Anytown, US 12345

Dear Mr. Sample,

In today's competitive marketplace, you can't afford to ignore customer demands for pricing, delivery, and inventory management.

DCS/Logistics software allows you to meet customer demands -- and *exceed* them with a customer-oriented business strategy.

It is a deployment tool that facilitates partnerships *without* ignoring profitability of internal business functions.

An Andersen Consulting representative is ready to answer your questions:

- How will DCS/Logistics work with your existing distribution/traffic functions? Will it function with your existing software and corporate EDI capability?
- How will DCS/Logistics help us tie together enterprises acquired through mergers, or co-managed following a downsizing?
- How will DCS/Logistics help different offices, in different locations, speaking different languages, using different currencies and using different trade and promotions practices interact at an enterprise level?

DCS/Logistics offers a real solution to a pressing business challenge, and it can be implemented in *today's* work environment.

Please call Andersen Consulting at 1-800-XXX-XXXX. We are anxious to help let you maintain an unbroken link between your customer and every aspect of your operations/delivery system.

Sincerely,

(Various signers)

アンダーセン・コンサルティング1-800-XXX-XXXXにお電話ください。お取引先様と、貴社のオペレーション/デリバリーシステムが決して切れることのない絆を保てるよう、お役に立ちます

図9.2　活字になった言葉の威力

4対1の差！　封筒の中身を取り出したあとも、封筒の内側に印刷されたメッセージがワンツーパンチを効かせる。個人名宛のレターでは問いに答えることを約束し、いますぐフリーダイヤルに電話してその答えを確かめるよう促している。レターの署名者が直接答えるのだ。どうりで、このダイレクトメールを出した直後のテレマーケティングのフォローで、好意的なレスポンスが、コールドコール（訳注・知らない相手にいきなりかける売込み電話）の4倍にもなったわけだ。1995年、CADMテンポ賞受賞。

よりも強い、本物のセールスパンチがある。

次のピアノ教室の広告が冒頭でズバリ核心をついている点に注目。

(見出し)**ピアノを習おう**

(冒頭部) 数々のヒット曲が完璧に弾けるようになります。ハミングしながら、耳で聞いたとおりに弾くだけです。先生はつかず、すべて独学。毎日、うんざりするような単調な練習をする必要はありません。短く楽しい20回のレッスンだけで、簡単にマスターできます。

次の簡潔な冒頭部は、公務員試験対策の学校の広告から。見出しのテーマを続けて言うだけでなく、7つもの売込み文句が3つの短い文に入っている。

(見出し)**公務員**

(冒頭部) なぜ、ストライキや解雇や不況を心配するのですか？　公務員になりましょう。収入増、安定した仕事、出張、高給。

比べるために、次の冒頭部を読んでみよう。

エンジニアが目指す理想はメカの完璧さだけでなく、その完璧さを自動的に維持することにあります。車の構造があらゆる面で大きく進歩したおかげで、車はもっと自由で便利になりました。

まるで、巨大自動車メーカー本社ビルの礎石に刻まれるようなコピーだ。あるいは、倒産したメーカーの墓碑銘にするといいかもしれない。ところがこれはそのどちらでもなく、全国誌に掲載されたある全面広告の冒頭部。車の給油システムの広告だった。

この広告のコピー後半には、次のようないい表現が出てくるのだ。

◆どんなスピードでも、必要な量のオイルをそれぞれのベアリングに注入。
◆オイル切れとオーバーフローが交互に起きる心配がない。
◆ムダがない。
◆システムは邪魔にならないようにダッシュボードの下に収納。
◆オイル交換は1万2,000マイルごとに1回だけ。

なぜ、こうした事実をもっと先に出さないのか。そうすればもっと多くの人がこの広告を読んだはずだ。

次はよい例。この保険の広告の冒頭部が、見出しの内容を引き継いでいる点に注目。

（見出し）**退職後の収入を自分で用意する方法**

（冒頭部）この新しい退職年金プランなら、お望みの年齢（55歳、60歳、または65歳）で退職可能です。毎月1,500ドル、2,000ドル、それ以上の収入を受け取ることができます。

見出しでせっかく相手をつかんでも、もしコピーの冒頭でまったく別のことを言っていたら、その相手を失ってしまう。

通販での経験から得た、効果的な冒頭部を書く3つの簡単なルールを紹介しよう。

1◉短くする。冒頭部分が長いと、読む気が失せる。

2◉見出しで言った内容を続ける。

3◉その商品を買って得られる1番の、あるいは複数の重要なベネフィットを短い言葉で伝える。1にも2にもベネフィットだ！　何が得られるのか、その商品は何をしてくれるのか。それこそ人々が知りたいことであり、広告を読む理由なのだ。

現在も通用する『リーダーズ・ダイジェスト』からのヒント

『リーダーズ・ダイジェスト』のスタイルから学べる教訓は、ケープルズが当初伝えたとおり、いまも応用できる。

以下に挙げるのは、1995年7月号の『リーダーズ・ダイジェスト』に掲載された25本の記事タイトルとその冒頭文だ。その多くが、ケープルズが分類した6つの型のどれかを反映していることに注目。

◆ハッとすること
◆ギョッとすること
◆ニュースネタ
◆予告
◆引用
◆エピソード

また、最初の文ですぐに要点に入り、具体的な日時や事実を挙げて、タイトル、つまり記事の「見出し」を詳しく説明している点にも注目しよう。

『リーダーズ・ダイジェスト』の編集者も、ぬかりない広告主と同じで、さらに効果的な方法が見つかるまでは、いまある効果的なものを変えたりしない。

たとえば、「ユーモア・イン・ユニフォーム」というユーモア投稿コーナーは第2次世界大戦時から毎月掲載されている。「ワード・パワー」という語彙を増やすコーナーは、編者も毎月読んで覚えたものだ。国語の勉強をしていた何年も前のことだ。「もう飽きたから」という理由だけでは『リーダーズ・ダイジェスト』は一切変更しない。もう効果がなくなったときには、何であれ変更の可能性がある。

効果的な記事タイトルと出だしの25文例

1 ◎**「７月のある暑い午後」**

自分の人生が大きく変わると感じる日、生涯忘れられない日がある。

2 ◎**「とろけそうに愛くるしい人たち（マシュマロ）に乾杯（トースト）」**

それは敬愛の念を示す感動的な光景だった。

3 ◎**「証拠はウソをつかない」**

19歳のロリ・アン・オーカーは別居中の夫ロバートと、子どもの養育権のことで争っていた。

4 ◎**「こういう世論調査を信用できますか？」**

この１月、新しい連邦議会のスタートにともない、アメリカ国際開発庁（AID）による世論調査が全国の新聞の見出しを飾った。

5 ◎**「ジャメルの脱出」**

３歳のジャメル・エーゼル＝ウェットは母ジャンヌにくっつくように、ボロボロのソファーに座っていた。

6 ◎ **「約束という名のコヨーテ」**

ある早朝、この世のものとは思えない吠え声で目が覚めた――まるで大勢の悪魔がうめいているようだった。

7 ◎**「言語道断」**

公立小学校１年生の担任教師○○○○が、ニューヨーク市から３万5,000ドル以上の生活保護費を不正受給していた罪で告訴された。

8 ●「ホオジロザメとの遭遇」

大切な地域行事があると知っていたら、あの日私はオレゴン州一のサーフィンスポットであるキャノンビーチであれほど海に入ろうとは思わなかったかもしれない。

9 ●「エリツィンは生き残れるか？」

ロシア経済の窮迫と長引くチェチェン分離紛争を抱え、ロシアの大統領（訳注・原書出版当時）ボリス·N·エリツィンはあらゆる面で政治的試練に立たされている。

10 ●「白いスニーカー」

ビアトリス·エングストランド医師が、ニューヨーク市立病院の集中治療室に突然入ってなかを見渡した。

11 ●「富が生じるところ」

なぜ、繁栄する国もあれば貧しいままの国もあるのか？

12 ●「スーパーマーケットでの誘惑」

アメリカの平均的なスーパーマーケットで、ごく普通の買い物をする30分間に、約3万点の商品がこちらの注意を引こうと競い合っている。

13 ●「大ぼら話」

人からときどき、私がハゲであることを気にしているかと尋ねられるが、正直なところまったく気にしていない。

14 ●「リサイクル神話」

アメリカの家庭の3分の1が日常的にゴミの分別を行い、道路脇のリサイクルシステムを利用している。

15 「頭をぶち抜くぞ！」

午前９時ちょうど、ジェイソン・マキネフはギリシャ史の授業を受けるため、ニューヨーク州立大学アルバニー校の講義室で席についた。

16 「おおロミオ、おお、大当たり」

その年の学年末、14歳の娘が、国語の授業で取り組んでいるシェイクスピアの『ロミオとジュリエット』について、クラスで発表することになった。

17 「あなたが食べているシーフードは安全ですか？」

タイ・ミントンは手に力が入らず、ミルクの入ったグラスを口まで持っていくことすらできなかった。

18 「弾丸(たま)よりも速く」（訳注・テレビドラマ「スーパーマン」の冒頭ナレーション）

それは夢のような任務だった。荒々しい種馬のような飛行機を製造すること、アメリカの敵国を威嚇するだけでなく、同盟国ですら驚くような、最新式のすごいものにすること。

19 「就職面接で１番になろう」

就職面接は難関だ。

20 「10の性的感覚」

何もかも分かち合いたいという気持ちが強いあまり、恋人たちは２人の官能はまったく同じものだと思い込んでいる——同じシルクの感触を味わい、同じ虹を見て、同じバラの香りを嗅ぎ、同じワインを味わい、同じタンゴを聴いている、と。

21 「2,000ドル用意して、朝電話して」

新しい病気が故郷の州に忍び寄りつつある。

22 ●「少年と猫」

あの子がどうやってうちの診療所にたどり着いたのかはわからない。

23 ●「現代のヒーロー」

ニューヨーク州の小さな町フィッシュキルは、独立記念日を花火や派手なパレードで祝ったことが１度もない。

24 ●「お子さんのためにできる１番大切なこと」

ジム・トレリースは過去16年間、自分の考える現代教育最大の秘訣を伝えることに専念してきた。

25 ●「私たちを悪から解放して」

日が暮れかける頃、その老婆は村のいつもの家の裏口にやってきた。

「国民の心をつかんでいれば何をやっても失敗しないが、心をつかめなければ何１つうまくいかない」
――エイブラハム・リンカーン（訳注・1809－1865。第16代アメリカ大統領）

第 10 章
効くコピーはこう書く

この章では、新聞・雑誌広告とダイレクトメールの19の異なるタイプのコピーを、それぞれ例を挙げて見ていく。この19タイプすべてがお薦めということではない。疑問の余地ありが3タイプ、また、まったくお薦めしないものが3タイプある。

まずは、お薦めの13タイプのコピーを見ていこう。

お薦めのコピー13タイプ

1 ● 単刀直入なコピー

これは、クライアントからの情報をシンプルかつ論理的に説明するもの。凝った表現やレトリックがまったくない。事実をできるだけわかりやすく言うだけだ。例を挙げる。

お名前入りレターセット

上質の特別サイズ便箋100枚と封筒100枚に、3行の住所をご指定の位置に印刷します。丁寧に梱包してご自宅にお届けします。3ドルを前払いください。

---

2 ● エピソードコピー

このタイプは人の興味をそそるエピソードで始まる。そのあとに、教訓「だからこの広告の商品を買いなさい」と来るわけだ。この種の「冒頭エピソード」は、いまの新聞・雑誌広告で使うには古くさすぎると思うかもしれない。でも、1990年代に放送された美容・健康関連商品のテレビコマーシャルの多くが、ほとんど同じ精神で作られていることに注目。

「彼は私のことを理想の女性だと言ってくれました。
本気だと思っていたのに」

「彼はこう言ったんです。君はすばらしい、大学の頃からいつか出会えたらと思っていた理想の女性だ、と。でもそのあと、すべてが間違った方向に進んだんです。

いとこが私たちを引き合わせてくれたのは、高校の同窓会でのことでした。ジョージは素敵で、話していて楽しく、ハンサムで、学歴も仕事も文句なし。それに、ダンスも上手でした」

昼間は別人

「次の日、海に泳ぎにいこうと誘われたとき、ひと目惚れかもと思いました……お互いにです！

ビーチでしばらく話をしました。でも、話しているうちに彼はだんだん話に興味を失っていくようでした……そして私への興味も。

もう行かなくちゃ、と言われたとき、何かが変わってしまったんだとは思いましたが、それが何なのかはわからなかったのです。

『ジョージ、私のこと気に入ってくれてると思ってたわ。どうしたの？』

そして彼の言葉に、私は人生最大のショックを受けたのです」

面と向かって

「昨日の夜、ダンスしたときの君は本当にきれいだった。でも、いま太陽の下で見ると、いままで見たなかで最悪の顔色だよ！　何とかならないのかな？」

こういうことはよくあることです。でも、あなたに起こる必要はありません！　本当の美しさは、スムーズランニング·システムなしには実現しません。お持ちの……

3●「あなたと私」コピー

「あなたと私」コピーは、製造者が消費者に直接話しかけるスタイル。たいてい、打ちとけた気さくな調子で、ちょうど優秀なセールスマンがお客に話しかけるような感じだ。次の例は、通販でサバの切り身を売るダイレクトメールから。

ずっと魚一筋

長年、漁師としてたくさんの魚を見てきました。父の船で「サバ漁」に行き始めた頃からずっと、海とそこで獲れるものを大事にしてきました。

獲った魚のなかで1番いいものを父が丹念に選んで家に持って帰ったのをよく覚えています。サバとタラに対する父の「漁師の目」は忘れられません。選り抜くのは、肉づきがよく脂の乗った、フォークでつつくだけで身がほぐれるような魚です。そういう魚は間違いなく脂が乗って旨味があり、鳥肉のように柔らかいのです。

同じ調子でもう数段落続いたあと、次のこのアピールで締めくくっている。

この切り身をご自宅にお届けします――ご試食ください

同封はがきをご確認のうえ、サインしてお送りください。秋獲れの脂の乗ったサバ10切れパックをお送りします。ひと切れで2、3人が食べられる大きさです。味つけをして、軽く焦げ目がつくまで焼いてください。もし、いままでに食べたなかで最高のサバだと100%ご満足いただけない場合は、残りを着払いでご返送ください。**ご試食に費用は一切かかりません。**

この**気さくな「ずっと魚一筋」タイプのアプローチ**は、アワビからヨーグルトに至るまで、あらゆるものでその効果が証明されている。技巧を凝らすプロのコピーライターには書くのが難しいスタイルの1つだが、本当にいい商品だと信じて自分で売り込む人には1番書きやすい場合が多い。プロのコ

ピーライターなら、クライアントにその商品の説明をしてもらうこと。話を録音し、その書き起こしを最初のドラフトにする。明らかな矛盾点を直し、販売に関する詳細を加えて、最終原稿にする。

4◉想像力をふくらませるコピー

このタイプのコピーは、想像力に富んだ言葉で説明して相手の関心を高める。ブルース・バートン（BBDO元会長）が書いた、ある通販広告のこの成功例は、2年間のビジネス通信教育講座をこんなふうに説明している。

すばらしい2年間の旅に、お給料はそのままで出かけませんか――ただし、想像力のある方だけが参加できます

約10人に1人がこの話に魅力を感じるでしょう。他の9人も働き者でまじめな、それなりに野心のある人たちでしょうが、その人たちにとってはクーポンはただのクーポン、本はただの本であるように、講座もただの講座なのです。10人中このお1人だけが想像力を持っています。

そして、想像力が世界を制するのです。

つまりこういうことです。車が1台ご自宅の前に停まり、荷物をまとめて乗るように誘います。行き先はニューヨークです。そのまますぐに、街で最大の銀行頭取のオフィスへ直行します。その頭取や他の銀行頭取たちと、長時間を共にすごします。この銀行家たちと別れるのは、我が国のすばらしい銀行の仕組みを完全に理解してからです。

それが終わると、また車が待っています。今度は、巨大な販売組織を指揮している人たちのオフィスまで連れていきます。その人たちの時間をお好きなように使っていいのです。

ある日は経理のトップが、また別の日には事務管理で活躍する人たちが……（同じ調子でコピーが続く）。

このすべての旅程を終えるのに2年かかります。この旅行で収入が減ることはありません。お給料がそれにともなって上がるはずですから。

図10.1

**すばらしい2年間の旅に、お給料はそのままで出かけませんか——
ただし、想像力のある方だけが参加できます**

300 / FIFTEEN FAMOUS ADS

A wonderful two years' trip at full pay—

but only men with imagination can take it

ABOUT one man in ten will be appealed to by this page. The other nine will be hard workers, earnest, ambitious in their way, but to them a coupon is a coupon; a book is a book; a Course is a Course. The one man in ten has imagination.

And imagination rules the world.

Let us put it this way. An automobile is at your door; you are invited to pack your bag and step in. You will travel by limited train to New York. You will go directly to the office of the president of one of the biggest banks. You will spend hours with him, and with other bank presidents.

Each one will take you personally thru his institution. He will explain clearly the operations of his bank; he will answer any question that comes to your mind. In intimate personal conversation he will tell you what he has learned from his own experience. He will give you at first hand the things you need to know about the financial side of business. You will not leave these bankers until you have a thoro understanding of our great banking system.

When you have finished with them the car will be waiting. It will take you to the offices of men who direct great selling organizations. They will be waiting for you; their time will be at your disposal—all the time you want until you know all you can learn about marketing, selling and advertising.

Again you will travel. You will visit the principal industries of the country. The men who have devoted their lives to production will be your guides thru these plants in Detroit, Cleveland, Chicago and in every great industrial center.

Thru other days the heads of accounting departments will guide you. On others, men who have made their mark in office management; on others, traffic experts, and authorities in commercial law and credits. Great economists and teachers and business leaders will be your companions.

The whole journey will occupy two years. It will cost you nothing in income, for your salary will go right along. Every single day you will be in contact with men whose authority is proved by incomes of $50,000, $100,000, or even more.

Do you think that any man with imagination could spend two years like that without being bigger at the end? Is it humanly possible for a mind to come in contact with the biggest minds in business without growing more self-reliant, more active, more able?

Is it worth a few pennies a day to have such an experience? Do you wonder that the men who have had it—who have made this two years' journey—are holding positions of executive responsibility in business everywhere?

This wonderful two years' trip is what the Alexander Hamilton Institute offers you. Not merely a set of books (tho you do receive a business library which will be a source of guidance and inspiration thruout your business life). Not merely a set of lectures (tho the lectures parallel what is offered in the leading university schools of business). Not merely business problems which you solve, and from which you gain definite practical experience and self-confidence.

All these—books, lectures, problems, reports, bulletins—come to you, but they are not the real Course. The real Course is the experience of the most successful business men in the country. For two years you live with them. In two years you gain what they have had to work out for themselves thru a lifetime of practical effort.

"Forging Ahead in Business"

If you are the one man in ten to whom this page is directed, there is a book which you will be glad to own. It is called "Forging Ahead in Business." It costs you nothing, yet it is permanently valuable.

If you have read this far, and if you are at least 21 years of age, you are one of the men who ought to clip the coupon and receive it with our compliments.

ALEXANDER HAMILTON INSTITUTE
Astor Place New York City

Alexander Hamilton Institute

Executive Training for Business Men

図10.1　7年間掲載され続けた広告

この広告は、BBDOの元会長ブルース・バートンが書いた、2年間のビジネス通信教育講座のもの。クーポン返送率が高く、雑誌・新聞に何度も繰り返し7年間掲載された。送られてきたクーポンは営業担当に渡される。一般広告のクライアントがときおりこう尋ねてくる。「効果的な広告なら繰り返し出して儲かるのか？」と。通販広告の実績を見れば、答えはもちろんYESだ。

これは元の広告の要約だが、この広告には多くの反応があり、何度も繰り返して7年間も使われた。この完全版が**図10.1**（→前ページ）、ケープルズが第1級の広告として選んだものだ。

5●事実そのものずばりコピー

小売店の広告の、数多くの成功例と失敗例を比べてみた。目的は、どのようなコピーが小売で最大効果を挙げるかを見つけるためだ。結論は、**その商品に関して1番多くの事実を伝えているコピーが、最大の効果を挙げる**ということ。簡単に言えば、**事実を伝えれば伝えるほど商品が売れる**、ということだ。

次は、小売広告コピーの成功例。事実を1つひとつ積み重ねて売り込んでいる点に注目。

エンジニアブーツ

最高級のブーツを必要とする現場で働く方たちへ。履き心地のいい、全天候型ウエアマスターをお試しください。厳選されたグレインレザーの甲皮革、水をはじくオイルレザー……長時間の水気にもしなやかさを保ち続けます。レザー･バンプの裏張りは耐久性にすぐれ、甲回りもより快適。レザー･ウッズマンのかかとのゴムが体重を均等に分散し、バランス性能を向上。オークレザーのダブルソール。スティールシャンクが中敷きを補強。外側のカウンター･ポケットがかかと部を強化。足首上のストラップで締まり具合を調節可。グッドイヤー･ウェルト製法がブーツの形状を保ち、ソールの取換えも簡単です。

事実に基づき、テストされ、その効果が証明されているダイレクトメール広告の1例が、**図10.2**（→214～215ページ）。

図10.2

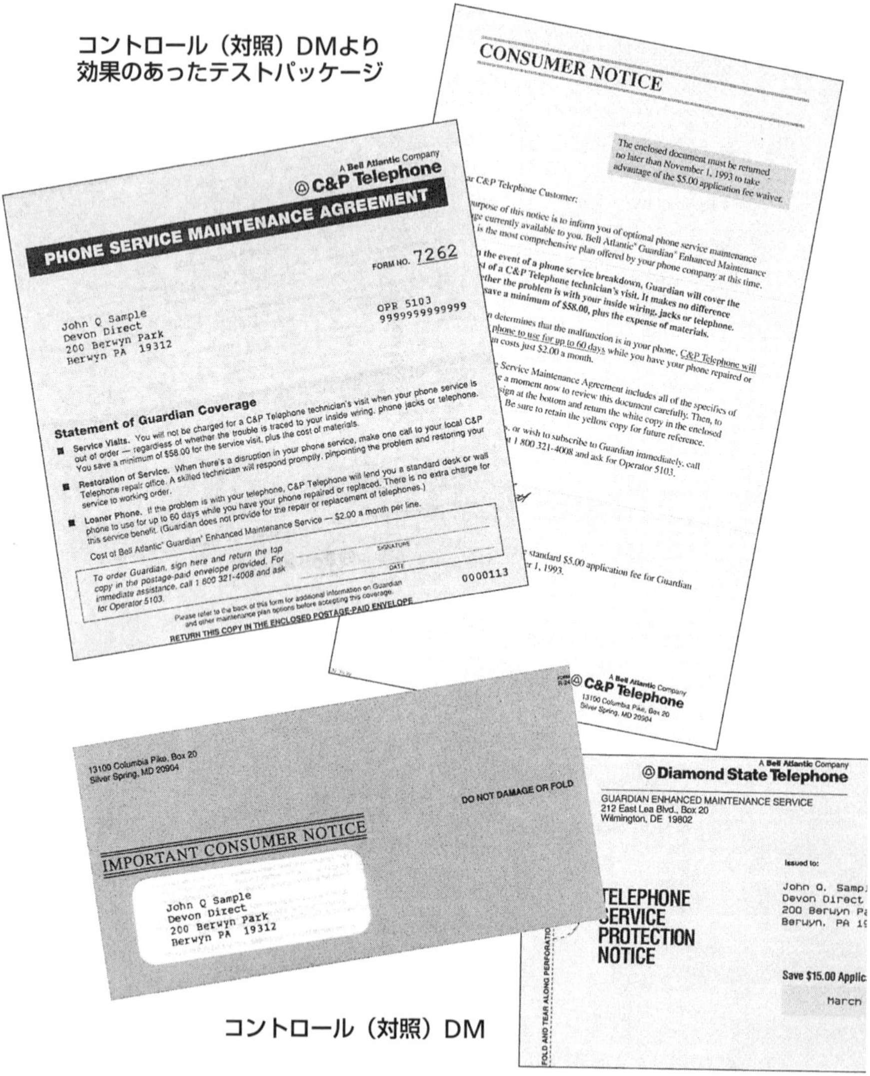

図10.2　真実……ありのままの真実

FCC（連邦通信委員会）の全面情報開示規制を強力なセールスポイントにした、ベル・アトランティック社のダイレクトメール。封筒に2点のレターが入ったシンプルなものだが、それまで最高のレスポンスを得ていた「コントロール（対照）」ダイレクトメールを上回る、5%のリターン率だった。でも、話はそれだけではない。

効果的だったテストパッケージのフォローDM

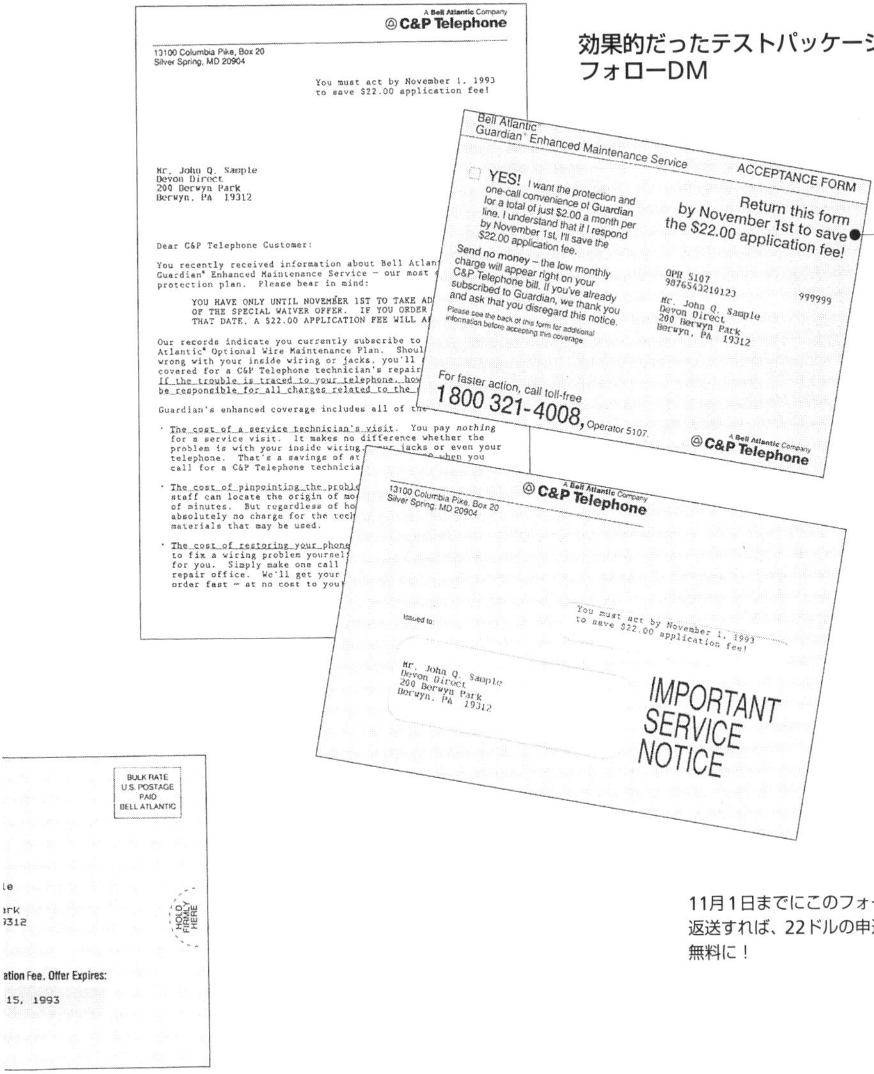

11月1日までにこのフォームを返送すれば、22ドルの申込金が無料に！

同じくシンプルなフォローメールで、ある日付までに行動を起こしてもらう必要性を強調すると、こちらも同様の威力を発揮。初めのダイレクトメールと合わせて3年間で計400万ドルの売上を計上、いまも更新中だ！

6 ● 事実＋独自スタイルのコピー

有名な小説家の独自の文体（スタイル）をただマネているだけで、売り文句のないコピーではほとんど意味がない。一方、売り文句に独自スタイルが加わったコピーなら悪くない。特に、高級商品を宣伝するときはそうだ。

次のコピーは、ロールスロイス車の走行スピードを強調した広告からの一部。スピード感あふれるコピーに注目。**文から文へよどみなく流れている**。その独特の文体（スタイル）は、まさにロールスロイスのスタイルそのもの。しかも、すべての文章に**事実と売り**が詰まっている。

> アメリカ中を横断して走るのに、ロールスロイスに匹敵する車は１台もありません。しかも道路がありとあらゆるコンディションと来れば、ロールスロイスに有利になるだけ。ロールスロイスなら揺れがほとんどなく流れるようになめらかで、たとえ悪路でも、他の車なら試してみようとすら思わないスピードで走ることができます。
>
> ぜひ、ハンドルを握ってお試しください！　エンジン全開で、景色は羽が生えたように飛んでいきます。でも他の車ならスピードを出したときにつきものの揺れやガタガタ音は？　ありません！　猛スピードのモーター音さえほとんど聞こえません。スピードメーターが最高級の腕時計並みに精巧だとご存じなければ、それほど速く走っているとは思えないでしょう。ロールスロイスはそれほど静かなのです！

---

7 ● ありのままを伝えるコピー

ときには、広告の信頼性をコピーで高めることも可能だ。売り込むものの長所だけでなく、**短所があることも素直に認める**方法がそうだ。例は、この方法を効果的に使ったある不動産業者の案内広告。この例のように、著者はカリフォルニア州ロスアルトスヒルズの不動産がまだかなり安かった頃から、広告コンサルタントのクライド・ベデルにはお世話になっている。

放置物件
小屋敷が
2万5,000ドル

ロスアルトスヒルズのなかでも、1エーカー（4,000平方メートル）に及ぶこの場所ほどすばらしい環境はそうありません。果樹が植わり、日よけ用に高くそびえるオークの木々もあります。

本来、魅力的で快適な家なのですが、お住まいになるご一家の想像力とエネルギーで愛情あふれるお手入れをし、現代的な水準に引き上げる必要があるのです。ゆったりとした寝室が3部屋、すてきなバスルーム、独立したダイニングルームと広々としたファミリーキッチン。さらに、屋根つき渡り廊下、ガレージ、それに、いまでこそ荒れ放題ですが、魅力的な可能性を秘めたサンルームもあります。

お客様用の離れは床が陥没していますが、ご自身の手で使えるようになさってはいかがでしょうか。修繕中も、ちゃんとご褒美があります。5×11メートルの、パドック社製の濾過装置つきプールでひと泳ぎしてリラックスできます。

確かに、直さなければならない箇所はたくさんあります。でも、可能性は大きく、価格も実に魅力的です。1度ご覧になりませんか？　お気に入りの場合は、まるで絵のように美しいこの物件取得に、条件面でもご相談に乗ります。学区はパロアルトです。さあ、そのお気持ちに素直に従って、いますぐお電話で下見をご予約ください。

8◉ベタ褒めコピー

このタイプのコピーでは、思いきって、できるだけ大声で自画自賛すること。この種の広告が効果的なのは、裏づけとなる事実がある場合だ。2つ例を挙げる。

名作全集を揃えませんか
稀少装丁のレプリカは
24金装飾仕上げです

このページにある名作のなかからどれでも３冊お選びください。費用はインターナショナル·コレクターズ·ライブラリーのトライアル会員費わずか１ドルです。この超特別ご奉仕で、出版史上最高の企画をご紹介したいのです。

古の人々の私蔵書のおかげで、手作業で装飾した稀少な装丁本が後世に残っています。現在そうした原本は、博物館か大富豪の収集家の手元にしかありません。今回、インターナショナル·コレクターズ·ライブラリーがお届けするのは、小説、物語、伝記、詩、戯曲、冒険物の名作の、当時と同じ装丁、貴重な原本と同じ意匠のレプリカです。

無料提供……特大最新
春のガーデニングカタログ

ガーデニングに関する100を超えるすばらしいアイデア満載。今年のローズ·オブ·ザ·イヤー、さらに、オール·アメリカン·ローズ·セレクション（訳注·全米バラ協会がその年の優秀なバラに送る称号）の新種のバラを目にする初めてのチャンスです。その他にもいろいろあります。

ゴールデンゲートは、輝くようにあざやかな黄色で切り花にピッタリ。アレンジメントの定番の黄バラです。

入荷したばかりのハイブリッドティは、白の最高傑作。15センチの見事な花の様子をぜひご自分の目でお確かめください。それに、エアルーム。清らかで明るい薄紫色は、ガーデニングでも極めて稀な色の１つです。熟したラズベリーのような香りが濃厚。

9◉署名入りコピー

ときにメーカー自身が、自社製品やサービスについて署名入りでコメントを出すことがある。ある有名な自動車メーカーがこの方法で新車を発表した。また、ある腕時計メーカーが出した広告が、有名な作家が書いて署名したものだった例もある。

次の例は『ワールド・マガジン』誌の広告からの抜粋。この雑誌の発行者、ノーマン・カズンズの署名がある。

公開質問状

『ニューヨーク・タイムズ』読者のみなさまへ

ノーマン・カズンズ

ツー・ダグ・ハマーショルド・プラザ、ニューヨーク市、ニューヨーク州 10017

お知らせします。仲間たちと私は新しい雑誌を出すことにしました。『サタデー・レビュー』誌を、ご存じのとおりわけあって離れて以来ずっと考え、夢に描いてきたのが、新しい雑誌、まさに文字どおり読者と編集者のための雑誌の創刊の可能性についてでした。

（このあと、近刊予定の雑誌について16段落の説明が続く）

いまは、まだお代はいただきません。あとで結構です。いま私たちに必要なのは、ご関心の有無をお知らせいただくことなのです。

先ほど、このアイデアいっぱいの刺激的な冒険へのご参加を呼びかけましたが、そこでも言いましたように、私たちへの賭けをお願いしていることは重々承知しています。お寄せいただくご信頼にぜひお応えしたいと思っています。その第１歩が、下の特別予約購読用紙なのです。

何卒よろしくお願いします。

ノーマン・カズンズ

この広告は『ニューヨーク・タイムズ』に３回掲載され、広告スペース料

図10.3

私たちの見解

アメリカ教員連盟会長
アルバート・シャンカー

レベルの引上げ

アメリカは、20年前と同じ低い教育水準でずっとよしとしてきた

Where We Stand

By Albert Shanker, President
American Federation of Teachers

Raising the Bar

Whenever there is a push to raise educational standards, we hear cries from the opposition. What is the point of raising standards when so many students cannot meet the current low standards? Doing that is like raising the bar on the high jump to 6 feet 8 inches when most of the contestants can't even clear the bar at 6 feet. The objection sounds reasonable, but it's wrong.

After *A Nation At Risk* came out in the early 1980s, many states stiffened the requirements for high school graduation. They called for more science and math and English courses, and they refused to accept some of the old, soft courses as fulfillment of graduation requirements. Critics predicted that these reforms would cause students to drop out in droves, but that did not happen. Students took the new and tougher courses, passed them and got their diplomas as before.

Something similar happened in the 1970s and 1980s when more than half the states started requiring high school students to pass minimum competency tests in order to receive a high school diploma. These were not tough tests. Most of the reading and math tests were at a 7th- or 8th-grade level. And when the tests were instituted, half of the kids about to graduate high school flunked.

Opponents of competency tests also predicted that raising the bar would cause a big increase in school dropout rates. After all, how could students be expected to meet 7th- or 8th-grade standards when some of them could not pass 4th- or 5th-grade tests? These critics were surprised when, within a short time, most states reported that 95 percent of their students were passing the new tests. Not only was there no increase in dropout rates, in many states there was a decrease. How can this be explained?

Before the tougher graduation requirements and the minimum competency tests were put into place, students knew that they would get their diplomas even if they did no work. All they had to do was put in the required seat time. Many left school because they were not challenged. Others stayed and learned what they had to: nothing.

The competency tests, like the new graduation requirements, introduced the factor of high stakes. Students realized that if they were not able to pass the courses and the tests, there would be no diploma. They wanted the diploma because they knew that, while future employers do not require transcripts, grades or teacher recommendations, they are interested in whether a prospective employee is a high school graduate or a dropout.

What did the students do? What anyone who wants something that is out of reach does. They *worked* for it. Furthermore, they were no longer bored by sitting around waiting to have the diploma handed to them; they were challenged by the work they had to do to earn one. High stakes turned out to be a great benefit to these students.

States have been satisfied with the same low educational standards that they had twenty years ago.

So far, I've given you the good news. Now comes the bad news. If you were helping athletes improve their jumping and you got 95 percent of those in your charge to jump 6 feet, what would you do next? You would raise the bar another inch or so, and when most of them were regularly jumping at that height, you'd raise the bar again, and you would keep on going. But not in the world of education!

Some states have had minimum competency testing in place for twenty years. You would expect that when a great majority of students were able to achieve at the minimum competency level, the states would have introduced new and tougher exams—exams that would set the graduation standard at the 8th- to 9th-grade level. Or that if the states continued using the same 7th- and 8th-grade exams, they'd require students to pass them a year or two earlier. Eventually, these exams should have been given as a requirement to *enter* high school rather than to graduate from it. And high school seniors should have been required to take the kinds of exams that students in other industrial nations do. That did not happen. The states just sat back, and they have been satisfied to have the same low standards today that they had twenty years ago.

There is a mood in the country that rejects everything the federal government does and places great faith in the states. Education is and has been a state responsibility, and the states have done some good things in education. But as the minimum competency exams show us, state control is no cure-all. States need prodding from business or outside challenges like the one provided by *A Nation At Risk*. If we are interested in correcting what is wrong with our schools, we'd better not be satisfied with just leaving it to the states.

Mr. Shanker's comments appear in this ad under the auspices of the American Federation of Teachers. Reader correspondence is invited. Address your letters to Mr. Shanker at the AFT, 555 New Jersey Avenue, N.W., Washington, D.C. 20001. © 1995 by Albert Shanker.

図10.3　考えさせられ、一緒に考える「広告」

1980年から、「私たちの見解」というタイトルでアメリカ教員連盟会長が書くコラムが、『ニューヨーク・タイムズ』日曜版に掲載されている（1991年から『ニュー・リパブリック』誌にも掲載）。なぜ、広告費を払ってこのようなコラムを載せるのか？　同会長によれば、子どもたちの教育で効果を挙げるには、教育問題に関して、教師が一般の人々を啓発することも必要だからだと言う。モービル石油が社会問題について自社見解を発表するのと同じように、アルバート・シャンカー会長のこのコラムも問題を提起するだけでなく、政策を促し、毎週多くの賛否両論の反応を生んでいる。これこそ、考えるに値する科学的広告のレスポンスだ！

金の**4倍近くの利益**をもたらした。この広告がうまくいった理由はいくつかある。

⑴ 新聞の記事のように見える。⑵ 有名な編集者、ノーマン・カズンズの署名が入っている。⑶「あなたと私」スタイルで友人宛ての手紙のように書かれている。⑷ 見出しの『ニューヨーク・タイムズ』が注目を集める。実際、同紙に載っているのだからなおさらだ。署名入りコピーの最近の例が**図10.3**（→前ページ）。長年続いているキャンペーンだ。

10◉書籍タイトル風コピー

長年、書籍の通販が試行錯誤を繰り返して、雑誌や新聞の読者が1番関心を持つタイトルを見つけてきた。売れ行きのよくないタイトルは広告から削除され、たくさん売れているタイトルは引き続き掲載される。以下のタイトルは、代表的な広告に掲載されているものだ。様々な関心が**短い言葉に凝縮**されていることに注目。

さらに忘れてはいけないのは、こうしたタイトルはコピーライターの気まぐれで選ばれたものでないということ。最も人気のあるタイトル、つまり、1番よく売れているタイトルなのだ。

このページのなかからお好きな本をお選びください。

女の子みんなが知っておくべきこと	第2次世界大戦史
短編小説の書き方	ニューヨークの独身女性の暮らし方
同韻語辞典	ローマの歴史
難解韻文集	引っ込み思案をなくす方法
人類の起源	電気の原理
筋道立てて説明する方法	科学の新発見
アメリカのスラング辞典	失われた文明の不思議な事実
会話が上手になる方法	いろいろなロープの結び方
セックス生理学	プラトン哲学の逸話
自殺の心理学	南北戦争小史

言葉遣いのよくある間違い
音楽について知っておくべき事実
結婚の進化
幸せのコツ
男性器の知識
修道院ですごした12年間
催眠術解説
野球――ゲームの仕方
聖書の自己矛盾
わかりやすい進化論
人を愛する方法
ユーモアセンスを磨く
セックスの進化
40歳をすぎた女性が知っておくべきこと
ヒンドゥー式愛の経典
エチケットのヒント
類語辞典
古代世界の売春
性格の謎
宗教は必要か
夫妻の率直な相談話
死は避けられないものか
医者ネタ傑作ジョーク選

今度、何かの見出しや小見出し、無料パンフレットのタイトルを書くときは、こうした本の**タイトルの簡潔さ**、**わかりやすさ**、**人が誰でも興味あるテーマ**を取り入れるといい。

こうした1950年代のタイトルを、いまの書籍通販大手のブック・オブ・ザ・マンス・クラブやリタラリー・ギルドのノンフィクション選集のタイトルや、『ニューヨーク・タイムズ』紙、『タイム』誌が取り上げるベストセラーのタイトルなどと比べてみるといい。タイトルは変わってもテーマとなるジャンルは相変わらず、**セックス**、**宗教**、**スポーツ**、**通俗心理学**、**科学**などだ。

そして、人を引きつける本のジャンルが変わらないのと同じように、人を引きつける一般広告の訴求ポイントも変わらない。それが、ケープルズが見つけて記事や本のなかで教えてくれたものなのだ 。現在でも短いタイトルが圧倒的に多い。

1995年９月24日付の『ニューヨーク・タイムズ』で取り上げられたハードカバーのベストセラー30冊のうち、21冊が**３ワード以下**のタイトルだった。

（ちなみに、編者が簡潔なタイトルの威力を実感したのは、自分の原稿を出版社に渡したときだった。タイトルはよく考えて、『クリエイティブの天才になる時間や才能がない人のための広告ハンドブック（仮)』としたのだが、出版社にこう言われたのだ。「実にいい考えです。タイトルは『DIYアドバタイジング&プロモーション（自分でできる広告とプロモーション）』で行きましょう」）

11◎ティーザーコピー（じらしコピー）

このコピーは相手への挑戦だ。売り込むのではなく、一見、やめておけと言わんばかりだ。この方法の効果は、その意外性にありそうだ。

たとえば、次はあるビジネストレーニング・スクールのティーザー広告の冒頭だ。

「知ったかぶり」する方には
このページを読むことを
お勧めしません

これは、ご自身やご自分の仕事能力に完全に満足している、もの知りの若い方向けではありません。

私たちがお伝えしたいのは、様々な責任を抱え、年にあと数千ドルは稼げるはずだとひそかに思ってはいるものの、なくてはならない自信がないばかりに、もっと大きな仕事がつかめない、そんな方なのです。

12◎記事広告コピー

このタイプは、クライアントが新聞か雑誌の広告スペース（通常は１ページ）を買い、そのページを通常の記事のように構成するもの。見出し、本文、写真、それに、普通の広告が小さく１点入っていることもよくある。

唯一の違いは、記者ではなくコピーライターがすべてを書いている点だ。通常の広告とまったく同じように、その「記事」のなかで商品をガンガン売り込む。

こうした広告は、広告表示はしなければならないものの、通常の宣伝キャンペーンの変化球としてたまに行うと効果的だ。ただ、あまり何度もやりすぎると効かなくなる。

カーアクセサリーのあるメーカーが、普段はクーポンつき広告を打っているのだが、この記事広告を出してみたところ、クーポンリターンがいつもの広告の**3倍**になった。

13 ●競合比較コピー

1980年代までは、広告業界の人間のほとんどが「競合比較コピー」に眉をひそめていた。

しかし、広告の世界がいかに急速かつ劇的に変化してきているかがわかるのだが、このタイプのコピーは「疑問の余地あり、慎重に使うこと」から、いまや「お薦め」に格上げされているのだ！

次の数値一覧とコピーは、ある自動車タイヤの広告からのもの。競合相手の通販各社に対してはっきりとものを言っている。

比べてください

構造と品質

	当社タイヤ	通販OEMタイヤ*
ゴム量	172立方インチ	161立方インチ
重量	16.99ポンド	15.73ポンド
幅	4.75インチ	4.74インチ
厚さ	0.672インチ	0.578インチ
同価格トレッドのプライ数	6プライ（○ドル）	5プライ（○ドル）

＊「OEM（相手先ブランド製造）」タイヤとは、タイヤメーカーが製造し、通販会社や石油会社などの販売業者に卸しているもので、消費者には製造元がわからないようになっています。通常、販売業者は自社ブランドの「最高級」タイヤとしているからです。当社は、自社製造のすべてのタイヤに社名を記しています。

慎重に使うべきコピー3タイプ

さて次は、疑問の余地ありの3タイプだ。使うなら用心したほうがいい。

14◎名刺コピー

広告主によっては、コピーがあまりにも簡潔で、全面広告のスペースを使っていながら、コピー全体が名刺にでも簡単に印刷できそうな広告を出しているところもある。

たとえば、次の雑誌の全面広告は非常に語数が少ない。

○○株式会社
宝石　　銀製品　　文具
ダイヤモンドアクセサリー
何世代にもわたって
品質のよさで知られております
お問合せに即応じます
ニューヨーク5番街

この名刺コピーを他によく使うのは金融、証券会社などで、新聞の経済面に載っているそうした広告は、会社名と住所、それにひょっとするとキャッチフレーズが、長方形の枠囲みに入っているだけだ。

制作する側には天国かもしれない。こういうコピーを書く人には、6か月の休暇を年に2回取らせるべきだ。

しかし、テストした広告を使っている広告主はこれでは納得しない。儲けの出る販売量を達成できるのは決まって、200ワード以上のコピーだからだ。

15 ● お利口コピー

コピーライターが気の利いたコピーを書こうとすると、おそらく次のいずれかになる。

1 ● 気も利いていなければ、効果もないコピーになりがち。見出しは、カッコよくしようとするあまりわかりにくくなってしまい、相手の注意を引くことができない。それでもコピーを読んでくれるごくわずかな人だけが、このコピーライターは面白くしようとしてしくじったな、とわかる。そんなコピーは実害を与えかねない。

2 ● 最初から最後まで読んでくれる人には、気が利いていると思ってもらえるかもしれない。しかし、そういう見出しは商品を売り込むというより、ひねったものであることが多いので、広告全体を実際に読む人はほとんどいない。

3 ● 気が利いていて、しかも売る力も兼ね備えた、めったにないコピーになる。次のアパレルのコピーがその例。この広告が失敗に終わらなかったのは、見出しが読み手の注目をたくさん集めたからだ。

（見出し）　**いままでに印刷されたなかでたぶん最安値の服の広告です**

（小見出し）　このスーツが9.79ドル。しかもいまの季節にピッタリ

（ビジュアル）たっぷりした白のコットンシーツに包まれた男性の写真

（コピー）「このスーツ」はまさに、たっぷりの白のコットンシーツさながらです。体を包み、洗濯が簡単で、しかも価格は9.79ドル。

他の低価格の服と同じで、不都合もあります。体にフィットしない、あ

まり流行のスタイルではない、それに、取締役会議や社交クラブに着ていくわけにはいきません。かと言って、刑務所に送られることもありませんが。

反対に、きちんとした格好で仕事仲間から尊敬され、ここぞというときに成功者と見られたいのでしたら、高級紳士服をお求めください。

いわゆる「お利口」コピーを書くのは避けたほうがいい。ほとんどの場合、そうした意図はむなしい努力に終わるからだ。そういうコピーを書こうとするのは危険なのだ。**コピーでカッコつけようとすると、99%失敗する**。カッコいいコピーを書くことで有名なコピーライターでさえ、数多くは失敗に終わっているのだ。

大事をとって、商品を売り込む普通のコピーにこだわったらどうだろう。その商品を買えば手に入る**ベネフィットを単刀直入にわかりやすく伝えることに専念すれば、99%成功**するはずだ。

16◉ユーモラスなコピー

気の利いたコピー同様、ユーモラスなコピーも、100人のコピーライター中99人は避けたほうがいい。アメリカ人のうち、ユーモアのセンスがある人はその半分以下。しかも、ユーモアがわかるこの人たちは細分化され、少なくとも10以上の異なるグループに分かれている。グループごとにユーモアのセンスが違うため、自分たちにとってはおかしくても、他のグループの人にはバカバカしかったり、侮辱的に聞こえたりすることがありうるのだ。

つまり、ユーモラスなコピーを書くことで、潜在見込み客を３分の１、ときには10分の１にまで限定してしまうことになる。

ユーモラスな広告キャンペーンで１番有名なものに、何年か前のケリー・スプリングフィールド社のタイヤの宣伝がある。風刺漫画スタイルで、１枚の大きなイラストの下に数行のコピーというものだった。

（ビジュアル）牧師と一般人が会話しているイラスト

（コピー）「牧師様はちょっとでも悪態をつきたくなることってないんですか？　タイヤのトラブルのときとか」
「まあ、なくもないですが、そういう衝動を避けるようにしているのです。ケリー・スプリングフィールドのタイヤを使うことでね」

避けるべきコピー３タイプ

続く３タイプは絶対にお薦めしない。

17 ● 詩的なコピー

コピーがあまりにも詩的な表現で、読んだ人が受ける印象が「これを書いた人はまさに言葉の魔術師だ」で終わってしまう。
次の広告はその１例。この広告で、コピーライターとしての自分を売り込もうとしている。

貫こうとして

堅固な岩に鏝（こて）（訳注・接合剤を塗る道具で、しなやかで幅広）の先をあてている、これが、よくある広告の現状です。

感動で相手を貫こうとして、うんざりさせるだけ。そういう広告は、甘ったるく無意味な能弁を寄せ集めて自己満足しているのです。「汝は当たり前のことをいかにももったいぶって言う」（訳注・オリバー・ウェンデル・ホームズの詩からの引用）。ありきたりのコピーは食後のジョーク同様、代わりばえしません。広告はそのもったいぶった口ヒゲを剃り落とさなければ、また伸びてきてしまいます。相変わらず長すぎるようです。広告にいま必要なのは、斬新な観点（ポイント）と新しい書き手（ポイント）、さもなければ、ノアの大洪水かもしれません……。最高の報酬を誇るコピーライター、○○○○は、通常の広告が虚しく探しているものを輝かしい１文に凝縮します。広告スペース料金の高さを考えれば、最高の才能への報酬をじっくり検討している時間はないはずです。

○○○○へのご依頼は、ダイレクター·クライアント·リレーションズのABC氏まで。100パークアベニュー、ニューヨーク。

この広告は１度しか掲載されなかった。もしかしたらこの広告のおかげであまりにも多くの仕事が舞い込んで、依頼に応じるのにいまも大忙しなのかもしれない。いや、その逆の可能性のほうが高いだろう。仕事の依頼がほとんどなく、繰り返し掲載するに値しなかったのだ。

次のコピーは、ビジネス誌に何十回も繰り返し掲載されたもの。かなりの効果があったに違いない。そうでなければこんなに繰り返されるはずがないからだ。ここで紹介するのは、よくないコピー例としてではなく、比較するためだ。

セールスプロモーション

１日あたりの対クライアント売上高が28年間で150ドルから５万ドルに伸びました。当社のダイレクトメール·キャンペーンの力です。数年前はまだアイデアの段階だったある企画が、今年は10万ドルの注文を受けました。50年の歴史を持つ企業が全国に50の代理店を展開したいと考え、当社が３か月で40店を実現しました。

10か月で700人のディーラーを１人あたり３ドルの費用で集めたこともあります。セールスプロモーションの専門集団として10年の経験のラーキン社。セールスに関する問題をお寄せください。ご相談は無料です。J.C.J. バッファロー（ニューヨーク州）。

---

18 ● きざなコピー

ある種のコピーには、まるで大学生が書いたような青臭いものもある。相手に強烈な印象を与えようとする大げさな表現ばかりで、現実味がない。次の例は、ある宝石商の広告で、スターサファイアを宣伝している。

夜想曲（ノクターン）

スターサファイア……それはまるでひとすくいのナイトブルー。月の光と穏やかな暗がりにぼうっと現れ、天の兆しを孕んでいる。その奥深くでは、ベールに覆われた銀の星の6つの弧が動き出し、その美しさを夜に放とうとしている。

---

19 ● 信じてもらえないコピー

賢い消費者をだましやすいと思い込んでいるようなコピーは、昔ほど効果はなくなっている。信じられないような誇大広告で売上を得ていたビジネスのほとんどは、費用の安い新聞や雑誌に60行広告（訳注・アメリカの新聞広告サイズの単位で、アゲート〈約5.5ポイント〉14行を1コラムインチと数える。米国内でも新聞サイズ、コラム幅は異なるし、日米でももちろん違うので一概には言えないが、サイズだけで言えば、日本の約2段×1/6に相当するサイズ）を出すか、ビジネスから完全に撤退してしまったかだ。次の広告はある案内状の最初の部分で、ある株投資コンサルタントがかつて使ったもの。

大切なお客様へ

この手紙を読んだ何千人もの方々があっという間にお金持ちになりました！　同じうれしい結果があなたにも起こるよう心から願っています。

率直に書きます。昔からの友人に宛てるように。そして、驚くべき事実をお教えします。ご利用になればあなたにとって大変有利になることです。

すでにご存じでしょうし、私にもわかっていることですが、景気がいまから6か月後、1年後、あるいは2年後にどうなるかを予測できる人は、その知識で大金を得ることができるのです。私がお伝えするのはまさにそのことなのです。

ご成功を祈って

何野某

広告の制作に携わる全員が、社会の人々に対する責任を負っている。人は広告を信頼している。その信頼を裏切れば、クライアントのビジネスはもちろん、自分たちのビジネスにも害を及ぼすことになる。次のエピソードがこのことを物語っている。

生命保険の外交員が10年間、ある男性に保険契約をしてもらおうと売り込んでいた。

ある日その男性が、同じ保険内容が書かれた広告を手にその外交員の事務所へやってきて、この保険に入りたいと言った。その広告には、外交員が10年間も口頭で売り込もうとしてきたのとまったく同じ内容が印刷されていた。つまりこの男性は、印刷された内容なら大丈夫だと信頼し、セールストークは信頼しなかったのだ。

この活字への信頼は、子どもの頃から教え込まれる。私たちは印刷物から物事を学ぶからだ。2＋2＝4、コロンブスがアメリカを発見したのは1492年、というふうに。書かれていることは事実。人生で最も感受性の強い時期に、私たちは読んだ内容を信じるよう教育される。

こうした信頼を裏切るような広告は有害ですらある。たとえば、12歳の子どもが「ローラースケートがタダ……クーポンを送るだけ」という見出しの広告を見たとしよう。

その子はクーポンを記入して送るとすぐに、もうローラースケートをもらって楽しく遊んでいるところを想像し始める。ところがガッカリする知らせが来る。子どもが広告主から受け取る手紙にはこう書いてあるのだ。1セット1ドルのきれいなカラー写真を友達に30セット売り、その代金を送れば、ローラースケートを「完全にタダで」送る、と。

こうして、疑い深い人間がまた１人増えるのだ。20年後、この子が大人になって車でも買おうとするとき、車のメーカーは売り込むのが以前より難しくなっていることに気づくのだ。すべては、この人物の信頼を何年も前に損ねた、あの詐欺広告のせいなのだ。

「アメリカの産業が傑出しているのは大量生産によるところが大きい。大量生産が可能なのは需要のあるところだけだ。そして、大量の需要を生んできたのは、ほぼ全面的に広告の発展のおかげだ」
――カルビン・クーリッジ（訳注・1872－1933。第30代アメリカ大統領）

第 11 章

コピーの売込み効果を高める20の方法

この章では、コピーの売込み効果を高める20の方法を見ていく。すべて実際にテストされ、効果が確かめられている方法だ。

1. 現在形で相手を中心にして書く

よほどの反対理由がない限り、コピーは**現在形で相手本位**に書くべきだ。「きちんとした身なりだと男性自身が感じるのは、ブルックスブラザーズのスーツを着ているとき」ではなく、「きちんとした身なりだとご自分でお感じになるのは、ブルックスブラザーズのスーツを着ているとき」とする。

「人々が安心するのは、グッドイヤーのタイヤを使っているとき」ではなく、「安心をお感じになるのは、グッドイヤーのタイヤをお使いのとき」と書こう。

どこまでも「**相手本位**」で書くこと。

2. 小見出しをうまく使う

ほとんどの通販が、全面広告には必ず３つ以上の小見出しを入れている。一般広告でも同様のケースが多い。これにはおもな理由が２つある。

1●小見出しを入れると、広告全体をじっくりと読む暇がなくてざっとしか見ない人にも、内容が簡単に伝えられる。

2●小見出しがなければ読んでもらえなかったかもしれないコピーを読ませる効果がある。たとえば、見出しに引かれてせっかくコピーを読み始めてくれても、１、２段読めばもう次のページへ移っていってしまうかもしれない。しかし、もしそこに面白い小見出しがあって目を引けば、さらに続きを読んでもらえる。

ある化粧品広告の見出しと小見出しを見てみよう。小見出しが情報を手短に伝えるのと同時に、興味をそそっている点に注目。

見出し	**女性のお肌のクリティカルエイジとは？**
小見出し1	ニューヨークの医師が、お肌の老化につながる4つの問題の解決法を伝授
小見出し2	いままでのお手入れでは効果がない理由
小見出し3	毛穴の奥にこう作用する
小見出し4	1ドルお送りください。パンフレット『老けた顔が生まれ変わる』を差し上げます

パンフレットなど何か提供するものに値段を設定するときは、ある程度の値段にして、タダなら何でももらおうとする人たちからの応募を避けること。ただし、高くしすぎて肝心のターゲットを失ってはいけない。似たような広告主の同じようなオファーをチェックすること（「似たような」と「同じような」の両方であることが大事）。あとは、テスト、テスト、ひたすらテストだ！

3. ビジュアルの下にキャプションを入れる

新聞記事は、ビジュアルの下に必ずキャプションが入っている。キャプションは 注目率が高いのだ。そのビジュアルへの関心を高め、それが何を意味しているかの説明にもなるからだ。『タイム』や『プレイボーイ』などの雑誌でも、キャプションのついたビジュアルが数多く掲載されている。**図**

11.1（→次ページ）のように、キャプションで相手の注意を引いて売り込むのだ。

要するに、人には写真の下に印刷された短い説明を無意識に読む癖があるということ。この癖はそもそも学校で教科書を読んでいたときにさかのぼる。教科書の写真や図の下にも必ず説明があったからだ。広告にもこの習癖をぜひ活かすべきだ。**キャプションなしのビジュアルを入れてはいけない。**簡潔な売り文句や人の興味を引くメッセージを、どのビジュアルの下にも必ず入れること。デビッド・オグルヴィが、著書『「売る」広告』のなかでこう語っている。

「コピーを読む人より、**ビジュアルの下のキャプション**を読む人のほうが多い。だから、キャプションなしのビジュアルを入れてはいけない。キャプションには**ブランド名や売り物、ベネフィット**を入れること」

4. わかりやすい表現を使う

書かれた時期は１世紀近く離れているが、イギリスの哲学者ハーバート・スペンサーと、アメリカの広告人ロイ・ダースティンが、媒体にかかわらずすべてのコピーライターが胸に刻むべきアドバイスを残している。次の１節を書き留めていつでも見られるようにしておけば、役に立つはずだ。できれば少し拡大して机の前に貼っておくといい。ときどきこのメッセージを読み直して自分のものにしてしまおう。

スペンサーの『フィロソフィー・オブ・スタイル（文体の哲学)』は、読みやすい書物ではない。それでも、「こちらの言いたいことを読む人が理解するのにかかる時間を、なるべく短くしたほうがいい」という考え方は、まったくもっともだ。

図11.1

パン職人の1ダース

12個の美しいキャニスターが入った陳列棚。パン職人の仕事場そのままです。さらに1個、もちろん、無料のおまけがあります！

（訳注・昔、目方不足で罰せられるのを恐れて 1 個おまけをつけたことから、「パン屋の1ダース」と言えば13個のこと）

無料！　13個目のキャニスターが、追加費用なしであなたのものに

申込書
送付期限1994年12月26日。
お店では販売しておりません

〈パン職人の1ダース・キッチンキャニスター・コレクション〉を注文します。1つひとつ念入りに作られた美しい磁器キャニスターを、2か月ごとに1個送ってください。
現時点で私に送金義務はありません。12個のキャニスターそれぞれ、24.95ドルの2回払いで請求してください。おまけのキャニスターと木製専用棚は追加費用なしで受け取ります

図11.1　成功につながるKISS！

ダイレクトレスポンス広告で成功しているところは、KISSの法則を実践している。すなわち、「Keep It Simple, Stupid（簡単に言え、すっとこどっこい）」だ。さもないと、お客に振り向いてもらえなくなる。レノックスコレクションはこの法則を、ビジュアル、コピー、申込用クーポンに取り入れている。無料のキャニスターはセットのなかで 1 番大きいサイズで、その写真をクーポンのすぐ上に入れている。やや大きめの文字のクーポンコピーでも引き続き、このセットの品質（美しい磁器、念入りに）と、よそにはない点（お店では買えません）を売り込んでいる。価格と支払方法の説明のあと、2 つの無料特典（キャニスターと専用棚）で締めくくる。さらに簡単なことに、クレジットカード情報も不要で、署名するだけでいいのだ。こんなKISSをされたら、銀行にもいそいそと出かけられる。

言葉を思考伝達記号の装置だとすると、機械装置と同じように、**各部品が単純できちんと並んでいる**ほど、生み出す結果もそれだけ大きくなる。

言葉でも機械でも、そこに無理な力が加わると、すべて生産物に影響が出る。言葉を読んだり聞いたりする人が一瞬一瞬で使える知的エネルギーは限られている。言葉という、示された記号を認識して理解するのにこの知的エネルギーの一部を使い、表現されたその概念をきちんと並べてまとめるのにさらにエネルギーを使う。そうして残ったエネルギーだけで、伝達された思考を理解しなければならない。

したがって、1文ずつ頭に入れて理解することに時間と注意力を使えば使うほど、そこに込められた考えに向ける時間と注意力が少なくなり、その考えをはっきりと理解しにくくなるのだ。

ロイ・ダースティンも著書『ジス・アドバタイジング・ビジネス(広告業界)』のなかで同じことを言っている。スペンサーより説得力がありそうだ。

「広告の1番重要な役割は、**注目のすべてを商品自体に集める**ことであり、その商品の説明テクニックに集めることではない」

5. 簡単な言葉を選ぶ

短くて簡単な言葉で伝えたい内容を表現する。教養のある人なら長くて難しい言葉も短い言葉もわかるが、そうでない人には短くて簡単な言葉のほうがずっとわかりやすい。難しい言葉1つを言い換えるのに簡単な言葉が3つ4つ必要だとしても、たいていそうしたほうが賢明なのだ。

BBDO社の次の広告は、初めて掲載された数年前だけでなく、現在でも核心をついている。

大げさな言葉

ここ数年、各地の古い家の屋根裏部屋で調度品の断片などが見つかっている。こうしたものにはお金では買えない価値がある。荒れはててガランとした農家の廃屋も、ちょっと手を入れることで、その線や形のシンプルさ、がっしりした造りが現れてくる。それはさながら失われた芸術だ。

修復が終わると、そうした見事な古家がひと際目立つようになる。周りの現代風の家々、スペイン風、フランス風、イタリア風、テューダー式、ミッション様式と違って、まるで群衆の中に 1 人立つ古代ローマ貴族のように、落ち着いた威厳をたたえている。

チョーサーやシェイクスピアの時代から、私たちは単純で不作法な言葉を屋根裏部屋にしまい込んできた。それこそが広告にピッタリの言葉だったのだ。たいていは 1 音節か 2 音節の、変てこりんで単純な土地本来のこうした言葉は、無教養な人間が考えをぶっきらぼうに伝えるものだった。

そうした言葉がまだ全盛だった頃、地中海人種が押し入ってきた。そして武力と宗教の力で、イギリス近代文明の下地を作る。

それから地中海人種は、様々な言葉を寄せ集めて使うようになり、それがいわゆるいまの英語になった。粗野で低俗な土地言葉は民衆に話しかけるのに必要だったので、使われ続けた。しかし、文化人を少しでも気取る人たちは、次第に多くの言葉を作り上げるようになった。しゃれたラテン語の接頭辞をここに、ギリシャ語の語幹をそこに、トルコ語の接尾辞をちょっと加えて、という具合だ。

過去千年の間、イギリスでの教育と言えばギリシャ語とラテン語を学ぶことが主だった。アメリカでも似たようなものだ。その結果は、私たちが書くものに奇妙に表れている。立派な大学を卒業して毎年うちに入ってくる新入社員は、しばらく経たないと、何かものを書くときに 5 音節より短い言葉を使うことができない。

ところが不思議なことに、あれこれと会話をするときは古英語、つまり昔のアングロ·サクソンの言葉をほぼそのまま使っているのだ。

ご存じのように、寄せ集めで作られた言葉は一般的に言って、特に意味がない。たとえば、この「particular（特に）」という単語もそうだ。形容詞であり名詞であり、動詞化、副詞化も可能だ。辞書には50もの異なる意味が載っている。つまり、実際には何の意味もない。ただの「音」より少しはマシという程度だ。この単語をさかのぼると、2,000～3,000年前に一部の野蛮なラテン民族が使っていた「par」に行き着く。それを古代ローマ人の知識階級が「particula」に進化させ、その後フランス人が「particulier」とした。この単語はあまりにも長い間ころころと変わり続けたために、コケだらけで肝心の石、つまり意味が見えなくなってしまったのだ。

もちろん、ラテン語は美しい言語だ。平易さや明瞭さの点で、アングロ·サクソンの言葉とほとんど変わらないすばらしい言葉もたくさんある。そういうのは大げさな言葉ではない。

私たちが話をするときに短くて簡単な言葉を使うのは、話す人と聞く人とで、その言葉の意味が違ってしまうことがないからだ。分節の多い継ぎはぎの言葉をムリにたくさん使うと、言い終える前に自分が何を言おうとしていたのかわからなくなってしまい、聞いているほうもさっぱりわからない。これと同じ理由で、私たちはものを考えるときにも短くて簡単な単語を使うのだ。

さて、広告で重要なのは、伝えたい内容が何であれ、**相手に一瞬で理解させる**こと。こちらに教養があるところを見せてただ相手に感銘を与えようとするだけの、ムダな言葉はひと言も許されない。

放送業界にその恰好の例がある。ある人が豪勢に行こうと、「スーパーヘテロダイン（訳注·電波受信機の回路形式の1つ）」という言葉を作った。ラテン語の単語1つとギリシャ語の単語2つからなる。うまく使えばカッコいいセールストークができるだろう。しかし、それがどんなものかをみんなに知ってもらいたいあるメーカーは、「ゴールデンボイス」（訳注·モトローラ社の受信機のブランド）という言葉でアピールした。

短くて簡単な言葉はわかりやすく読みやすい。考えなくても見た瞬間に意味がわかる。一方、普通の人は大げさな言葉があるとそこでつまずき、動揺する。そういう言葉にイライラし、うんざりするのだ。そんなつまずきが2回もあれば、その人の関心はよそへ行く。次のページへ行ってしまうのだ。
短い1語は、大げさな1語の約3分の1のスペースで済む。コピー1行あたり40ドル払っているとすると、これはバカにならない節約だ（BBDO社の広告より）。

6.　情報を無料提供する

興味をかき立てる方法の1つは、コピーのなかにセールストークだけでなく**無料の情報**を盛り込むこと。その場合、まず無料の情報が先にあり、次にセールストークが来るようにすること。セールストークが先だと、無料の情報が書いてあるところに行き着く前に、読むのをやめてしまうかもしれない。
次の見出しと冒頭部分は、ビジネススクールの広告で何度も実績を挙げているものだ。コピーの冒頭がセールストークではなく、記事スタイルになっている。雑誌記事の冒頭文にしてもおかしくないくらいだ。

警告　今後5年以内に
独立したい方へ

週給200ドルの人に、週350ドル稼ぐ方法を教えることはできます。
週給350ドルの人に、週500ドル稼ぐ方法を教えることはできます。
でも、年収2万5,000ドルの人に、5万ドル稼ぐ方法を教えるのはムリです。
自分で身につけなければならないからです。
才能豊かな人でも、たいていは年収2万5,000～3万5,000ドル止まりです。
健康、若さ、容姿、頭脳があれば、ビジネスでかなりのところまで行けるでしょう。
でも、そうしたものにいつまでも頼ることはできません。何か他のものをつぎ込む必要があります。さもないと、年収2万5,000～3万5,000ドルの間でピタリと止まってしまうのです。
現代のビジネスは、これまでになく複雑です。従来の物差しはもう通用しません。情報の激増にともなってまったく新しい課題が生まれています。海外市場は極めて重要な課題となっています。セールスのまったく新しい概念が、行き当たりばったりの古い方法に取って代わりつつあるのです。

---

7. スタイルコピーとセールスコピー

今日使われているコピーは次の2種類。

1●スタイルコピー
2●セールスコピー

スタイルコピーは、華やかな言葉や凝った形容詞に消費者は心を動かされるはず、という推定に基づいて使われている。次は、石鹸の広告のスタイルコピー例。

この石鹸を7日間だけお試しください。きっとご納得いただけます。そのなめらかな手触り、たっぷりしたいい香りの泡のトリコになるはずです。使ったあとのお肌のすばらしいなめらかさは、みずみずしく透きとおるようです！　鏡でお確かめください。毎日少しずつ透きとおっていきます。世の男性たちが夢見る自然な美しさにお気づきになるでしょう。

今度は、別の石鹸の広告のセールスコピー。

この石鹸はオリーブオイルとパームオイルでできています。その他の油脂は一切使用していません。人工着色料や、原料の匂いをごまかす強い香料も入っていません。混じり気のない石鹸です。うるおいを与える泡はきれいで健やかなお肌を育てます。この純度の高さは、世界中の2万人以上の美容専門家が声をそろえて薦めているほどです。

スタイルコピーはほとんどが根拠のない主張だが、**セールスコピーは証拠に基づいて主張**している点に気づいたと思う。1つ目の石鹸のコピーは「なめらかな手触りのトリコになる」と言い、もう一方のコピーは「オリーブオイルとパームオイルでできていて、その他の油脂は一切使用していない」と言っている。

スタイルコピーとセールスコピーのどちらを使うべきか少しでも疑問に思ったら、思い出すこと。広告による宣伝効果を追跡できる企業が使っているのは、セールスコピーだ。

8.　好奇心をそそる

好奇心は、コピーライターがうまく利用すれば強力な売込みツールになる。しかし、相手の好奇心をそそる代わりに満足させてしまうと、お客を失うことになりがちだ。

少し前に、私はある新しい小説の書評を読んだ。その書評で好奇心をそそられ、その本を買おうと思った。数日後、同じ小説の広告が目に留まった。その広告には小説からのかなり長い引用が載っていた。それを読んで話の大筋がわかってしまい、好奇心がすっかり満たされたので、その本は買わないことにした。書評を読んだときはほとんど買う気になっていたのに、広告が私の好奇心を満たしてしまい、本を売るチャンスを逃したのだ。

好奇心に訴えるピッタリな方法の例を紹介しよう。ミステリー小説と冒険小説の宣伝コピーからの抜粋だ。状況説明で好奇心をそそりながらも、その後どうなるかを明かして好奇心を満足させてしまうようなことはうまく避けている。

■大物ギャングの悪行と小さな町の秘密が複雑に絡み合い……毎年恒例の氷の祭典で衝撃の結末を迎える。
■1995年にまさかこんな事件が起きるとは……大富豪のヨットが漂流、なす術もなく、人喰い人種のいる島に！

次の好奇心をそそるコピーは、魅力的な性格になる方法の本の広告成功例。

「この類まれな本は、読む人を不思議な力で魅了します。またたく間に魅力的な性格になれる方法が書いてあるからです。

まったく不思議な本です！　そのページを開く人すべてを魔法にかけるような本なのです。

この本が１冊、あるホテルのラウンジテーブルの上に数週間置かれました。すると、400人近くがこの本を目にして数ページ読み、注文したのです！

別のケースでは、ある医師が待合室のテーブルにこの本を１冊置いたところ、200人以上の患者さんが目を留め、少し読んで、自分用に注文したのです！

なぜみんなこの本に深く魅せられ、これほどまでにほしくなるのでしょうか。答えは簡単です。この本が、どんな男性でも女性でも、年齢に関係なく、魅力的な性格になれるということを、初めて明らかにしたからです。この本で説明しているのは、友人を引き込むような人間的魅力、つまり確実に成功につながる自信を手に入れる方法なのです」

このコピーは、**魅力的な性格になる方法そのものには触れていない**。この本を買わないとそれはわからないのだ。

好奇心に訴えるこの方法は、無料パンフレット、つまり相手に応募してもらうタイプのパンフレットにも応用できる。例を挙げよう。

この無料パンフレットを進呈

24ページの無料パンフレットで、経済的に自立する方法、安心して退職できる資金を用意する方法、お金の心配をなくす方法、他にも様々な方法がわかります。現在の収入の多少は関係ありません。

そのプランとは……この無料パンフレットのなかで説明しています。何かを購入する義務はありません。いますぐお申込みください。

その**肝心のファイナンシャルプランは説明されていない点**に注目。読んだ人にわかるのは、そういうプランがあり、それはこの無料パンフレットに書いてある、ということだけだ。もしこの広告にプランの内容が書かれていたら、読んだ人はこう思ったかもしれない。「何だ、そんなことか！　そんなのずっと前から知っていたよ」。先に秘密を漏らしてしまうような広告は、手品を披露する前にトリックのタネを観客に明かしてしまう手品師のようなものだ。

9.　具体的なコピーにする

テストする広告に携わる人なら誰でもこう言う。コピーで具体的に言うことがいかに重要か、と。たとえば、「**9万7,482人**がこの電化製品を購入した」と言うほうが、「約10万台この電化製品は売れた」と言うより説得力がある。

1つ目のコピーは事実らしく聞こえる。読んだ人は、購入者の実際の数を厳密に正確に数えたのだと思う。2つ目の「10万台売れた」は、コピーライターが言っていること、しかもたぶん誇張して言っている、と思われてしまうのだ。

広告で大ざっぱなことを言っているコピーがずいぶん多い理由は、具体的なデータを集めるのに時間と手間がかかるからだ。

だから、アメリカで最も人気のある一般向け雑誌14誌の、1995年12月号に掲載された大スペース広告700点のうち、次のたった5点だけが事実に基づくアプローチで際立っていたのだ。

■カリフォルニア産デーツ（訳注・ナツメヤシの実）はスナックにピッタリ。脂肪やコレステロールは一切なし。1粒たったの23カロリーです。

■キヤノンオートボーイ70ズーム。ポケットやハンドバッグにしまえる超コンパクトサイズ。2×35－70mmズームレンズ、完全自動フィルム処理と自動露光、内蔵型多機能フラッシュ、長期間シャープな撮影を可能にする3点式スマートオートフォーカス。（キヤノンの同様の広告は、複数の雑誌に掲載されていた）

■1日5時間の集中レッスン　●コートレッスンはコーチ1人につき生徒4人まで　●ビデオ分析　●グランドスラムコート45面（レッドクレイ、グリーンクレイ、ハードコート、グラスコート）　●フィットネスセンター　●サドルブルック　●スポーツ・サイエンス・オプション

■他の主要ブランドに比べて軟骨タンパクが30%多く含まれています。

■デュアルエアバッグ標準　●スチール・セーフティ・セル構造　●サイドドア・ガードビーム　●カーエアコン　●AM/FMステレオカセット　●空気清浄システム　●デュアル・リモート・ヒートミラー　●リヤ・デフロスタなど。1万5,165ドル。

次の実話が、具体的なコピーの価値を具体的に物語っている。そのコピーがあまりに効果絶大なので、業界団体から表現を和らげるよう要請されたほどなのだ。コピーに偽りはなかったにもかかわらず。

全国展開のある建築資材メーカーが新しい工場をオープンし、その地域での宣伝活動を始めた。

製造工程の調査で、その会社の製品の品質は、アメリカ政府が定めた品質基準より平均で**52.7％**高いことがわかった。説得力のあるわかりやすい事実だ。そこで、その事実を広告の柱にして、あとは広告を見た人に、この明白な事実に基づいて自分で判断してもらおう、ということになった。

この52.7％という数字は、わかりやすく覚えやすいグラフにビジュアル化された。

この工場周辺の都市や町限定で、新聞広告を使った２か月間のキャンペーンが企画された。

その間に、次のような戦略が展開された。

1◉郡ごとに分析して、全ブランドの年間合計消費量を示す「数値」を割り振った。

2◉自社宣伝だけでなく、各広告には、各販売店が他に売れ行きのいい商品５、６点を目立つ書体で載せられるよう、広告スペースの一部を無料で提供した。

3◉営業担当に指示して、地方紙に出す広告は、貨車１両分の注文をしてくれた地元販売店の店名で出すように手配させた。

営業担当がこの販促計画を熱心に着実に実行していった結果、数週間で貨車150両分の注文があり、そのほとんどが新規取引だった。そうこうするうちに、新聞広告が出るようになり、販売店は大いに関心を示すようになった。購買担当者が広告に書かれた事実に注目し、請負業者、建築技師、建築家、役人の口にのぼるようになり、需要サイドへの販売につながった。再注文は一気に増加。結果は期待をはるかに上回り、しかもそれは、計画していた予算の半分も使わないうちに達成された。

ところがここで、奇妙なことが起きた。業界の全米協会のトップが、コピーに偽りはないにもかかわらず、修正するように申し入れてきたのだ。規定が改定されて、政府基準が非現実的なレベルに引き上げられるようなことになっては困るからだ。また、地元の他の工場経営者たちが、「52.7%コピー」の威力に対抗するために悪質な値下げキャンペーンを始めるらしい、という噂も流れた。

宣伝担当者は、コピー表現を「和らげ」て、この強烈な宣伝効果をなくすように指示された。こうして、「52.7%」という数字は「50%以上」に改められた。**たちまちこの広告の「効き目」はなくなってしまった。**注文はそれまでの数分の1に減り、口コミもまったく途絶えた。地元の競合相手と協会幹部は満足した。

要は、「52.7%」という表現が品質や価値の確かな証拠と取られたのに対し、「50%以上」という表現は、製品をよく言わんがための単なる宣伝文句だと割り引かれてしまったのだ。

10. 長いコピーにする

短いコピーと長いコピーのどちらを使うべきか、これは難しい問題だ。はっきりしたルールがないのだ。いろいろなことが、各状況とその広告の目的次第で変わってくるからだ。

A. 新聞・雑誌広告

一般的に次のような状況が、ほとんどの新聞・雑誌広告で見られる。

1 ●短いコピーの広告、ポスターのように、ほんの数語のコピーかキャッチフレーズだけという広告を出しているのは、だいたい、広告による直接の宣伝成果が追跡できない企業である。

2 ●広告による直接の宣伝成果を追跡できる広告主は、**長いコピー**を使って

図11.2

図11.2　1ワードで売り込む方法

ピッタリの写真でターゲットの想像力に訴え、確実に売り込めるなら、商品名だけのコピーでもかまわない。当然、それだけの力のある写真を撮ることがカギになる。ゲス社のポール・マルシアーノ社長が積極的に関わる理由もそこにある。その結果は、上の広告が雄弁に物語っている。

いる。短いコピーよりも説得力があるからだ。たとえば、ブッククラブ、レコードクラブ、通信教育などの広告は、コピーが500～1,500ワードある。また、不動産、医薬品、案内広告では、小さいスペースにぎっしりセールスコピーが入っている。こういう広告では、いわゆる「リマインダーコピー（訳注・覚えてもらえるよう印象づけるコピー）」を使っている余裕などない。広告を出すたびに即、売りにつなげる必要があるからだ。

3 ●絵や写真が事実どおりに多くを物語っている場合は、短いコピーがピッタリな場合も多く、宣伝効果が高い。**図11.1**（→237ページ）のレノックス社のダイレクトレスポンス広告の成功例や、**図11.2**（→前ページ）のゲス社の広告がこの例だ。

B. ダイレクトメールのコピー

ダイレクトメールで商品やサービスを売り込んでいるところは、長いコピーが利益につながることを知っている。長いコピーが実に信頼でき、その効果が実証済みなために、4ページもののダイレクトメールが1つの選択肢というよりも**鉄則**になっているほどだ。かつては「何であれ、言うべきことを全部言うまでは終わるな」と教えられたものだが、いまでは「4ページにまとめて、読む価値があるものにしろ」に変わった。

たとえば、シーフードの通販の先駆者で、それでひと財産作ったある人は、ビジネスを始めた頃はごく簡単なレターを使っていた。その後、長いレターのほうが客からの注文が多いことに気づいて、次第に長くしていった（→効果の高かったその長いレター例は第10章210ページ）。

次のセールスレターは、当初使っていた短いもの。

お客様へ

「デイビス・スター印」の脂の乗った選りすぐりのサバをご紹介します。
お客様のご自宅まで1パックお届けします（送料当社負担）。

すべて同じ品質で、大きさだけがまちまちです。すぐに調理できる状態でお届けします。
20ポンドのペール缶1缶に、お好みで大、または特大サイズをお選びください。
ご注文をお待ちしております。

どうぞよろしくお願いします。

フランク・E・デイビス

このごく短いレターが、ビジネスを始めたばかりのときに手書きで送っていたものだ。何年か宣伝効果をテストした結果、コピーを追加すればするほど売上も増えることがわかった。最終的に、見込み客には次のものを入れた封筒を送るようになったのだ。

1 ● 当初の10倍の長さのレター1点
2 ● 注文用紙1点
3 ● 4ページのパンフレット1点

この4ページのパンフレットには、**写真14点**、**見出し4本**、**小見出し12本**、**お客様8人の声**、**約1,600ワードのセールスコピー**が入っている。通販を長年やってきて成功したこの男性は、短いコピーより長いコピーのほうが割に合うことに気づいたのだ。
もちろん、ただスペースを埋めるためだけの長いコピーではいけない。できるだけたくさんの売り文句を入れるために長くするのだ。
コピーの長さについて、さらにいくつか説明しておこう。

1 ● 短いコピー支持者はこう言う。「こんな細かい文字を読もうなんて誰も思わない。コピーを削って2、3段落にして、文字の大きさを18ポイントにしよう」

短いコピー支持者のこの主張は、正確にはこう言うべきだ。「みんながこんな細かい文字を読んでくれるとは限らない」。これならまったくそのとおり。全員が読んでくれるとは限らない。でも実際には、こちらが最も読んでもらいたい人こそが、こちらの広告を読もうとしてくれる人なのだ。そういう人こそ、商品やサービスを購入する理由をこちらが十分に説明すれば、実際に購入してくれる見込み客なのだ。

2 ● コピーを18ポイントにする必要はまったくない。私たちは雑誌や新聞を買ってそこに出ている話や記事を読む。そうした文章の文字は7～9ポイント、いまお読みのこの本の文字は9.2ポイントだ。

3 ● ここで質問。短いコピー支持者がもっとセールストークを盛り込んで、その広告で最大限売り込むようにしてもムダなのか？　答え：ムダではないはずだ。

長いコピーと短いコピーの各支持者どちらも満足する解決策がある。**簡潔なセールスメッセージを見出しと小見出しに入れる。詳しいメッセージをコピーに入れる**。これで次の2点が達成できる。(1) 見出しと小見出しで、ざっとしか読まない人にも簡潔にメッセージが伝えられる。(2) 商品に興味を持ち、もっと読もうとする人にはコピーで詳しく説明できる。

11.　実際に必要なコピー量より多めに

広告のテストを専門とする大手広告代理店のコピーチーフがこう語った。

「コピーは削るとよくなる。短いコピーがいいと言う意味ではない。コピーライターはまず、決められた分量より多めにコピーを書き、あとで煮詰めていくほうがいい、という意味だ。

たとえば、うちでは新しい広告はまず全面広告で出す。その広告がうまくいけば、割に合う限り何回でも掲載する。売上が落ちてきて、その全面広告を繰り返し掲載するのが割に合わないところまできたら、半ページ広告にする。たいてい、このサイズならあと2、3回掲載してもおつりが来る。

半ページ広告でも効果がなくなれば、60行（約2段×1/6）サイズの広告まで削り、もう少し売上をひねり出すこともある。

私は、コピーを削ると質が上がる例を何回も見てきた。全面広告には、なくてもいいような言葉や表現がかなりある。なかには段落まるごと、売込みにあまり関係ないことを言っている場合もある。

コピーを半ページ広告サイズに合わせて削ると、こうした重要でない部分がなくなる。これでコピーが引き締まり、もっとパンチの効いたものになる。

コピーを60行広告に収めるには、必要最低限の言葉以外、すべて削らなければならない。したがって、電報のように簡潔なコピーになる。どの段落にも宣伝文句が詰まっている。結局、**60行広告が1番いいコピー**になる」

このエピソードの例として、次のクーポンつき広告の見出しと冒頭部を見てみよう。この内容に近いものは、まず大スペース広告でテストされた。

収入を確保して退職

収入を確保して退職するのに、裕福である必要はありません。裕福でなくても経済的に自立して、お金の心配をせずに余生を送ることができます。

当社がご用意する新しい退職年金プランは、平均的ご家庭のどんな方にも生涯の収入を保証できるようにするものです。

年金のお受取りは、55歳、60歳、65歳、とお好きな年齢から始められます。受取り金額も、月2,000ドル、2,500ドル、3,000ドル以上など、選択はご自由です。

この広告はなかなかの効果があった。それでも、コピーは削る余地がある。広告サイズを縮小するにあたり、当初の３段落から２段落に減らされた。

収入を確保して退職

この新しい退職年金プランは、生涯の収入をご自分で確保できるようにするものです。

年金のお受取りは、55歳、60歳、65歳と、お好きな年齢から始められます。受取り金額も、月2,000ドル、2,500ドル、3,000ドル以上など、選択はご自由です。

その後、この広告はもっと小さなスペースに縮小され、次の１文にまとめられた。

収入を確保して退職

この新しい退職年金プランは、55歳、60歳、65歳で引退し、月2,000ドル、2,500ドル、3,000ドル以上の収入を生涯確保できるようにします。

コピーを削ることをいまこうして説明しているのは、短いコピーのほうがいいと言っているのではない。長いコピーを書くスペースがあるなら、長いコピーのほうがいい。

ここで言いたいのは、一般的にコピーは削るほど質が上がる、ということだ。つまり、500ワードのコピーを書くスペースがあるなら、ただ500ワードのコピーを書くのではなく、**まず1,000ワードのコピーを書き、それから500ワードに凝縮**する。50ワード分のスペースしかないなら、200ワードのコピーを書いてから煮詰めていく。**コピーはスープストックのようなもの。**煮詰めれば煮詰めるほど、味わいが濃くなるのだ。

12. 競合相手の得にもなるような表現は避ける

ある大型テレビの広告が、テレビの楽しさを漠然と伝えているとする。すると、そのメーカーのテレビだけでなく、競合メーカーのテレビの売りにもつながってしまう。

たとえば、ある女性が広告を見てテレビを買おうと思い、テレビを置いている店に行ったとする。広告で見たテレビを買うかもしれないが、競合メーカーのテレビを買う可能性も同じくらいある。こちらのテレビを買ってもらうには、他でもないそのテレビのこと、音質、画質、迫力、その他の機能特徴を売り込む広告のほうが効果が高い。

他の製品でも同じだ。宣伝する特定の車種を売り込む広告のほうが、ただ車があると便利、という広告よりも効果的だ。**図11.3**（→256～257ページ）のジャガーのダイレクトメールはその最高の例。特定ブランドのコーヒーを勧める広告のほうが、コーヒーを飲む喜びを伝える広告よりも、そのブランドのコーヒーの売りにつながる。もっといいのは、この両方を1つのメッセージにまとめることだ。これは初歩的なルールのようでいて、意外と守られていないことが多い。

13. 通販の手法をダイレクトメールに応用する

ダイレクトメールの課題は、通販広告の課題とほぼ同じだ。どちらも、注意を引き、好奇心をそそり、行動するよう仕向けるのが狙いだ。異なるのはそのメッセージを伝える媒体だけ。ダイレクトメールは各個人宛てに、それぞれの宛名を入れた封筒でメッセージを届ける。**図11.4**（→258ページ）のように宛名を手書きにする場合もある。一方、通販の広告は、新聞・雑誌広告やテレビ・ラジオコマーシャルでメッセージを届ける。

図11.3

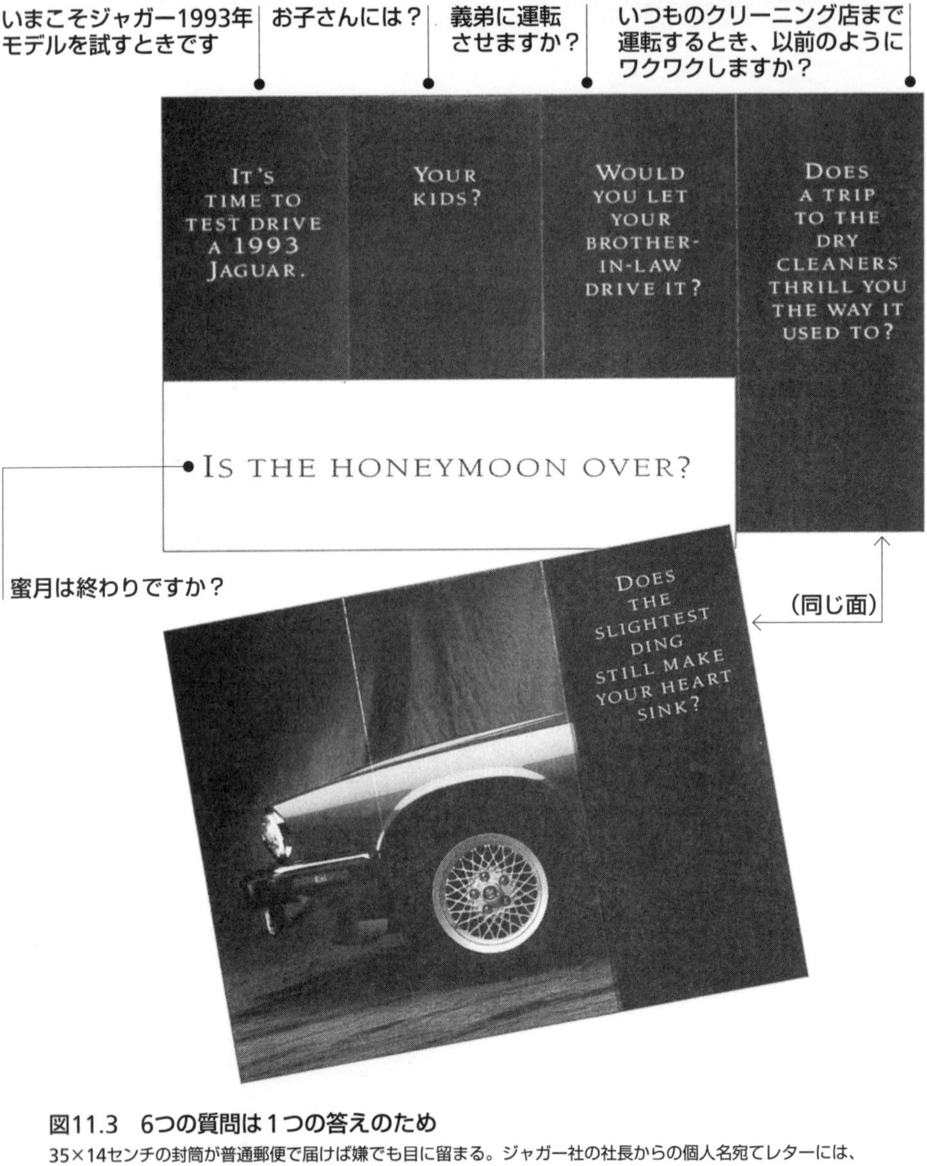

いまこそジャガー1993年モデルを試すときです
お子さんには？
義弟に運転させますか？
いつものクリーニング店まで運転するとき、以前のようにワクワクしますか？
IT'S TIME TO TEST DRIVE A 1993 JAGUAR.
YOUR KIDS?
WOULD YOU LET YOUR BROTHER-IN-LAW DRIVE IT?
DOES A TRIP TO THE DRY CLEANERS THRILL YOU THE WAY IT USED TO?
IS THE HONEYMOON OVER?
蜜月は終わりですか？
DOES THE SLIGHTEST DING STILL MAKE YOUR HEART SINK?
（同じ面）

図11.3　6つの質問は1つの答えのため

35×14センチの封筒が普通郵便で届けば嫌でも目に留まる。ジャガー社の社長からの個人名宛てレターには、社長自身が車に惚れ込んだ経緯、あなたもきっとそうに違いない、と語られている。目を引く8面折りパンフレットを開くにつれ、いま乗っている車について6つの質問が繰り出され、その6つのすべてに答えるのが

ほんの少し凹んだだけで落ち込みますか？

停める場所にまだ気を遣いますか？

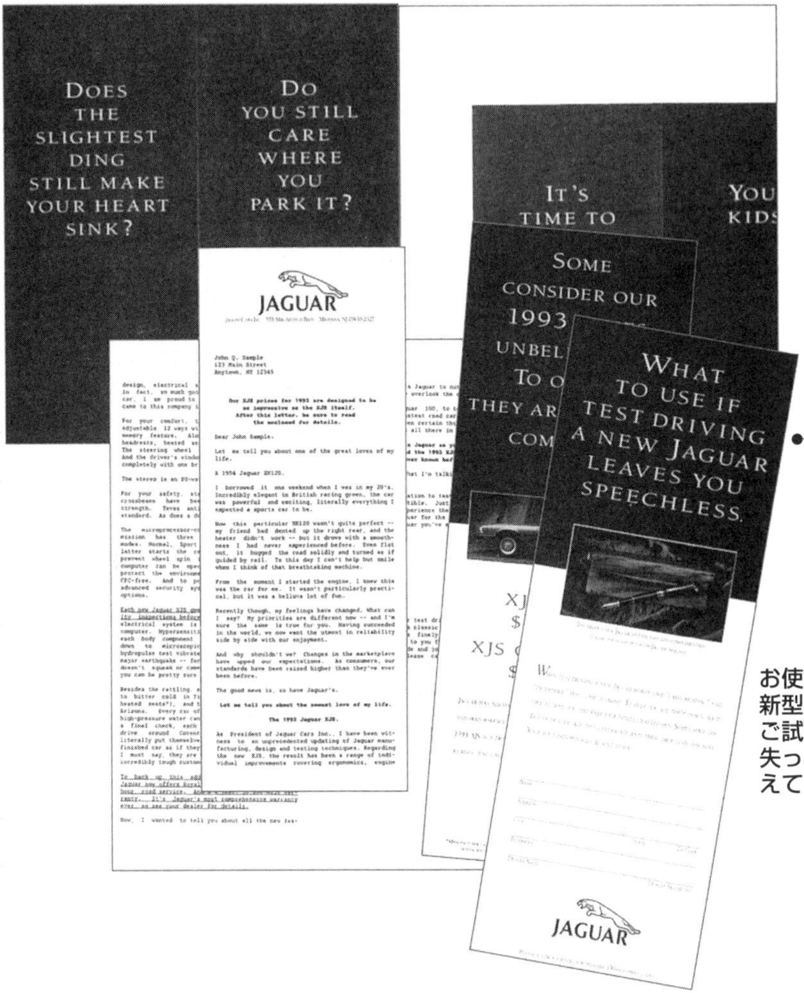

お使いください。新型ジャガーのご試乗で言葉を失った場合に備えて

……ジャガーの車というわけだ。封筒大のチラシ2枚が、価格説明と、試乗した人への特典をドラマチックに演出している。なるほど、**2,700件の試乗申込みがあり、1,500万ドル以上の売上**があったわけだ。ADDYベストオブショー受賞、ワンショー（訳注・カンヌ、クリオと並ぶ3大広告賞の1つ）ゴールドペンシル賞受賞。

図11.4

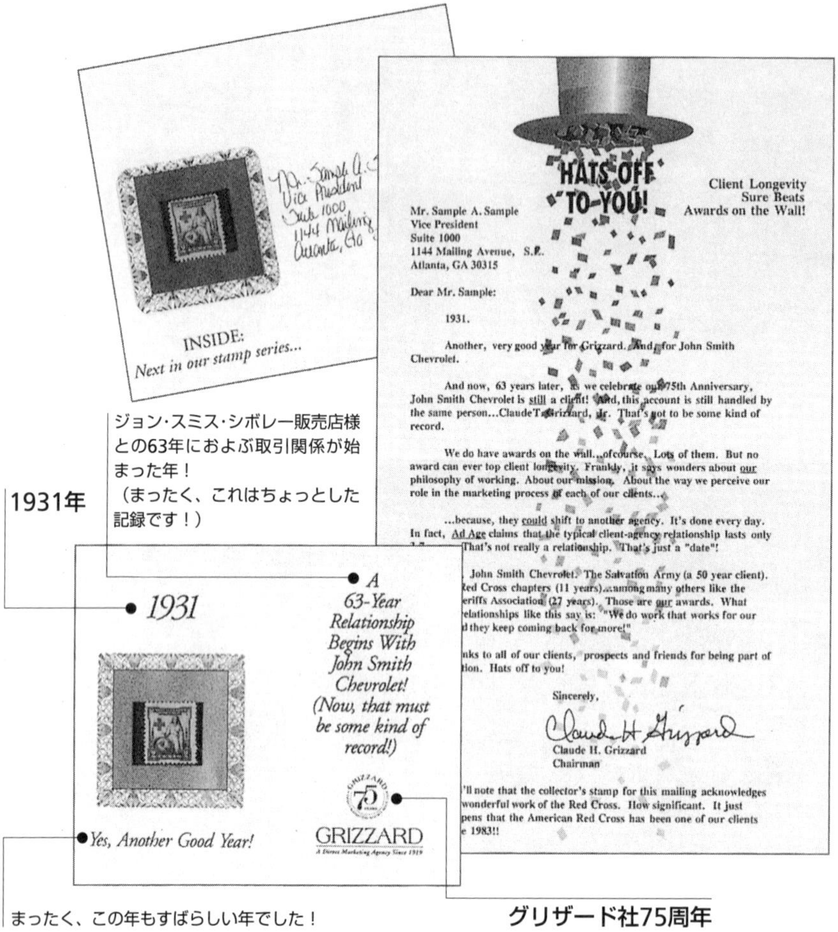

図11.4　ちょっと変わった75周年記念

ダイレクトレスポンス専門の広告代理店グリザード社は、まさにその熟知している媒体を使って、創立75周年をただのお披露めには留めなかった。2週間おきに、クライアント・クライアント候補・各業者・友人たちへ、それぞれ個人名宛てのレターと、それだけでも価値のある貴重な切手1枚を送り、クライアントと代理店との大切な記念日を祝ったのだ。宛名をエレガントな手書きにした封筒と金箔を惜しげもなく使ったレターが、お祝いムードでいっぱいだ。もっとほしいという声が続々と押し寄せた。1994年ジョン・ケープルズ賞（訳注・クリエイティブスタッフに与えられる賞→21ページ）受賞。

つまり、通販広告のルールがダイレクトメールにも同じようにあてはまるのだ。見出し、コピーの冒頭部、小見出し、コピーの長さ、コピーの書体など、すべてのルールがダイレクトメールにも使える。ただし、ダイレクトメールのレター文では、出だしの文が見出しに相当する。通販広告が、見出し次第でコピーを読んでもらえるかどうかが決まるのと同じで、ダイレクトメールのレターでもたいていの場合、相手がそのレターを読んでくれるかどうかは、出だしの1文にかかっている。

次は、ダイレクトメールで効果を挙げている企業のレターの冒頭部分。パソコンの発達のおかげで、コスト効率よく、宛名差込みができるようになった。

◈チャールズ・P・ホルテン様

（宛名差込み機能によっては、フルネームを使用する必要がある）

「聖書の失われた聖典」がどういうものかご存じでしょうか。どうして失われたのでしょうか。なぜ、これほど大きな関心を集めているのでしょうか。

◈チャーターズ様

先日ある女性と知り合いになりました。その人は、自分の能力と懸命な努力で巨万の富を蓄え、自分の出自よりはるかに高いところにたどり着いたのです。

◈マンガン様

こちらの勝手でお手紙を差し上げております。なぜ勝手かと申しますと、私の利益になることだからです。ただしおかしな話ですが、その利益は、実質的にあなたの節約になることから生まれるものなのです。

◈お客様へ（個人名宛てではない。おそらくデータ化していないのだろう）

どういうわけか、お役に立てなかったようです。

数週間前、ご自身の進捗状況にご満足でないか、あるいはもっと早くお進みになりたいかの理由で、私どもの対応を求める旨のお手紙をいただきました。

◆お客様へ（次の書き出しなら、頭語などどうでもよくなる）

200ドルの小切手を同封しました。

誰もがこんなふうに始まる手紙を受け取りたいと思うのではないでしょうか。

ダイレクトメールのいいところは、１通の封筒にいろいろな宣伝物を同封できる点だ。

たとえば、次のような構成が考えられる。

1●封筒１点。ダイレクトメール業者が「ティーザー（じらし）」と呼んでいるコピーがたいてい入っている。早く開封してなかを読まなくては、と思わせるコピーのことだ。

2●個人名宛てのレター１点（**白**の用紙）

3●４ページのパンフレット１点（**クリーム色**の用紙）

4●証言を集めたチラシ１点（**緑色**の用紙）

5●新聞の切り抜き１点（**新聞用紙**に複製）

6●申込用紙１点（**黄色**の用紙）

7●料金受取人払いの返信用封筒（**赤**の用紙）

こう思うかもしれない。「なぜ、７種類の印刷物をバラバラに作り、用紙まで変えて印刷するのか。レターも証言も、新聞の切り抜きや申込用紙なども全部まとめて、16ページのパンフレット1冊にしたらいいのではないか」と。

実は、ダイレクトメールを活用している大手企業、保険会社、通信教育、レコードクラブ、出版社などは、そうしないほうが効果的なのを知っている。

その理由は、ダイレクトメールの大半がそのままゴミ箱行きになるからだ。

ところが、宣伝物すべてをゴミ箱に捨てる前に、たいていの人は少なくともチラッとは目を通すものだ。もしこちらからのメッセージをすべて1枚のチラシや1冊のパンフレットにまとめていたら、相手が一瞬それに目をやって興味が湧かなければ、捨てられてしまう。

一方、もし封筒に6種類の異なる宣伝物が入っていたら、相手は捨てる前に1種類ずつざっと確認する。人は1度も目を通さずにものを捨てることには抵抗がある。役に立つものを捨ててしまったら嫌だからだ。そういうわけで、封筒と6種類の宣伝物を合わせて計7回、見込み客の関心を引くチャンスがあるわけだ。1つにまとめていたらチャンスは1回しかない。

ただし、これはあくまでも「チャンス」であって、保証ではない。ダイレクトメールの**構成物はすべて、ひと目で売り込める**ように作り込むこと。**パンフレットなど何か1つのものに「売り」のすべて、あるいは主要部でもまとめてしまうと、チャンスの7分の6を失うことになる**のだ。

14. 誇大コピーか控え目コピーか

現在の広告は、控え目な表現を使う傾向にある。しかも、ときにはそのほうが誇大コピーより宣伝効果が高いこともある。まずは旧式の「誇大」コピーの例から。

ご自宅で学んで
高収入の仕事に就けます！

電気の専門家になれば、高収入が得られます。いますぐこのコースに申し込んで、最高の仕事を手に入れませんか。覚えやすく、すぐに理解できます。最後まで面倒見ます。「空き時間を利用した実用的電気技術の通信講座」です。

高校を卒業していなくても大丈夫です。私は電気主任技術者として、100万人を超える大都市の電気工事に携わっていますから、どういう研修が必要なのかを熟知しており、まさにそれをお教えするからです。この電気技術講座は簡単で、徹底してすべてを網羅しています。年齢、学歴、職歴に関係なく、誰でも短期間で「電気の専門家」になって高収入が得られるチャンスです。

このコピーを次のビジネススクールの広告のものと比べてみよう。これは最近のもので、控え目な言葉ながらコピーに説得力がある。

現在35歳で
何か物足りないと思っている方へ

35～40歳は、チャンスをつかむうえでとても重要な時期です。この時期に、出世コースに向かうか、ずっと憂き目を見るままになるかが決まるのです。この時期がすぎていくのを、自嘲した態度でただ見ている人が大勢います。

「もっと稼がなくては」と言いながら、稼ぐプランが何もない。

「ここにいても先が見えている」と言いつつ、突破口をどこにも見出せない。

「いまは何とかやっているけど、この先いったいどうやって子どもたちを学校へ行かせたらいいか」

いつもこんな考えで頭がいっぱいで、なすすべのない方にこそ、このメッセージを読んでいただきたいのです。うわべだけの言葉は一切ありません。明白な、ありのままのわかりきった事実です。

最初に1つだけはっきりさせておきます
あなたが私たちを必要としない限り
私たちもあなたを必要とはしていません

ご自分に物足りなさを感じている人のなかにも、何かしようとする人とそうでない人がいます。後者の方には申し訳ありませんが、お受け入れするわけには参りません。私たちが評価されているのは、ここで研修を受けた方々がその後高い収入と責任のある地位を手に入れているからなのです。私たちもその評価を維持しなければなりません。こちらにできることがたくさんあっても、ご自分で努力しようとされない方まで成功に導くことはできません。ですから、そういう方はご安心ください。何かをムリにお勧めすることはありません。

無料パンフレットを提供している広告ではたいてい最後の段落に、パンフレットを請求するよう書かれている。次は典型的な誇大コピーの例。

注目のパンフレット『役に立つセールス術』無料進呈

私が書いた注目のパンフレット『役に立つセールス術』をぜひ送らせてください。このパンフレットには、がっちり稼ぐ「達人セールスマン」に簡単になれる方法、当方の「セールス術研修」で、セールス経験数年分に相当する知識が数週間で身につけられること、研修を無事修了された方には、「無料就職斡旋サービス」が安定したセールス職選びや就職までサポートしていることが書いてあります。さらに、**単純労働者から高給取りのセールスマンへと一大転身を遂げた人たちの成功秘話も掲載**。いますぐ申込書をお送りください。人生の大きな分かれ目になるかもしれません。

次は、かなり違う調子のコピー。同じく無料パンフレットの提供を呼びか

けている。

パンフレットができました。今度の新しい「講座」をご紹介するもので、タイトルは『経営幹部が知っておくべきこと』です。将来の方針を決める重大な責任を負っていらっしゃるすべての方々に、ぜひ読んでいただきたい内容です。無料で差し上げます。下のクーポンにお名前とご住所を記入してお送りいただくだけです。もちろん、無理強いはいたしません。この新「講座」の目的にふさわしい方、今後５年間の貴重なチャンスの数々を活用しようと決意された方なら、こちらから強くお勧めしなくてもご応募いただけるはずです。

証言を使うときも、誇大表現と控え目な表現のどちらが特定のタイプを説得するのにより効果的か、コピーライターは見定める必要がある。次の証言コピーは典型的な誇大例。

プラントエンジニアの給与が150%上昇

この講座を知るまで電気のことにまったく疎かった私ですが、いまでは600台のモーターがある大型プラントの責任者として、電気技術者や助手など34人のエンジニアを監督しています。**給与アップ率は150%を超えました。**

次は違う種類の証言コピー、控え目タイプだ。売りにつながるコメントをコピーライターが**カッコで挿入**している点に注目。

当校に届く手紙すべてを１通１通ご紹介できないのが残念です。たとえばこれは、メリーランド州ヘイガーズタウンのジョン・H氏からいただいたお手紙です。「私ははっきりとした目標が見つからず、もがいていました。公務員になろうかと真剣に考えていたのです。

この講座の受講中は、つらいと思ったことは１度もありませんでした。

それどころかとても楽しいものでした。最初から最後まで実践的で刺激があったからです**（当校のメソッドが実践的で刺激的にしているのです）**。この講座の課題を通して自信がつき、見通しがはっきりしてきたおかげで、もっと責任ある仕事を引き受け、その責任をきちんとはたすことができました」

かつて、自分は「歯車」の１つと不満だったH氏が、いまでは同じ組織の幹部になっています。

コピーで誇大表現を避けることも重要なら、大げさな見せ方を避けることもまた重要だ。メーカーの新製品発表なら、１番宣伝になるのは、ごく普通の新製品ニュースであることはめずらしくない。見出しで１番の特徴をはっきりと伝え、小見出しで次に重要な特徴、そして本文でその他のことを説明する、という具合だ。

脚色しようとしないこと。実際よりよく見せようとしているな、と相手が感じれば、その広告全体の信頼性が弱まってしまう。

次の新情報型コピーは、いまではほとんどの目覚まし時計で標準となったある機能を紹介している。

音楽で起こしてくれる新しい目覚まし時計
心地よい音楽が耳障りな音にとってかわる
予備の大音量機能つき

もう、朝のお目覚めをうるさく鳴り続ける音に引き裂かれる必要はありません。お休み中せっかくリラックスした神経を逆なでされずに済みます。ウエストクロックス社の新製品は、朝のお目覚めをまず心地よく優しくお知らせします。

こうして気持ちよくお目覚めになれば、アラームをオフにして、気分よく１日を迎えられます。もしこの音楽でお目覚めにならなくても、しばらくしてからまた、今度は大きな音で鳴りますから、どうしても目が覚めるはずです。

---

15. 小手先のキャッチフレーズは避ける

明らかに事実ではないスローガンやキャッチフレーズは避けること。たとえば、ミントキャンディのあるメーカーが「みんなのお口に」とキャッチフレーズで謳った。これはどう考えても事実ではない。このキャンディをみんなが口にしているわけがないことは誰にでもわかる。単なる小手先の表現だ。ここまでひねらなくても、実際の売り文句、たとえば「おいしさ長持ち」としたほうが効果的だ。

16. 他の人の意見を聞く

書いたばかりのコピーや見出しを、信頼している人に見せて意見を求めると参考になる。ただし、本音を言ってもらえるように持っていくこと。たいていの人はこちらの気持ちを傷つけたくないあまり、「とんだアイデアだ、これじゃあゴミ箱行きだね」とは思っていても言わない。たぶん、うなずきながら「すばらしいアイデアだね」とでも言うだろう。ときには、率直な意見を言ってくれるような人が見つかることもある。そんな人がいたら本当にめっけもの、大助かりだ。

たいていの人の意見のやっかいなところは、甘すぎる点だ。この問題を解決する方法の1つは、コピーでも見出しでも1案だけを見せるのではなく、**2案見せて、どちらのほうがいいと思うかを尋ねる**。そうすれば相手は一方を褒め、もう一方の悪いところを言ってくれる。この方法なら相手の本音を聞くことができるのだ。

もう1つ、コピーライターにとって参考になるのは、できたコピーを営業やAEに持っていってもらってクライアントに説明してもらうのではなく、**コピーの準備段階でまず自分がクライアントと直接話し合う**ことだ。間に人を介して伝言が行き来すると、誤解の生じる可能性が4回発生してしまう。

17.　「担当者がお伺いします」と書かない

広告によっては、無料パンフレットを提供するのはその商品に関心のある人の名前と住所を知るため、というところもある。担当者がその無料パンフレットを届けるか、あるいは郵送してから見込み客に電話をしたり、家を訪問したりするわけだ。もしそういう計画なら広告に、「担当者から連絡する」と書かないこと。書くとクーポン返送率が少なくとも**75％下がってしまう。**

18.　通販カタログのセールスコピーを研究する

大手通販会社のJ. C. ペニー、シアーズ・ローバック、L. L. Beanなどは、文字と写真の印刷物で製品を売り込む達人だ。今度ある製品をどう売り込もうかと悩んだら、通販カタログを研究して、**通販会社がその製品にどう取り組んでいるか**を調べてみよう。大手通販カタログなら、思いつく限りのあらゆる製品の優れたセールスコピーが見つかるはずだ。

19.　どの広告でもすべてを説明する

言い古されてはいるが、いまもためになる鉄則、「どの広告でも、説明するのは**これが最初で最後であるかのように書くこと**」。

相手はその製品を以前何かの広告で見たことがあるはず、とあてにしてはいけない。今回の広告で伝えきれなかった訴求ポイントはこの先他の広告で読んでくれるだろう、と勝手に期待してはいけない。**どの広告でもすべてを説明する**こと。重要なセールスポイントを1つ残らず盛り込むのだ。

たとえば、金融機関がある投資プランを売り込むとする。そのプランに加入すれば、次のすべて、あるいはいずれかが可能になるというものだ。

1 ● 加入した男性が死亡した場合、妻の収入を確保する。
2 ● 子どもの大学資金を提供する。
3 ● 家のローンを完済する。

この金融機関のある外交員が3人の見込み客を訪問するとしよう。外交員はこの3人とは面識がなく、何の予備知識もない。そして、次のような訪問プランを立てたとする。

「見込み客Aには奥さんへの収入の話をしよう」
（Aが既婚者かどうかわからないのに）

「見込み客Bにはお子さんの大学資金の話をしよう」
（Bに子どもがいるかどうか知らないのに）

「見込み客Cには家のローン完済の話をしよう」
（Cが賃貸アパートに住んでいるかもしれないのに）

こんな不利な状況で仕事をしようとする外交員はいないはずだ。しかし、1つひとつの広告は、外交員1人ひとりと同じように、見込み客の元に送り込まれるのだ。あらかじめ1つのセールスポイントだけに絞ることで、その広告を不利な立場に立たせる必要はどこにもない。**どの広告にも、重要なセールスポイントすべてを盛り込む**こと。

20.　相手の行動を強く促す

通販広告は最後に必ず、**「いますぐお申込みを」と強く促して締めくくっている**。よほどの反対理由がない限り、一般の広告の最後も同じように促したほうがいい。

せっかく見出しで相手の心をつかみ、コピーで興味をそそったのだ。そこで宙ぶらりんのまま放っておいてはいけない。次に何をすべきかを伝えること。**「価格上昇中」「在庫わずか」**など、いますぐ行動すべき明確な理由を伝えられれば、いっそう効果的だ。

「広告は、メーカーが新しい素材、新しい製造機械、新しい製造工程を取り入れるなかで、それにともなう経済効果やその新たな用途に人々の関心を向けて、進歩を促してきた。もしこうした広告がなかったら、その情報によって恩恵を受けられるはずのすべての人がそのことを知るまでに何年もかかってしまい、進歩も遅れてしまうだろう」
――ハリー・S・トルーマン（訳注・1884－1972。第33代アメリカ大統領）

第 12 章

誰もがぶつかる問題を避ける方法

地味な商品をどう演出するか

コピーライターはときに手強い課題を与えられることもある。あまり面白みのない商品を何とかして広告でイキイキと見せなければならない。

いろいろな例を挙げて説明していこう。統計サービス、除菌剤、のど飴、ミシン、何と地下納体堂（訳注・教会や墓地の地下などにある、棺を収める部屋）などの地味な商品をいかにうまく見せているかがわかるはずだ。

統計サービス

統計会社の広告キャンペーン企画を依頼されたとする。投資会社その他の企業に統計分析サービスを提供している会社だ。これは難しい、と感じるはずだ。統計は全然面白いものではない。人の興味をそそるものではないし、ドラマもない。

ところがそんな会社が、スリラー映画ばりにドラマチックなシリーズ広告を打ったのだ。このシリーズは「歴史に残る見当違い」と名づけられた。

これがその１例だ。

数億ドルがドブへ

２億ドル以上かけて建設された計4,500マイルの水路。そのうち元が取れたのはほんの１割。人が「世界一金のかかったドブ」と呼ぶのもムリはない！

このコピーでは、1830年に作られた水路が蒸気機関車の登場でムダになってしまった様子を語り、「確実と思われたこと」がうまくいかないのは現代も1830年も同じであること、長期的に見れば、**事実の積み重ねだけが持続的な成功を生み出す**ことを伝えている。

除菌剤

商品自体に面白みはなくても、ときにドラマチックな宣伝になるのが除菌・殺菌系製品だ。1例を挙げるとこんなキャンペーンがある。「臭い息」について、より医学的な響きの「口臭」という言葉を使うことで、リステリンでうがいをすると驚くほどの効果があることを全国的に認知させたのだ。

他の除菌剤のキャンペーンに、ライゾールの「ホラー」シリーズ広告がある。次はその1例。

ドアに貼った十字架が、別の家族の運命を決めた

その夏のロンドンは、恐ろしい悪夢そのものだった。あの黒死病が街で猛威をふるったのだ。感染者がすさまじい勢いで亡くなっていくため、囚人たちが荷馬車で死体を回収するよう強いられたほどだった。

次の段落で、宣伝商品がこう紹介される。

200年後、医学界はこの病気の原因が細菌であることを突き止めた。今日、科学は細菌と戦っている。その武器の1つが「ライゾール」除菌剤だ。

のど飴

シェイクスピアはその作品のなかで、登場人物のセリフだけでなく、その人物が考えていることまで観客にわかるようにしている。役者に、観客に向かって直接語らせるのだ。これは「わきゼリフ」と呼ばれている。近代劇作家ではユージン・オニールも、この手法を作品に取り入れている。

これと同じ要領で、コピーライターも、地味な商品にドラマを吹き込むことができるようになった。「心のなかの思い」という形のコピーにすればいいのだ。たとえば、のど飴はパッとした商品ではないが、ルーデンス社の「思っていることを口にすると」のシリーズ広告は大いに注目を集めた。代表的なのは、セールスマンが購買担当者の机越しに咳をしている図。購買担当者はカッとなってセールスマンに帰れと言う。その絵の下にはこんな見出しが。

(思っていることを口にすると)
「出てってくれ、君たちセールスマンに
風邪をうつされるのはもうコリゴリだ!」

ペーパータオル

ペーパータオルも、一見ドラマ性に欠けるように思われる。ペーパータオルについてどんなことが言えるだろう。柔らかさ、なめらかさ、吸収力、といったあたりなら誰でも思いつく、つまり、ありふれている。

あるメーカーは、次のようにコピーに**人間臭さ**を盛り込んだ。

立ち聞きするまで知らなかった

[ビジュアル] 従業員用手洗いでの会話をふと耳にする店長

「お湯もたくさん出るし、石鹸もいいんだけど、このペーパータオルときたら……」
「ホントだわ。こんなの使わされるなら、お金をもらわなくちゃ」

ハンドローション

ハンドローションのあるメーカーは、自社商品が手のあかぎれによく効くことを世間に知ってもらいたいと考えた。ところが、スキンローションの多くのメーカーがすでに同じことを言っている。よそと違うことがしたい。そして、ドラマ仕立ての「みっともない」キャンペーンで見事にそれをやってのけた。代表的な見出しを２本。

彼女が両手をひざの上に隠すと……何と、ざらざらにひびわれた赤い手は真っ白な布の上でかえって目立った。

彼女はダンスに加わらなかった……あかぎれの手が恥ずかしくて。

セロハンラップ

セロハンラップもあまりドラマ性のない商品の1つだった。初めて登場したこの透明フィルムは、キャンディやケーキ、家庭で残り物を包むのに使われている。セロハンラップについて何を言えばいいだろう。商品に手が触れないから清潔で安全に保てることか、包まれていても買った中身がわかることか。そういうことはコピーでは言えるだろうが、効果的に印象づけるにはほど遠い。

このメーカーは大胆にも、人工のセロハンラップと自然界の保護膜を比較したのだ。しかも次のように、自然が劣っていると言わんばかりに！

とうもろこしは皮に隠れて見えません……でも、透明なセロハンラップに包まれれば、すべて丸見えです。

ココナッツの殻を割らずになかを見るにはレントゲンのような透視力が必要です……でも、セロハンラップに何が包まれているかは誰にでもわかります。

玉ねぎはなかが見えます……玉ねぎにはもともと丈夫な透明の薄皮があるのです。まるでセロハンラップのようです！

地下納体堂

ドラマチックに表現するのが何よりも難しいのはおそらく、地下納体堂だろう。まず自分なりに演出方法をちょっと考えてみてほしい。そのあとで次を読んで、クラーク納体堂社がこの難問をどう解決したかを見てみよう。

蒸気のすさまじい力……
しかし金属がそれを抑える！

［ビジュアル］　こちらに向かって走ってくる蒸気機関車

重さ1,000トンの列車が大陸を駆けめぐると、レールが軋みます。激しく煮えくり返るボイラーのはらわたから蒸気が脱け出そうともがきますが、鋼鉄がしっかりと封じ込めます。

水を絶対に通してはならないところはどんなところでも、金属がその期待に応えます。当然、クラーク納体堂も12ゲージ銅鋼の金属製です。

飲料

チョコレート風味の粉末飲料を作っているこのメーカーは、かつては4色刷りの全面広告で、その製品の栄養価の高さ、ビタミンDを含んでいること、子どもたちの大好きな味であることを宣伝していた。そのうち売上が落ち込んできた。そこでメーカーは、数パターンのドラマ仕立て設定の広告を開始して、このチョコレートミルク飲料に世間の注目を集めようとした。売上はアップ。その代表的なコピーがこれだ。

ヘレンはミルクを見るのも
嫌がったんです……でも
別の方法で飲ませたら大好きに

［ビジュアル］　子どもを叱っている母親「ミルクを飲まないなら、もう寝なさい！」

「うちの子はなかなか体重が増えなくて。そうしたら姉が、このチョコレート風味の粉末をミルクに入れるといいわよと勧めてくれたんです。どんなにホッとしたことか！　ヘレンは大喜びで……3.5キロも体重が増えたんです」

ミシン

ミシンは私たちの祖母の時代に活躍したものだ。ミシンをドラマ仕立てで宣伝する案はもうすべて出尽くしてしまったと思うかもしれない。ところがまだあるのだ。どんな女性にもアピールするドラマがシリーズ広告となって、とある有名なミシンメーカーから出された。次はその1例。

「今夜はすごくすてきね」

友達がそう言ってくれて昔に戻ったみたい。着ているもののことで何か言われるなんて何か月ぶり……。

あなたにも、こんな服があったらいいけどとても買えない、というご経験はありませんか？　この最新式ミシンなら縫い物が楽しく心躍る体験に……。

正しい言葉遣い講座

コピーライターなら、言葉遣いの通信講座をどう演出できるだろうか。これも、地味なものだと思われがちだが、ある講座のドラマ仕立てキャンペーンがそれをやってみせた。

代表的な広告の見出しは「あなたの言葉遣いの間違いは？」。ビジュアルは、恋人と話している若い女性だ。

こんな言葉遣いの間違いが２人の口から次々と出てくる。「想像を絶しない……違くて……全然きれい」

このキャンペーンの効果がわかったのは、雑誌の比較的小さなスペースの広告だったにもかかわらず、多くの人に知ってもらうことができたからだ。どの広告も、通常の広告の**３～４倍**の注目を集めた。

オフィス用品

用紙メーカーが、オフィス用の軽量紙を発売。問題は、どうやってこれを演出するか。どうすればオフィスの責任者に認識してもらえるだろう。この用紙なら、枚数の多いレターや文書を郵送しても低コストで済むということを伝えたいのだが。

次の見出しがその目的を見事にはたしている。

12ページの書類が切手１枚で送れます

コピーで、こんなオファーをしている。

「お試しに、貴社の秘書に言ってサンプルをご請求ください。レターヘッド用紙12枚を普通郵便でお送りします」

クルージング

船旅を売る船舶各社は長年、こんな感じの見出しでずっと同じようなことを謳ってきた。

絶好の冬のクルージング
太陽を追って南米へ
一緒にメキシコへ出かけませんか

冬の笑顔が１番まぶしいところで楽しくすごしましょう

ちょっとした演出で、女性向けのこんなコピーになる。

ご主人をよく見てください……
応接間の知らない人になっていませんか？

上手に会話すること、やり手ビジネスマンの多くがそれを忘れてしまっています。もっとも話が仕事のこととなれば別ですが。

その特効薬が冬のクルージング。**船旅は男に仕事のことをすっかり忘れさせ……**

このコピーは、まったくの新規客を獲得した。いままで船の旅など考えたこともなかった人たちの注目を集めたのだ。

演出効果のまとめ

演出効果は広告にどう役立つか。注目を集めることで、少ない予算でも予算たっぷりの広告に匹敵しうる。普通ならお客になりそうにない人たちを新規客として引きつけられる。宣伝する商品やサービスの特に際立った点が強調できる。言い尽くされたものにも新たな命を吹き込める。

演出法で１番よく使われるのが、いわゆる「内輪話」、つまり夫婦や恋人間のちょっとしたドラマだ。媒体を選べば同性カップルでもいい。「心のなかの思い」型コピーや、「みっともない」といったテーマもよく使われる。

今度面白くない商品のコピーを書くときは、**演出してみよう**。そして、覚えておいてほしいのは、多くの商品は、**コピーライターが命を吹き込まなければ面白みがない**ということだ。

扱いにくいその他のテーマ

「生命保険に少額の頭金を払い込めば、すぐに遺産を増やすことにつながる」という点を手短にどう説明すればいいだろう。

次の見出しがその例だ。

今日、あなたの遺産を1万ドル増やしませんか――
新しいシャツ1枚の値段で

車のブレーキ修理サービスの場合、その価値の重要性を考えれば割安だということをどのように強調すればいいだろう。事故を防止し、人の命を救うという観点で伝えたい。次の見出しが、それを簡潔に伝えている。

お子さんの命は99ドルの価値がありますか？

ビジネストレーニングの通信講座が売り物のあるスクールは、こんな問題を抱えていた。

1●それまでの経験から、最も効果があった広告は、受講後に給与が上がったことを謳うものだった。

2●広告で「収入が5,000ドルアップします」といった具体的な約束はできない。受講者のなかには給与が上がらなかった人もいるからだ。

スクールの宣伝部長が言った。

「問題は、具体的な約束をせずにどうやって広告の見出しで給与アップに触れるかだ」

その目的達成のために考え出されたのが次の見出し。

現在1万ドルの年収を
2万5,000ドルにしたい方へ

はっきりした約束はせずに、給与アップの可能性をうまくほのめかしている。ターゲット層に合わせて金額を適宜調整すれば、この同じアプローチがいまでも通用する。この見出しが最初に使われたのは20年前だ。

もう1つ、うまくいったアイデアを紹介しよう。

［ビジュアル］　立派なオフィスにいる重役
［見出し］　**この個人オフィスとそれに見合う給与があなたを待っているかもしれません。**

実際に具体的な約束をすることなく、ベネフィットをそれとなく伝えるには、見出しを質問形式にするのも1案だ。

たとえば、ある化粧品メーカーが新製品に胸を躍らせ、若さの源を発見したことをぜひ伝えたいと考えた。

とは言え、そうした効果を広告で具体的に謳えば新聞･雑誌から掲載をことごとく断られるし、読者にも信じてもらえないのは目に見えている。それでも、効果的な広告ができた。次のように、**質問形式の見出し**にしたのだ。

永遠の若さの秘密をついに発見？

ある医薬品メーカーは、神経障害が治せることを伝えたかった。

しかし、はっきりと治ると言うことは規制にひっかかる。そこで、質問形式の見出しの広告にして、効果を挙げた。

このような神経衰弱の症状はありませんか？

株式投資コンサルタントは「どうすれば株取引で儲けられるか」という表現を使いたかった。しかし少し控え目な見出しにしたところ信頼性が高まり、結果的にはより効果があった。

なぜ、一部の人たちだけが株で必ず儲けているのか

本物できちんと証拠のある証言なら、表現は限られるものの、効果的なコピーになりうる。次のように証言スタイルの見出しにするのだ。

新成分の泥を塗ったら30分で肌が明るくなりました

こうして私はひと晩で記憶力をアップしました

こうした見出しは、読んだ人に「私にも同じ効果があるかもしれない」と思わせる。誰にでも同じ効果がある、と見出しでははっきり約束しなくても、その証言者には効果があったことを証明できるようにしておくこと！

もう1つ、約束を限定する方法に、見出しで**返金保証**を謳う手もある。

10日経ってもフケがなくならなければ、お金はいただきません

24時間経っても手がスベスベにならなければ、返金します

クーポンでお客の来店を促し、実績を挙げた事例

小売店は、毎日のように特別売出しで既存客にも新規客にも来店を促している。

たとえば、ある街のデパートが新聞に小さな広告を出して、10段変速ギアの自転車の割引セールを宣伝した。広告にはクーポンがついていて、それを持って来店するように書いてある。クーポンに印刷されていたのはその自転車の写真とこんなコピーだった。

68.88ドル（通常価格89.95ドル）
クーポンはワシントン誕生日のみ有効
お１人様１台限り

（訳注・ワシントン誕生日は米国の祝日で、2月第3月曜日）

用意していた自転車は初日の午後に完売。使われたクーポンは**200枚以上**で、総売上は**1万4,000**ドルを上回った。しかも広告費はたったの**480**ドルだった！

この手法で売上を上げる店がますます増えている。クーポンつきの小スペース広告を新聞に出し、切り取って店に持参してもらう。クーポンには魅力的なオファーを載せる。割引クーポンがあまりにも普通になったため、一般消費者もプロのバイヤーも、もう通常価格では買おうとしない。待っていればそのうちに特別価格セールがあることがわかっているのだ。よくあるオファーとその売上実績を見てみよう。

◉**レストラン・サム「チキンディナー２人分が１人分の価格」**
750枚以上の利用、約2,900ドルの売上。

◉**チェッカー・オートパーツ「オイルフィルターが3.99ドル」**

4,000枚以上の利用、5,000ドル以上の売上。

●ケネディ・ファイアストン**「特別サービス。⑴ 注油、⑵ オイル交換、⑶ オイルフィルター交換、⑷ タイヤ位置交換、⑸ ブレーキ調整、⑹ 前輪外側ベアリングのつけ直し、⑺ ホイールアライメント調整、⑻ 安全総点検、以上すべてが55.88ドル」**
６店の予約がいっぱい、１万1,000ドル以上の売上。

●ロボ・カーウォッシュ**「洗車１回無料」**
2,000枚以上の利用、約4,500ドルの売上。

●レストラン・アントニオ・シーク**「16.95ドルのディナーセットが5ドル引き」**
150枚以上の利用、2,500ドル以上の売上。

●ボーン紳士服店**「スーツ、コート、スラックス、シャツ、セーター、パンツなど全品10％オフ」**
4,600ドル以上の売上。

●ANAカメラ電器センター**「FM/AMラジオ37.95ドルが16.95ドル、ミノルタカメラ265ドルが169ドル」**
70枚以上の利用、約5,500ドルの売上。

●ウォルト衣料店**「通常60ドルの光沢仕上げコートが23ドル」**
100枚以上の利用、3,300ドル以上の売上。

●ピザ・パレス**「Lサイズのピザすべて1ドル引き」**
1,200枚以上の利用、9,600ドル以上の売上。

●調理済み魚のお持ち帰り**「1セント特価。通常価格で１品購入する**

と、2品目を1セントで提供（フィッシュ・アンド・チップス5.35ドル、メカジキ切り身7.75ドル、オヒョウ切り身7.45ドル）」
1,100枚以上の利用。8,200ドル以上の売上。

店舗用クーポンを効果的に使う方法

クーポンプロモーションでは、次のような点にも気を留めておこう。
まず、期限を設けているところが多い。たとえば「○○まで有効」「有効期限○○」「○日の１日限り」など。
制限をつけるところもある。「クーポン１枚につき２個まで」「お１人様お１つ限り」「お持ち帰りにはご利用できません」という具合だ。
クーポンの持参を明記するところもある。「クーポン持参で5.88ドル」「このクーポンをお持ちいただいたお客様には……」「切り取ってお持ちください」など。
また、こんなひと言を添えるところもある。「お電話でご予約ください」「数に限りがあります」「早い者勝ち！」「お子様は無料で小馬に乗れます」
クーポンの大きなメリットは、切り取ってポケットや財布にしまったクーポンを見ることで、お客に思い出してもらえる点だ。いつも目に触れるわけだから、忘れようがない。
もう１つのメリットは、店を訪れたお客が何かしたり口を開いたりする必要がない点だ。口下手な人は多い。店主のところまで行って「完全注油とオイル交換とオイルフィルター交換とブレーキ調節、ホイールアライメントなんかが55.88ドルでやってもらえると聞いたんですけど」と言うのは気が進まないものだ。クーポンが代わりに話してくれる。何なら**ひと言も話さなくても済む**のだ。

◉**質問**「要するに、特別提供のクーポンをどう使えば、販売の重要な第１ステップ、つまりお客の来店を促すことができるか」

◉**答え**「どうしてもほしい、と思えるものを提供する。それをクーポンに印刷する。なるべく多くの見込み客に、なるべく低コストでクーポンが行き渡るようにする」

「アメリカの広告業界は、米国製品の事実を魅力的に伝える方法を熟知している。製品が優れていて、その事実が伝わる。このすばらしい両者の組合せで、売上を確保し、産業活動を推進し続けるのだ」
——ノーマン・ヴィンセント・ピール　（訳注・1898－1993。「ポジティブ思考」の提唱者。著書に『積極的考え方の力』〈桑名一央・市村和夫訳、ダイヤモンド社〉）

第 13 章

こうすれば もっと問合せが増える 32の方法

広告では、できるだけ多くの問合せを確保したほうがいい場合がある。すでに述べた内容もあるかもしれないが、参照しやすいように、**広告で問合せが増える32の方法**を以下に説明しよう。

この32の方法は大きく次の２種類に分けられる。

1 ●広告の全般的な宣伝効果を上げることで問合せを増やす方法。たとえば、関心を引く見出しに長いコピーをあしらうことでその広告の総合効果を上げる。この場合の問合せの増加は、より効果的な広告を打ったことの単なる副産物、ということになる。

2 ●問合せは増えるが、広告の総合効果が上がるわけではない方法。たとえば、「このパンフレットを無料進呈」と書いてパンフレットの写真を載せれば問合せは増えるが、この広告の宣伝効果が上がるわけではない。

では、各方法を以下に詳しく説明しよう。この章の最後にはまとめもある。

1.　オファーを見出しに入れる

見出しが「収入を確保して退職する方法」だとする。これを「無料パンフレットで、収入を確保して退職する方法がわかります」と変えることで、レスポンスが増やせる。

「太りすぎでお悩みの方へ」という見出しなら、「太りすぎでお悩みの方に無料で」とすれば、やはりレスポンスのアップが可能だ。

他にオファーを見出しに入れたこんな例もある。

たった１ドルでもらえる――かわいいグリーティングカードセット

無料セールスキット——1日最大200ドル稼げます

無料進呈——オックスフォード辞典

無料スキー指導

住まいの修繕ブック——7日間無料でお読みください

2.　「無料」という言葉を強調する

「無料」という文字を大きくしたり太文字にしたりすることで、問合せを増やすことができる。テレビやラジオのコマーシャルでも、新聞・雑誌広告でも、「無料」を何度繰り返してもかまわない。または、同じような意味の言葉を繰り返すこともできる。**「送金不要」「1円もいただきません」「お客様に費用は一切かかりません」**などがそうだ。ただし、文字どおり「無料」でなければいけない。米連邦取引委員会の規則では、そのオファーのすぐそばに、すべての条件をはっきりと明示しなければならない（訳注・日本の場合、不当景品類及び不当表示防止法、通称「景表法」を参照）。

3.　オファーを小見出しに入れる

見出しのすぐあとに、次のような小見出しをつける手もある。

［**見出し**］　**新型電卓**
［**小見出し**］　10日間無料でお試しください

小見出しを広告のなかほどか、最後のほうに持ってくる方法もある。こんな小見出しがよく使われる。

たっぷりありますからどしどしご応募ください

事実はタダです

パンフレットをご請求ください

1ドルで特別提供

無料の才能テスト

4.　パンフレットやサンプルを写真で見せる

スペースが十分にあるなら、パンフレットやサンプルを大きく載せるといい。矢印や手でパンフレットを指し示すなど、レイアウトで目を引く工夫もできる。

オファーが相手の目にすばやく留まることが重要だ。したがって、1番問合せが多いレイアウトには、**パンフレットの写真の横か下に「無料」**と入っている。**図13.1**（→次ページ）がその例。

小サイズ広告でスペースを節約したいなら、パンフレットの写真を切手ほどの大きさにしてもいい。何ならパンフレットの上半分だけを見せる手もある。写真を小さくするとパンフレットのタイトルが読めなくなる場合は、読

図13.1

儲かるビジネスが50ドルもかからずに始められます

フォーリー・ベルソー社がその方法を１つずつお教えします。1926年創業のフォーリー・ベルソー社は同業他社のどこよりも、多くの人々の起業を成功させるお手伝いをしてきました。以下のリストからお好きなビジネスを１つお選びください。無料情報パックをお送りします

いまのお仕事を辞める必要はありません。１つだけお選びください。

無料情報キット

- □ カギ屋――高需要ビジネス。時給40ドル。D0389
- □ 小型エンジン修理――調整30分で45ドル。簡単な修理でそれ以上も可能。D0390
- □ のこぎり・刃研ぎ――自動研磨機を動かすだけで18ドルから25ドル。D0391
- □ 鉄砲工――趣味を儲かる仕事に。D0392
- □ 室内装飾――室内布張り技術を学び、業務用と一般消費者用の両市場で儲ける。D0393
- □ 木工――学びながら3,000ドル相当の木工製品を作成。D0394
- □ ビデオ修理――電気の知識不要で時給50ドル。D0395
- □ パソコン修理――儲かる自営業。将来性は無限。D0396
- □ テレビ/パラボラアンテナ修理――21世紀の娯楽システムの修理方法を学ぶ。D0397
- □ コンピュータプログラミング――プログラマー不足により、大きな収入が期待できる。D0398
- □ ビニール素材修理――ビニール等の素材を修理するビジネス。D0399

図13.1　小スペース広告でもっと効果を上げる方法

ダイレクトレスポンスのはがきの束が一般消費者にも届くようになった。どの要素１つとってもこれほど中身の詰まった宣伝は他になく、この例は申し分ない。見出しの言葉１つひとつが注目を集めるようよく工夫されている。最初の３つの職種は時給がずば抜けて高いことを謳っている。11種類の職種を挙げて、「無料情報キット」を提供。切手を貼る必要すらない無料返信はがきだ。小さい文字がびっしりと詰まっているにもかかわらず、テストの結果、はがきや広告に載せる職種を１つから複数に変えたことで、問合せ１件あたりの宣伝コストが50%下がったことがわかった。

みやすい書体とサイズでタイトルを入れ直してから写真を撮る。デザインを変更できるなら、オリジナルのパンフレットだけでなく、縮小サイズで掲載されそうなものはすべて、読みやすいようにタイトルを作り直すといい。広告や「テイクワン」ラック（訳注・ご自由にお取りください、としてパンフレットやチラシを入れた小型の箱状のもの）でパンフレットの上半分しか見えないようなときは、タイトルが上半分に収まるようにすること。

それほど費用をかけずに作り直せるだけでなく、タイトルがより強調されるので、お客が手に取ったときにさらに効果的に売り込めるツールになる。そんなの当たり前だと思うかもしれない。ところが、売ることよりも見た目を重視するデザイナーがこの原則を無視することは驚くほどよくあることなのだ。

テレビコマーシャルなら、タレントを使ってパンフレットやプレゼントを視聴者に見せられる。あるいは、しっかり梱包していつでも発送できるようにしたものを持たせて、宛先ラベルを指差しながらこう言ってもらうこともできる。

「お名前とご住所をお知らせください。ここに書き込んでこの無料プレゼントをお届けします」

余談だが、「**無料プレゼント**」という言葉は新聞・雑誌広告でもテレビ・ラジオコマーシャルでもとても効果的だ。「タダ」を意味する言葉が２つ入っているのだから。

5.　オファーをコピーの冒頭で説明する

コピーライターはたいてい、広告の最後に無料パンフレットの説明を入れることは忘れないが、**広告の冒頭でそのことについて簡単にふれることは忘れがちだ。**

宣伝効果の高い広告のなかには、**無料**パンフレットについて**次のように2**

回ふれているものもある。(1) 広告の冒頭でまず簡単にふれて、(2) 最後に詳しく説明するのだ。

テレビ・ラジオコマーシャルにも同じテクニックが使える。コマーシャルの冒頭で「紙と鉛筆をご用意ください。いまから無料プレゼントをご案内します」と言えばいい。

6.　パンフレットのタイトルで引きつける

広告の見出しがその広告を読んでもらえるかどうかの決定要因になることが多いのと同じで、パンフレットのタイトルも、請求してもらえるかどうかの決定要因になることがよくある。以下は興味を引くパンフレットタイトルの例。

会計士——儲かる職業

いままでにない美しさをあなたに

自分の発明を守る方法

プログラミングで未来を切り開く

公務員になる方法

ニューヨーク旅行ガイド

犬のかわいがり方

7.　提供するパンフレットを効果的に説明する

パンフレットの説明コピーを書くときは、そのパンフレットを目の前に置いてページをめくりながら、思いつく限りよい点を書き出していく。それから、書き出したリストを文章にまとめるといい。例を挙げよう。

このパンフレットは全32ページ。イラスト14点（うち５点はカラー)、略図９点、図表４点、７事例、地図２点、慣例集、５つの章（と詳細な説明)、結果予測グラフ１点の他、便利な項目満載の別表がついています。

「目次」紹介も効果的だ。こんなふうにコピーに目次をまるまる入れてしまうのも１案。

自動車整備士ガイドの目次

ピストンの取りつけ	3ページ
エンジンノッキングの特定	7ページ
メインベアリングの保守	12ページ
バルブの修理	14ページ
ファンベルトの調整	20ページ
クラッチの修理	22ページ
ブレーキの保守	25ページ
ステアリングギアの調整	27ページ
イグニッションの調整	29ページ
エンジンの調整	31ページ

ラジオコマーシャルでも、この「目次」の手法が使える。台本を「３ページにはピストンの取りつけ方法が、７ページにはエンジンノッキングの見つけ方が、12ページにはメインベアリングの保守方法が載っています」とする

わけだ。テレビなら、画面でパンフレットの中身を見せながら、同じ台本のナレーションを流せばいい。

ヒント。パンフレットによっては魅力的に説明しにくいものもある。中身がセールストークばかりだからだ。そういう場合はパンフレットを改訂して、役に立つ情報を少し入れるのも1案だ。園芸用の種苗会社が自社の種カタログにガーデニングのアドバイスを1章入れたところ、請求率が上がった。

8.　パンフレットに有名人のまえがきを入れる

ある補聴器のパンフレットが前よりも応募数が増えるようになった。補聴器を使っているある人気作家に前書きを書いてもらったのだ。音楽学校のパンフレットに有名な指揮者のはしがきが載ったこともある。美容に関するパンフレットに映画スターが書いた章、レシピ集には有名シェフの定番レシピ。そして、いま手にされているこの本が、デビッド・オグルヴィのまえがきに助けられたことは間違いない。

9.　利用者の証言を入れる

確定申告ガイドの広告に、住宅所有者、販売員、専門職従事者、共働き夫婦などの証言が載っていた。

販売員「自分の車を仕事でもプライベートでも使っています。控除できるものはすべて申請しているつもりでしたが、この『確定申告ガイド』を読んで、それまで控除対象だとは思いもしなかったものが18項目もあることを知りました」

共働き夫婦「2人の収入を合わせても、お金を貯めるのは大変です。税金申告なんてすごく面倒と思っていましたが、この『確定申告ガイド』を読んで、控除対象になる経費がいろいろとあるのがわかりました。救世軍（サルベーションアーミー）に寄附した衣類なんかも対象になるんです」

10. オファーに色をつける

前述の確定申告ガイドの広告には、こんなコピーがあった。

特別無料ボーナス： 納税申告書記入例……節税可能なポイントがすべてわかり、時間と手間が節約できる全16ページのパンフレットもあります。すべて記入済みの納税申告書サンプルが載っていますので、参考にしてください。払い戻しを求めてこの『確定申告ガイド』を当方に返却される場合でも、記入例パンフレットはどうぞお持ちください。

GE社の電球のシリーズ広告が､「光と視力の関係についてのパンフレット」提供を謳った。レスポンスをもっと増やそうということで、無料パンフレットに加えて無料プレゼントもつけた。

ある航空会社が、バミューダ便の広告への問合せを増やして、宣伝用パンフレットをできるだけ多くの見込み客に郵送したいと考えた。無料パンフレットは応募状況があまりよくなかったので、次のようなオファーをしたところ、すばらしい成果を挙げた。

完全無料の「バミューダ旅行セット」を差し上げます。バミューダの詳細地図と、快適な新型旅客機の写真と説明が入っています。さらにこの無料キットには、バミューダサングラスがもれなく1個ついています。

パンフレットを有料提供にしているなら、その値段を下げることで応募が増えるはずだ。パンフレットは有料だが「無料」という言葉も同時に使いたい場合、こんな表現が使える。**ただし本当にそうであることが条件だ。「無料パンフレット。手数料および送料の一部負担として○ドルお送りください」**

要注意。オファーするものがとても魅力的でしかも低価格だと、見込み客よりもプレミアムハンター（景品狙い）を引き寄せてしまう。ここでも他と同じで、**テストをして入念に記録をつけていく**ことが利益を生むカギとなる。

11. 応募用紙（クーポン）を入れる

広告にクーポンを入れると、様々な形でレスポンスアップにつながる。

まず、オファーに注目が行きやすい。オファーをはっきりわかりやすく見せられる。ぜひ応募してほしい、応募してもらえればパンフレットかサンプルを必ず送る、ということを相手にはっきりと伝えられる。フォームに名前と住所を記入するだけでいいのも便利だ。広告から切り取ったクーポンは、郵送するまでずっとメモ代わりになる。

スペースが限られた小サイズ広告では、クーポンを使わなくてもそのメリットの一部を利用する方法がある。「この広告を切り取って、ご住所とお名前を添えて下記までお送りください」とするのだ。

注意点。このあと、クーポン返送者へ販売員を訪問させる場合は、専門のテレマーケティング担当者か同種のサービスを利用して、レスポンスを1つひとつ「選別する」こと。そうしないと、販売員の貴重な時間がムダになるかもしれない。パンフレットやサンプルの入手がおもな目的で、商品購入には関心がない人をフォローしても仕方がないからだ。

一方、実際に商品を通販していて、お客にクレジットカードでの支払いか、クーポンと同時に送金してもらうようにしている場合は、好きなだけクーポンに重きを置いてかまわない。

12. クーポン自体の価値を明記する

広告のクーポンに、「10セント相当」「50セントの価値」など、金額を印刷するところもある。グリーティングカードのメーカーがこんな見出しで広告を出した。「2.75ドル相当のこの特大グリーティングカードが、25セントであなたのものに」。そしてそのクーポンの上部いっぱいにこんな1文が入っていた。「**このクーポンは2.50ドルの価値があります**」

13. クーポンにもセールスコピーを入れる

例を挙げよう。

ブックリーグ・オブ・アメリカ

（訳注・アメリカの会員制の書籍宅配）

無料で、ウェブスターの最新大辞典『ニューワールド米語辞典』（2,000ページを超える重さ4.5キロ、見出し語14万、イラストや地図など1,400点掲載）を送ってください。会員として入会します。

アメリカン・テクニカル・ソサエティ（1898年設立の出版社）

至急送ってください。チェックマークのついている下記の本をじっくり検討したいと思います。万が一内容に納得が行かず、プランから家作りまでを自分で行うことで数千ドルの節約になるとは思えない場合、本はお返しし、支払い義務は一切ないこととします。

14.　どの広告にも応募先は2か所に入れる

病院や歯医者の待合室で雑誌を手に取ったらクーポンが切り取られている広告があった、という経験はないだろうか。自分もその広告に応募したいとしよう。もし応募先を書いてあるのが切り取られたクーポン上だけだったら、どこに送ればいいのか知りようがない。

こんなことで応募数を減らすことがないように、応募先をクーポン上とそれ以外の場所の2か所に記載しているところもある。たとえば、コイン・スクールの次の全面広告には、住所と識別番号が右下のクーポンにこう入っている。

コイン・スクール　南500　ポーリーナ・ストリート
62-73H部　シカゴ　イリノイ州60612

広告の左下にも、住所と識別番号がロゴで入っている。

コイン・スクール
南500　ポーリーナ・ストリート　62-73H部
シカゴ　イリノイ州60612

15. 電話番号を入れる
——フリーダイヤルならなおよし

すぐに行動したい人もいる。電話で問い合わせて、注文するタイプだ。地方紙やローカル局での広告なら通常の電話番号だけでもかまわない。その場合でも、フリーダイヤル番号を用意して目立つようにあしらえば、地元からのレスポンスも急増する。社会人講座の学校は、広告に電話番号を載せることで、問合せが増えるだけでなく、**その質も上がる**ことに気がついた。

講座カタログを手紙で請求してきた人の場合、受講申込みにつながったのは５人に１人だけだったのが、電話をしてきた人の場合は、２人に１人を受講申込みにつなげることができたのだ。電話の相手にさりげなく質問をしてその人の問題を探り、その解決につながる講座を勧めることができるからだ。

たとえば、「当校には、同じような問題を抱えている方がたくさんいらっしゃいます。新しい講座が来週火曜日の夜８時に始まりますから、１度ご見学ください。どちらからおいでになるかお教えいただければ、当校までの道順をご案内します」

全国展開で新聞、雑誌、テレビ、ラジオなどに広告を出していて、各地に販売店網がある、あるいは、全国の職業別電話帳に掲載されるよう手配しているだろうか。その場合は広告に「電話帳をご覧ください」と入れてもいいし、フリーダイヤル番号を利用してもいい。たとえば、米空軍の募集広告に「はがきか、フリーダイヤル800-447-○○へお問合せください」というのがあった（訳注・日本の自衛官募集にもフリーダイヤルのコールセンターが設置されている）。

16. 注文用のFAX番号を目立たせる
——フリーダイヤルにしよう

FAX番号は目立つところに入れること。新聞・雑誌広告ならクーポンのすぐ上に載せ、返信はがきや注文用紙自体にも入れる。FAX番号もフリーダイヤルにしよう。専用のフリーダイヤル番号を取得するのが難しい場合は、近くの電話代行サービスを利用してみるのも手だ。

17.　「購入義務は一切ない」ことを強調する

コピーやクーポンで使える表現例。

購入義務は一切ありません
無料で送ってください
これによって購入義務は一切発生しません
現在も今後も支払い義務は一切ありません
この本は私のものであり、この本の取り寄せでいかなる義務も負いません
販売員がお伺いすることはありません

18.　ある種の情報は中身がわからないようにして送る

次のような情報は、中身がわからないようにして送ってほしいと考える人も多い。

1 ● 補聴器の情報
2 ● 個人ローン情報
3 ● 健康衛生についての情報
4 ● 妊娠・出産関係の情報

19. いますぐ行動するように促す

いますぐ行動した人に特典をつけることで、問合せを増やす方法もある。例を挙げよう。

> 下にあるクーポンに記入してお送りください。32ページの情報パンフレットを無料で差し上げます。いますぐお申込みいただいた方には、さらに詳しい成功パンフレットとチャートもおつけします。送料は弊社負担です。

他にも行動を促す表現として、「数に限りがあります」「期間限定」などがある。次のように促すのも手だ。

> いますぐクーポンをお送りください
> いますぐどうぞ——4月30日まで
> いますぐお名前をお送りください。無料セットをお送りします
> いますぐクーポンを送って無料パンフレットを手に入れよう

編者の広告代理店で、コピーコンサルタントのトップであるジョン・スターンが驚くべき成功を収めたことがある。行動を促すコピーに「コンピュータのミス」が発生したおかげだ。封筒の窓から見える1行が「5月19日木曜日までにご応募ください」のはずだったのが、誤って「木曜日までにご応募ください」となっていたのだ。そして何と、「コンピュータのミスのないもの」より**39%**も応募が多かったのだ。

20.　料金受取人払の返信はがきをつける

切手を貼る必要のない料金受取人払の返信はがきを広告につけているところは多い。『リーダーズ・ダイジェスト』や『TVガイド』でよく見かけるし、それほど多くはないが、他の雑誌でもある。広告のすぐ隣に返信はがきをつけると、レスポンスはたいてい跳ね上がる。しかしコストも跳ね上がってしまう。テストして、費用効果の高いやり方を見つけよう。

21.　2つ折りクーポン(返信はがき)を入れる

費用を抑えて、料金受取人払の返信はがきと同じ効果が得られる方法がある。はがきを中とじする割増し料金も払わずに済む。こちらの住所をあらかじめ印刷した、通常の2倍の大きさのクーポンを広告に入れるのだ。その用紙が郵便規定を満たしていれば、読者はその2倍大のクーポンを切り取り、半分に折ってのりづけして、切手を貼らずに送ることができる。いわば自作の返信はがきだ。必ず郵便局で確認して、はがきのサイズや紙の厚さ（つまり重さ）の最新の規定をチェックすること。

22.　新聞折込を利用する

新聞の日曜版を開いたとき、目に留まり、どさっと落ちてくるもの、それが折込広告だ。これは通販の広告にピッタリだ。伝えたい内容がたくさんあるならページもののパンフレットにしたり、何なら通販のカタログまるまる

１冊を折り込むことも可能だ。内容がそれほど多くなければ、丈夫な紙１枚の両面に印刷したチラシを折り込むこともできる。料金受取人払の返信はがきや注文用紙を入れてもかまわない。単独の折込は通常の広告より費用はかさむが、レスポンスは増える。折込広告は、注目度が高い、長いコピーも可能、切手不要ですぐに送れる注文用紙が入るなど、重要な要素を兼ね備えている。人口の多い地域ならたいていは地区を指定して折込が手配できる。

23. オファーを何種類かテストしてみる

レスポンスを増やす方法の１つに、２種類以上の異なるオファーをまず１種類の新聞や雑誌に出してテストする方法がある。テストの結果１番たくさん反応があったオファーを、掲載予定の新聞･雑誌すべてに載せるわけだ。最も正確にテストするには、媒体によって可能なスプリットランテスト（→詳細は第18章）を行うこと。その媒体の総発行部数の半数にオファーＡを、残りの半数にオファーＢを、同日の同位置に掲載してくれる。新聞なら1,000紙以上、雑誌でも数百誌がこのスプリットランテストを提供している。

一般的に、食品や石鹸のサンプル提供は反応がよく、風邪薬や頭痛薬など医薬品のサンプル提供は反応が悪い。

オファーをテストするもう１つの方法に、クーポンで次のように**２種類以上のオファーを提供**する手もある。

ご希望のサンプルに印をつけてください。
____床ワックス缶のサンプル
____磨き布のサンプル

たとえば保険販売なら、クーポンに次のように各種パンフレットのリストを入れてオファーをテストできる。

ご希望のパンフレットに印をつけてください。
____子どもの大学資金を用意する方法
____家のローンを完済する方法
____障害を負った場合に収入を確保する方法

最も効果の高いオファーがどれかわかれば、以後広告にはそのオファーを前面に押し出し、それ以外のオファーは「その他」として小さめに扱う。効果が「1番」でなかったからと言って、そのオファーのほうがいい層を無視していいことにはならないからだ。

24. 広告を何種類かテストしてみる

最も効果のあるオファーがわかったら、そのオファーを載せた広告を何種類かテストする。同じオファーの広告を数種類出していると、ある広告が見出しや写真のおかげで他の広告より問合せが2倍もある、ということもめずらしくない。

あまり費用のかからないスペースでまずテストしてから、スペース料金の高い場所に掲載する手もある。たとえば、新聞1紙で迅速かつ低コストのテストを行う。最も効果がある広告がわかったら、それを新聞や雑誌などすべての掲載対象リストで使用し、またテレビ、ラジオコマーシャル用に作り変えるのだ。

25.　最適の媒体を利用する

新聞・雑誌広告のほうが、テレビ・ラジオコマーシャルより低コストで問合せが得られる場合もあれば、テレビ・ラジオコマーシャルのほうが新聞・雑誌より効果的な場合もある。経験に基づいて判断しているところは、たいてい最適の媒体を選んでいるはずだ。もし、媒体に詳しくない、詳しいスタッフもいない、という場合は、メディア専門会社に問い合わせて、媒体の選択や評価の仕方を教えてもらおう。いずれにしても、ときには実際に広告を出稿して媒体テストを行う必要がある。

テレビ・ラジオコマーシャルと新聞・雑誌広告のどちらがいまの企画に最適かがわかれば、さらに絞り込んだテストを行って、どの放送局あるいはどの新聞・雑誌が最も効果的かを判断する。新聞・雑誌や局のテストで言えることが、ダイレクトメール、テレマーケティング、インターネット、そして将来の未知の媒体についてもあてはまるのだ。

26.　いろいろな層からおいしいとこ採りする

ある新聞・雑誌や放送局に何度か広告を出稿していると、CPI（問合せ１件あたりにかかるコスト）がだんだん高くなっていく場合がある。それは、その媒体の１番おいしい層を採り尽くしてしまったからだ。コマーシャルなら時間帯を変えて別の視聴者層の獲得を試みたり、チャンネルや放送局を変えたりしてみる。新聞・雑誌なら、掲載紙/誌を変えてみる。

通販業者は、ある雑誌の読者は非常にレスポンスがいいから毎月広告を出しても採算が取れるとか、CPIを低く抑えるためにあの雑誌には年に１、２回だけの出稿にしておこう、といったことをよく心得ている。このように媒体を使い分けるのは、釣りに似ている。釣りの達人はより多くの魚を釣るために、次から次へと釣り場を変えるものだ。

27. 最も効果的な広告サイズを選ぶ

ブッククラブ（訳注・会員制書籍販売）のような広告は、全面広告を出すことでスペースあたり最高の売上を挙げているが、他の広告、たとえば旅行パンフレットなどは、1/2段かそれ以下のスペースで1番効果を挙げている。どうやら、ブッククラブの仕組みを売り込むには長いコピーが必要だが、無料の旅行パンフレットへの応募を促すには小スペースで十分ということらしい。いまの企画にはどのサイズが最も効果的か。それを決めるのは、様々なサイズの広告でテストをしてからだ。

28. 長いコピーにする

最も効果的な広告のサイズがわかれば、そのスペースいっぱいにコピーを詰め込もう。ごくわずかなスペースしかない広告でも、全面広告でもだ。

簡潔なリマインダーコピー（訳注・覚えてもらえるよう印象づけるコピー）、つまり短い言葉かキャッチフレーズしかないような広告よりも、商品やサービスの事実と相手にとってのベネフィットが詰まった長いコピーのほうが、よい反応が得られる。

スペースを効率よく使っている例を知りたければ、通販カタログや、雑誌や新聞の日曜版に載っている通販広告を見るといい。売込み効果の最も高い通販広告のなかには、1,200ワードものコピーが小さい文字で入っているものもある。

コピーが長くなる、もしくは文字が小さくなることをためらわないこと。大事なのは、そのコピーで関心を引けるかどうかだ。「**伝えれば伝えるほどたくさん売れる**」ことを忘れないように。**図13.2**（→次ページ）を見れば、それが一目瞭然だ。

29. 1番効果的なシーズンを活用する

あるシーズンには、新聞・雑誌を読む、テレビ・ラジオを見聞きするといった機会が他のシーズンよりも増える。通販広告のレスポンスが大きいのは、９月からクリスマスシーズンを経た１～３月までだ。この時期に比べると夏期は鈍る。クーポンつきの同じ広告を１月と８月にテストしたところ、１月は８月の２倍の応募があった。

新聞広告では、曜日によって効果に差が出る。あるテストによると、日曜日の新聞広告には平日の広告より**40％多い**応募があった。もちろん、日曜版のほうが発行部数に比例してそれだけコストも高くつくが！（訳注・日本でも、曜日指定は割増料金になる）

30. 新聞・雑誌の1番効果的な場所に掲載する

広告への反応を調べると、掲載位置と広告効果の間には当然ながら関係があることがわかる。新聞の経済面なら、金融商品やビジネス関連商品への引きが最も効果が高い。生活面はたいてい家庭用品に１番効果がある。食品関係の記事が食品の広告に並んでいると効果が高まる。新聞では**2面**、**3面**、**最終面**が効果が高い（訳注・日本でも一般的に似ていると言える）。また、同じページでも

図13.2

新発売バリケード®
発芽前除草剤

ゴルフの試合を台なしにする、メヒシバやヤエムグラといった手強い雑草がコースに生え出すシーズンです

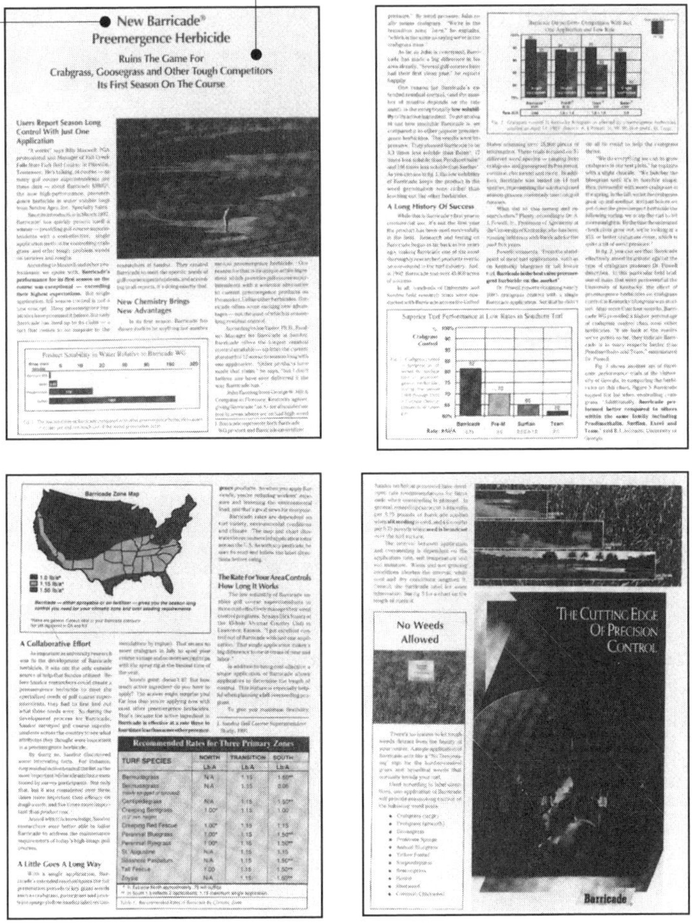
New Barricade®
Preemergence Herbicide
Ruins The Game For
Crabgrass, Goosegrass and Other Tough Competitors
Its First Season On The Course

Users Report Season Long Control With Just One Application

New Chemistry Brings New Advantages

A Long History Of Success

Barricade Zone Map

A Collaborative Effort

The Rate For Your Area Controls How Long It Works

A Little Goes A Long Way

Recommended Rates for Three Primary Zones

No Weeds Allowed

The Cutting Edge Of Precision Control

Barricade

図13.2　記事広告1ページより16倍も効果的！

記事広告1ページより16倍効果的なものとは？　16ページものの編集記事広告だ！「取引先各社」の広告を入れたおかげで、それらしく見えるこのアドバトリアル（情報誌）は、ゴルフコースの管理会社をターゲットにしたもの。広告掲載前の調査で、このターゲット層が情報に飢えていることがわかった。掲載後の調査では、商品の認知度が20%アップした。その結果、リード（新規見込み客データ）や売上も増え、サンド社の新しい除草剤ブランドは成熟市場で突如3位に躍り出た。

下部より上部のほうが効果的だ。日曜の新聞の雑誌セクションは一般的に効果が高い。雑誌ならたいてい、１、３、５の各ページに掲載するとかなり効果がある（訳注・アメリカの雑誌の第１ページは日本の雑誌の第３ページに相当）。

31.　通販のカギつき広告を研究する

まだ広告を始めたばかりで、特定の分野の経験がないなら、他の広告の**カギ（識別記号）つき広告を研究**することが重要だ。**通販の広告ならなおいい**。

通販広告の秘訣は１つ残らずよく観察して学ぶべきだ。なぜなら、通販ビジネスの存続は、最も効果の高い広告を最も効果のある媒体に**繰り返し掲載する**ことにかかっているからだ。したがって、ある通販で１番効果のあった広告を知りたければ、雑誌のバックナンバーを見てどの広告が１番頻繁に掲載されているかを調べればいい。その通販企業にとって最適な媒体誌が何かを知りたければ、１番お金をかけている媒体に注目すればわかる。こうした情報があれば、出だしは上々。こちらの企画に問合せが集まる広告が出せるからだ。

32.　結果を記録する

もちろん、広告にはすべてカギ（識別番号）をつけて、結果をきちんと記録すること。応募先住所に「第１部宛て」「第２部宛て」などとしてその広告にカギをつけてもいいし、『リーダーズ・ダイジェスト』５月号を表す「RD-5」などのカギをクーポンに小さく印刷してもいい。

パソコンに記録するだけでなく、情報カードを使うと便利だ。新聞・雑誌広告、ダイレクトメールなど、広告ごとに情報カードを用意する。すぐ見られるように、パソコンのデータ印刷やカード作成は広告ごとに行う。各広告の基本事項、つまり、見出し、広告サイズ、広告費、掲載紙/誌名、掲載日、掲載位置、問合せ数や売上を記入する。広告費を問合せ数や売上で割って、その数字を各カードの1番上に記入する。1レスポンスあたりのコストが低い順にカードを並べ直す。テレマーケティング、ダイレクトメール、ラジオ・テレビコマーシャルについても同じように記録する。そして定期的に情報カードを見直して、各企画に最適な広告と媒体を決定する。

こうすれば、失敗を防ぎ、何度でも成功する今後の宣伝計画を立てることができる。

こうすればもっと問合せが増える32の方法一覧

参考にしやすいように、問合せが増える32の方法を以下にまとめる。

1◎オファーを見出しに入れる
2◎「無料」という言葉を強調する
3◎オファーを小見出しに入れる
4◎パンフレットやサンプルを写真で見せる
5◎オファーをコピーの冒頭で説明する
6◎パンフレットのタイトルで引きつける
7◎提供するパンフレットを効果的に説明する
8◎パンフレットに有名人のまえがきを入れる
9◎利用者の証言を入れる
10◎オファーに色をつける
11◎応募用紙（クーポン）を入れる
12◎クーポン自体の価値を明記する

13 ● クーポンにもセールスコピーを入れる
14 ● どの広告にも応募先は２か所に入れる
15 ● 電話番号を入れる——フリーダイヤルならなおよし
16 ● 注文用のFAX番号を目立たせる——フリーダイヤルにしよう
17 ●「購入義務は一切ない」ことを強調する
18 ● ある種の情報は中身がわからないようにして送る
19 ● いますぐ行動するように促す
20 ● 料金受取人払の返信はがきをつける
21 ● ２つ折りクーポン（返信はがき）を入れる
22 ● 新聞折込を利用する
23 ● オファーを何種類かテストしてみる
24 ● 広告を何種類かテストしてみる
25 ● 最適の媒体を利用する
26 ● いろいろな層からおいしいとこ採りする
27 ● 最も効果的な広告サイズを選ぶ
28 ● 長いコピーにする
29 ● １番効果的なシーズンを活用する
30 ● 新聞・雑誌の１番効果的な場所に掲載する
31 ● 通販のカギつき広告を研究する
32 ● 結果を記録する

「広告という仕事は自由国家の生活に欠かせないものだ。広告は、それまで存在しなかった市場の創出を促す。人々が望む製品を売り込むだけでなく、人々がそれをほしいと気づきさえしなかった製品まで売り込んできた。もっと重要なのは、広告のおかげで、大量消費に基づく大量生産を自由に行う唯一の方法を可能にしてきたことだ」

——トマス・E・デューイ（訳注・1902－1971。政治家。ニューヨーク州知事。共和党大統領候補になったこともある）

第 14 章

最大数のお客に
アピールする方法

私が初期の頃に担当した広告に、某氏の育毛剤があった。この企画に取り組むにあたって、私はこう考えた——この育毛剤で本当に毛が生えることをみんなにわかってもらえれば、飛ぶように売れるだろう。したがって、課題はこの育毛剤の効果を証明することだ。この育毛剤で毛が生えてこなければ、製造者の某氏が詐欺広告で刑事責任を問われる、と人々にアピールするのはどうだろう。

そう考えて、次のような見出しを書いた。

この育毛剤で毛が生えてこなければ、私は刑務所行きになるかも

ドラマチックな感じを出すために、某氏が刑務所の鉄格子の向こうにいる絵を添えた。

同僚のコピーライターがこの広告を見て大笑いした。「四六時中そうやってクライアントをからかうことばかり考えてるのね！」と言うのだ。

この広告が同僚のコピーライターにまで誤解されるなら、世間の人々には間違いなく誤解されると私は判断した。

> 一般の人が広告を見て判断するのは一瞬のこと。したがって、間違いなく伝えるには、広告のなかで見出しとビジュアルが同じことを言っている必要がある。

この場合、見出しでは「刑務所行きになるかも」と言っているのに、ビジュアルが伝えているのは「いま刑務所にいる」ということだったのだ。同僚は見出しを読む前にビジュアルを見て反応したわけだ。ビジュアルは文字よりも速くメッセージを伝える。

見出しとビジュアルが一致している、書籍通販の広告例を挙げる。

［見出し］　**ギロチン台に連れていかれるマリー・アントワネット**
［ビジュアル］ギロチン台に連れていかれるマリー・アントワネットの絵

古典文学シリーズで描かれている1場面をドラマチックに表現したこの広告には、同じシリーズの以前の広告と比べて**8倍**ものクーポン返送があった。

売込み効果につながる3要素

よく知られていながら無視されることも少なくない、売込みにつながる3つの要素がある。

1 ● 短い段落
2 ● 短い文
3 ● 短くてわかりやすい言葉

ぎっしり詰まった文字の固まりを目にすることほど、うんざりすることはない。長い段落は短い段落に分けること。短い段落なら読もうという気になる。1文が長いと、面倒な頭の体操を読む人に強いることになる。最初に読んだ内容を頭に入れたままで、他にいくつもの内容を理解しなければならないからだ。

簡単な言葉については、次のエピソードがその重要性をよく物語っている。ある児童書の出版社が知りたかったのは、子どもたちがよく読んでいるある歴史の本の秘密だった。その歴史の本は、他のどの本よりも子どもたちに人気があったのだ。先生に読めと言われたわけでもないのに、休み時間に読む子たちもいるほどだった。

出版社がその本の作者に尋ねると、こんな答えが返ってきた。

「原稿ができあがったら10歳の子に読ませて、わからない言葉にどんどん線を引いていってもらうのです。そのあとで、もっとわかりやすい言葉に置き換えていきます」

読みやすいコピーにする

コピーを書いたら、誰かに渡して声に出して読んでもらおう。ある代理店幹部が、雑誌社からダイレクトメールを受け取った。冒頭部はこうだ。

お手紙を差し上げましたのは、『月刊○○』誌の読者分析により広告主様にご提供できるターゲット市場をご説明させていただくためです。

読みながらおそらく少しつかえたと思う。もしこれを書いた人が誰かに渡して声に出して読んでもらっていたら、その人もつかえたに違いない。そうすれば、次のように書き直すこともできたのだ。

お手紙を差し上げましたのは、『月刊○○』誌に広告をご出稿いただくことで到達可能な読者層をご案内するためです。

広告のコピーは、文法的に正しく、句読点が適切であることはもちろん、スムーズに速く読めるものでなければならない。前に戻ってある部分を読み返さないといけないようではダメだ。読む人が句読点や記号に十分気をつけなくてはいけないようなコピーを書いてはいけない。複雑な句読点を要する文は避けること。

コピーがちょっとゴタゴタしていて読む人が戸惑うのは、ほんの一瞬かもしれない。しかし、一瞬戸惑う人が百万人いれば、それは大混乱なのだ。

スタイル重視のコピーの弱点

ある広告から抜粋した次のコピーを読んでみよう。

まだ○○社のビスケットを食べたことがない？……ぜひお試しください、気に入っていただけるはずです。そして、おわかりになるはずです。世界中、いつも同じ、変わらぬおいしさ。

これはスタイルコピー寄りの例で、何を伝えるかより、どう伝えるかのほうを重視したコピーだ。

最初の文を見てみよう。これが質問文だということは、最後の「？」を見るまでわからない。そこまでは普通の文として読んでいるから、結果としてわずかに戸惑いが生じる。

最後に「世界中、いつも同じ、変わらぬおいしさ」とあるが、これはこの○○社のビスケットが世界中どこでも買えるという意味だろうか。それとも、このビスケットを持って世界中を回っても、どんな気候下でも味が変わらないという意味だろうか。

こういうスタイルコピーは多い。何かよさそうなことを言っている、という印象は相手に与えるが、ズバリ何を言っていたかと問えば、相手は思い出せないのだ。

スタイル重視のコピーの弱点は、次の見出しを見ればわかる。どの見出しも言いたいことは同じだ。ただし、３番目の見出しが内容が１番はっきりと伝わる。カッコつけずに、シンプルな言葉で書いているからだ。

1. 年収５万ドルの可能性を秘めた年収２万5,000ドルの方へ

2. 達成してみれば、年収２万5,000ドルも１段階にすぎません

3. 年収５万ドル稼ぎたいとお考えの、年収２万5,000ドルの方へ

次の文は、あることをかなり複雑に表現したもの。

「他の個人に合法的に属する所有物を、個人の使用目的で、私用に供することは違法である」

同じことをもっと簡潔に表現すると「人のもの盗むべからず」となる。

後者の平たい物言いは、教養の高い人にとっても、その人にどれほど学歴があろうと、不快に思われることはない。もちろん、教育をあまり受けていない人にとっても、意味がはっきり伝わる。

広告の売込み力をアップするには、コピーは凝ったものではなく、わかりやすいものにすること。すべての人にわかりやすいコピーにしても、インテリがそれを不快に思うことはない。

説明を補足する

デパートの責任者が家庭用品の広告を準備した。その広告を出す前に、あるベテランのコピーライターに見せて意見を求めた。
そのコピーの冒頭は、こんな文だった。

ほとんどの商品は当店限定です。

コピーライターはこの文に言葉を加えて次のように変更した。

ほとんどの商品は当店限定です——
他では手に入りません。

コピーをさらに読み進むと、次の文があった。

全品保証つきです。

コピーライターはこの文を次のようにより詳しく説明した。

全品保証つきです。1年以内に異常が発生した場合、
新品と交換いたします。返金をご希望の場合も応じます。

　このコピーライターはこう言った。
「限定とか保証といった言葉は広告であまりにもよく使われてきたので、元の威力を失っています。それに、この言葉の本当の意味が実はわかっていない人も多いんです。だから、かみ砕いて説明したほうがいいのです」

わかりやすく伝える

　コピーを書くのに効果的な案を紹介しよう。まず次の文章を読んでほしい。

この章で説明するのは、広告をわかりやすくする方法です。
平均的な人が理解できるのはわかりやすい広告だけです。

　次は、この文章を少し変えたもの。

この章で説明するのは、広告をわかりやすくする方法です。
わかりやすい広告だけが、平均的な人に理解してもらえるのです。

　２つの違いは、前者の２つ目の文が「平均的な人」で始まるのに対し、後者の２つ目の文は「わかりやすい広告」で始まる点だ。
　後者のほうが少しだけわかりやすい理由は、読んだ人の頭のなかで、最初の文が「わかりやすい広告」のことで終わり、その言葉ですぐに次の文を始めているからだ。

わかりやすさが大事な証拠

　一般大衆にアピールする際にわかりやすさが欠かせないことは、広告以外の業界を見てもわかる。

映画業界で考えてみよう。よく知られているように、インテリ向けの凝った映画は興行的にはたいてい失敗する。

主要全国誌の発行部数を比べてみよう。大勢の人が読んでいるのは難しい内容の雑誌ではない。たとえば、『アトランティック・マンスリー』の発行部数は『リーダーズ・ダイジェスト』に比べればほんのわずかだ。

タブロイド紙を例に取ってみよう。言葉ではなくおもに写真でニュースを伝えることで、とことんシンプルにしている。その結果はご存じのとおり。

写真よりさらにイキイキと伝えるテレビという媒体に読者を奪われるまでは、写真を多用するニューヨークの『デイリーニューズ』紙がアメリカ最大の発行部数を誇っていた。全米で手に入る『ウォールストリート・ジャーナル』『USAトゥディ』『ニューヨーク・タイムズ』を除けば、いまでもトップ3に入る。

まだある証拠
——小6の国語の教科書に出てくるような言葉を使おう

広告業界には、シンプルさの重要性がわかっていない人も多い。そういう人たちは、『リーダーズ・ダイジェスト』に載せる広告なのに、『ザ・ニューヨーカー』向けのコピーを書き続けている。

また、シンプルさの重要性は認めながらも、難しいコピーを書き続けるコピーライターもいる。そのほうが書きやすいからだ。長々と書いた手紙の最後に追伸で「長文失礼しました。短く書く時間がなかったのです」と書き添えるのと同じことだ。

シンプルな広告のほうが売上アップにつながりやすいにもかかわらず、多くの広告主が、相変わらず理解不能な広告を新聞・雑誌に掲載している。次は雑誌に掲載された広告の見出し。

鑑識眼のあるクライアンテール様に

巨人と矮人

いまお使いの歯磨き粉代品は彼女にあげましょう

一般の人に、クライアンテール、矮人 、代品の意味がわかるだろうか?

いまの広告コピーはこんな言葉でいっぱいだ——ファスティディアス(好みにうるさい)、ディスティンクティブ(顕著な)、イグジラレーション(高揚感)、バーチャル(仮想の)、ベリタブル(本物の)、ヘリテージ(遺産)など。

それに、こんな言い回しも多い——洗練されたキュイジーヌ(料理)、すばらしいインテリア装備、大量生産のなかにもクラフトマンシップ(職人技)等々。普通の人が使う表現だろうか?

広告業界の人間なら誰でも、次のようなコピーを読んだり、ひょっとしたら書いたりしたことがあるはず。これは、ある広告からの引用。

> 強力な放送局が非常に多く集中し、選択性の低い受信機が妨害されるような場所でも、この「エクセルシオール・レシーバ」のフルレンジ選択性が、オーバーラップを制御して受信を容易にします。

今度こんなコピーを書くなら、つまり、お利口そうなコピーを書くなら、平均的な教育を受けた人たちに見せて、わかるかどうか聞いてみるといい。相手の顔を見れば、言葉で言ってもらうよりもはっきりとわかるはずだ。利口ぶったコピーを書くことが利口なことではない理由が。

新米コピーライターが広告業界に入りたての頃は、「わかりやすく書け。簡単な言葉で短い文章にしろ」というアドバイスに逆らいがちだ。他のコピーライターやAE、クライアントに褒めれるような「うまい」コピーを書きたい、という衝動にかられるからだ。実際、この衝動をずっと抱えたままのコピーライターもいる。

1930年代の中頃、私はオハイオ州のいくつかの町でマーケティング調査を行ったことがある。私の任務は家を1軒ずつ訪問して、自動洗濯機を使っているかどうか、使っていない場合はその理由を主婦に訊いて回ることだった。

ある夜、アシュタブラという町のホテルに泊まっているとき、勤務先の広告代理店からこんな電報を受け取った。
「ピアノラが何か知っているか、100人の女性に訊くこと」
私は１人吹き出した。何てバカげた質問だろう。もちろん、女性なら知っているはずだ。当時、ピアノラが自動ピアノであることを知らない者はいなかった。私は高校時代のなつかしい歌を思い出した。

楽しく歌おう
ピアノラに合わせて

次の日の朝、１軒目の主婦に洗濯機について意見を聴いたあとで、私はちょっとはにかみながら尋ねた。
「ピアノラが何かご存じですか？」
相手はこちらを見てきょとんとしている。まるで私が、アインシュタインの相対性理論を説明してくれ、とでも頼んだかのような顔だ。私もあっけにとられて相手を見た。ピアノラを知らないなんて信じられなかった。私はようやく笑みをとりつくろってこう言った。
「ご存じないようですね。あまり有名じゃありませんから。ではありがとうございました。ごきげんよう」
２軒目の主婦もきょとんとした顔で返事に詰まった。３人目には、ピアノラというのは新しい洗濯機のことか、と尋ねられた。最終的にわかったのは、ピアノラが何かを知っている女性は10人に１人だけということだった。
広告のコピーを書くときは、**小学６年生の国語の教科書に出てくるような言葉を使う**こと。

勘違いされた広告

ハイファイラジオのメーカーが、自社ラジオのパワーを前面に出した屋外看板用ポスターを作った。そのポスターは次の要素でできていた。

1 ◉そのラジオの品名。仮に「究極ラジオ」としておく。
2 ◉パワフルなモーターボートが走っている絵。あまりの速さに、船首が水面から浮いている。
3 ◉コピーは「パワー」1語だけ。

ポスターは次のようなレイアウトだった。

究極ハイファイラジオ
［モーターボートの絵］
パワー

このポスターを見て広告業界の人間は、私も含めて、「すばらしい」と声をあげた。

ある日バスに乗っていて、このポスターの前を通りすぎた。すると後ろの座席からこんな会話が聞こえてきたのだ。

「究極モーターボートって、どんなモーターボートだろうね」
「さあね。水を切って進むことは確かね」

こういう人たちに向けてコピーを書いていることを常に忘れないようにしよう。普通の人にとって、モーターボートの絵ならモーターボートの広告なのだ。そして、どんなことがあっても、たとえ特大サイズの文字で「ラジオ」と書いてあっても、ラジオの広告とは思ってもらえないのだ。

モーターボートの広告なら、もちろんモーターボートを見せればいい。
でも、ラジオの広告なら、それがどんなにパワフルでも、ラジオを見せること。

　また、こんなこともあった。ある夕方、ニューヨーク市内のリバーサイド・ドライブを走るバスに乗っているとき、後ろの女性が友人に広告を読み上げているのが聞こえた。コーン油を宣伝する３つの文が、道路脇の電光板に点滅しているのだった。そのうちの１つが「なめらかで……味のトリコになります」だったのだが、女性は「淡泊な」という字を読もうとして口ごもり、あきらめてしまった。実に残念なことだが、広告を読む人の語彙が限られていることをわれわれコピーライターが知る機会はそうそうないのだ。

ある弁護士の勝率アップの秘訣

　優秀なある弁護士が、訴訟に勝つにはシンプルさが重要だということを経験から学んだ。その弁護士はこう言っている。
「今日、法廷に持ち込まれる事件の半数は、陪審にかけられないのです。その代わり、それぞれの弁護士が弁論趣意書にして裁判官に直接提出します。私はこの手の事件を引き受けるといつもうれしくなるのです。たいていの相手よりも、効果的な趣意書の書き方を心得ていますからね。
　その方法とは、趣意書をごくシンプルに書くことです。『第１当事者』とか『第２当事者』といった法律用語は全部省きます。**法律用語がまったくわからない友人に手紙を書くように趣意書を書く**わけです。この方法で、勝率が一気に上がりましたよ」

勘違いされた見出し

私は以前『カリッジ（勇気）』という本の広告コピーを書いたことがある。不安をなくして自信を高める方法についての本だ。印象に残る見出しを探りながら、私はこんなふうに考えた。勇気の象徴として1番よく知られているものと言えば、ブルドッグ。そして、勇気の概念を表す最も印象的な言葉なら「グリット（度胸、根性）」だ。私はこの2つをまとめて、次の見出しを考え出した。

「ブルドッグ・グリット」をあげます

広告レイアウトは、著者の写真が見出しのすぐ上に来るようにした。

（著者の写真）
「ブルドッグ・グリット」を
あげます
（コピー）

これで、著者が読者に直接話しかけている感じがするし、通販広告ではそうするのが望ましいとされている。

私はこの広告を友人に見せて尋ねた。「この広告を見て君ならどう思う？」

友人は満足そうにうなずいた。「きっと立ち止まるだろうね、僕がブルドッグを飼っていれば」

私はまじまじと友人を見つめた。「ブルドッグを飼うことと何の関係があるんだ？」

「えっ、この『ブルドッグ・グリット』ってドッグフードのブランドじゃないのか？」（訳注・複数形の「グリッツ」で、あらびきトウモロコシのシリアルのこと）

私は机に戻るとすぐに見出しを「**『ブルドッグの勇気』をあげます**」に変えた。

効果的な見出しをさらに効果的にする方法

たいていの場合、アプローチが直接的になるほど、効果も大きくなる。あるガソリン添加剤の２種類の広告を例に取ろう。

１つ目の見出しは「10ガロンにつき１ガロンのガソリン節約になります」だった。この見出しの広告で、商品サンプルにたくさんの応募があった。

その後、もっと限定的なアプローチを試すことになった。「ドライバーのみなさん」という言葉を、見出しの前につけ加えたのだ。

「ドライバーのみなさん！　10ガロンにつき１ガロンのガソリン節約になります」

他には何も変更しなかった。どちらの広告もコピーは同じだ。

この２種類の広告を、ある新聞でスプリットランテストを行った。その結果、「ドライバーのみなさん」で始まる２つ目の広告のほうが、１つ目より**20％**もサンプル請求が多かったのだ。

このテストは、見出しの変更に関して何年も行ってきた数多くの実験の１つにすぎない。多くの場合、こうした見出しの変更によって宣伝効果が著しく上がっている。

次に挙げるのは、そうした変更で成功した例。

「花粉症」→「花粉症を断つ」

花粉症の治療薬のメーカーが、「花粉症」という見出しの小サイズ広告でサンプル提供を呼びかけたところ、反応がよかった。メーカーは次に、コピーは同じで見出しだけ異なる広告をいくつかテストした。新しい見出しの１つは「花粉症を断つ」だった。

新聞のスプリットランテストの結果はこうだ。「花粉症」という見出しの広告には297件のサンプル請求があった。一方、「花粉症を断つ」という見出しの広告には380件の請求があった。ほんの少し言葉をつけ加えただけで、**27%もアップ**したわけだ。「断つ」という言葉のおかげで、絞り込むだけの見出し「花粉症」に、**ベネフィットの期待感**が加わったのだ。

「15年後に退職」
→「どうすれば40歳の方が15年後に退職できるか」

退職年金が商品の、ある広告主が、外交員のためにリード（新規見込み客データ）を増やそうとしていい反応を得たのが「15年後に退職」という見出しの広告だった。この広告は数年間掲載されて効果を上げ続けた。その後、見出しを「**どうすれば40歳の方が15年後に退職できるか**」に変更。レスポンスはアップした。しかも、同じくらい重要なのは、見込み客の質も上がったことだ。問合せをしてきたのが35〜45歳の人で、保険外交員がまさに訪問したい年齢層だったのだ。この年代の人は退職に備えて貯蓄を始めたいと思い、またそうするための資金も持ち合わせているからだ。

「涼しくぐっすり眠れる方法」
→「涼しくぐっすり眠れる方法――熱帯夜でも平気」

ポータブルエアコンのメーカーが「涼しくぐっすり眠れる方法」という見出しの広告を出した。広告には電話番号を載せ、さらに詳しい情報はお電話でお問合せを、とした。かかってきた電話は販売員に回され、メーカーのショールームに来てもらうよう電話で相手を促す。その後、この広告の見出しに言葉が追加され、「涼しくぐっすり眠れる方法――**熱帯夜でも平気**」に変更された。これで見出しはよりドラマチックになり、ベネフィットの保証も強化された。当然、問合せも売上もアップした。

「すばやく簡単にきちんと車を修理する方法」
→「すばやく簡単にきちんと車を直す方法」

ある広告会議の場で、通販のコピーライターが話してくれた事例。「すばやく簡単にきちんと車を修理する方法」という見出しの広告で、順調な受注があった。その後、「修理する」を「直す」に変えて、見出しを「すばやく簡単にきちんと車を**直す**方法」としたところ、注文は**20％増加**。「修理する」と言うと大変な作業のように感じるが、「直す」だとすばやく簡単だと思うのだ。

『5エーカーと自給自足』

ある出版社が、田舎に家を持つことをテーマにした『5エーカー』という本を出版することにし、次の2つのタイトルをテストした。

1.『5エーカー』
2.『5エーカー・アンド・インディペンデンス（5エーカーと自給自足）』

結果は、2つ目のタイトル『5エーカーと自給自足』の圧勝だった。この本は出版後、大ヒットした。

『どうやって私は営業の失敗から立ち上がって成功したか』

テストされた本のタイトルをもう2例。

1.『どうやって私は営業で成功したか』
2.『どうやって私は営業の失敗から立ち上がって成功したか』

「失敗から」という言葉が入っている後者のタイトルの勝ち。この本もベストセラーになった（訳注・邦訳書タイトルは『私はどうして販売外交に成功したか』〈フランク・ベドガー著、土屋健訳、ダイヤモンド社〉)。

雑誌に学ぶ、タイトルのインパクト強化法

今度、表紙にステッカーが貼ってある雑誌を買うときは、そのステッカーに印刷された記事タイトルを読んでから雑誌を開き、実際の記事タイトルと比べてみよう。ときには、次のように言い回しが違っている場合があるのだ。「睡眠薬なしで不眠症に打ち勝つ方法」という、ある雑誌記事タイトルの場合、「薬なしで眠る方法」というもっと短くてシンプルなタイトルが、その雑誌の表紙ステッカーに印刷されていた。

これは雑誌の販売部門の仕事で、なるべくたくさんの部数を売るためにこうしているのだ。だからときには、記事タイトルをシンプルにしたり、修正したり、構成し直したりして、もっとセールス効果を出すようにする。そうすることで販売部のスタッフは、実質的に見出しを扱っていることになる。効果的な見出しを、さらによくしようとがんばっているわけだ。先の例のように記事タイトルを短くする場合もあれば、長くする場合もある。言葉を少し変えるだけのこともあるし、タイトル全体を組み直すこともある。

短くすることでインパクトが強まった雑誌記事タイトルを見てみよう。

（実際のタイトル）　ご家庭の暖房についての裏ワザ
（宣伝用タイトル）　**暖房費節約術**

（実際のタイトル）　買い物上手のバーゲン利用術
（宣伝用タイトル）　**バーゲン利用術**

（実際のタイトル）　浮気の虫から結婚生活を守る３つの方法
（宣伝用タイトル）　**結婚生活を守る３つの方法**

（実際のタイトル）　どう扱っていいかわからない10代を理解する方法
（宣伝用タイトル）　**10代のお子さんを理解する方法**

（実際のタイトル）　効果的なダイエットはどちら？
（宣伝用タイトル）　**効果的ダイエット**

次は、長くすることでセールスアピールがアップした記事タイトル。

（実際のタイトル）　夫の愛情が冷めるとき
（宣伝用タイトル）　**夫の愛情が冷めるときとその対処法**

（実際のタイトル）　男性向け避妊法
（宣伝用タイトル）　**いまこそ、安全で簡単な男性向け避妊法**

（実際のタイトル）　もっと速く読める
（宣伝用タイトル）　**もっと速く読むための20日計画**

（実際のタイトル）　何歳でも健康でいるコツ
（宣伝用タイトル）　**男女ともに何歳でも健康でいるコツ**

構成し直すことで、より関心を引いた記事タイトルもある。

（実際のタイトル）　悲惨な密輸入者
（宣伝用タイトル）　**すべての麻薬はどこから来るのか**

（実際のタイトル）　結婚生活を前向きに築く
（宣伝用タイトル）　**いつまでも新婚気分でいられる４つの方法**

（実際のタイトル）　高血圧、この隠れた死因を新たに考える
（宣伝用タイトル）　**心臓発作の新予防法**

（実際のタイトル）　ガーデニングが再び流行中
（宣伝用タイトル）　**初めてのガーデニング**

（実際のタイトル）　インフレと闘うためにできること
（宣伝用タイトル）　**物価高に負けない10の方法**

まとめ

今度、見出しを書くときは、最初のドラフト（草稿）で満足してはいけない。ひと晩寝かせて、改めて読み直すこと。短くしたり、長くしたり、構成し直したりして、もっといい見出しにできないかよく検討しよう。

「広告は大衆に近づく手段だ。十分にすばらしいものを作れば、たとえ森の奥深くに住んでいようと、相手のほうからこちらまでやってきてくれて道ができる、と物知りなら言うだろう。しかし、大勢の人々に来てほしければ、こちらから幹線道路を引いたほうがいい。広告が、その幹線道路だ」
——ウィリアム・ランドルフ・ハースト（訳注・1863－1951。アメリカの新聞発行者。下院議員）

第15章

どんなレイアウトとビジュアルが1番注目されるか

売込みが第１！　芸術性は二の次

広告で最悪なのは気づいてもらえないこと、と昔から言われている。広告に気づいてもらえるようにするのは、デザイナーやアートディレクターの仕事だ。

しかし、「アメリカを代表する偉大な小説」を書きたいと思っているコピーライターがコピーを書くときには「文学性」を捨てなければならないのと同じように、アートディレクターも広告をデザインするときには「芸術性」を捨てなければならない。少なくとも、二の次にすべきだ。

広告の最大の役目は商品を売り込むこと。したがって、レイアウトやビジュアルを考える際、売込みが第１目的であり、芸術性は二の次なのだ。

あるアートディレクターは、商品を売り込む広告を作ろうとするなかで、次のように考え方が変化していった。広告業界に入りたての頃、この女性は、美術学校で習ったことを活かそうとしていた。広告をレイアウトするときにまず考えるのは、センスのいいデザインをすることだった。ビジュアル選びでは何をおいても、絵画の巨匠たちの作品にできるだけ近いものを選ぼうとした。できた広告を見て他のアートディレクターたちは「ほう！」とか「すごい！」と感嘆の声をあげた。彼女が作っていた広告は、商業アート展で入賞するようなタイプのものだったのだ。

しかし現実的な彼女は、広告の最大の役目は商品をできるだけ多くの人に買ってもらうようにすることだと理解していたので、タクシー運転手、速記者、店員など、芸術とは直接関係のない人たちに、自分のデザインした広告を見てもらった。１人ひとりに広告を何点か見せて、どれに１番引かれるかと尋ねたのだ。

最初に尋ねた男性が最も非芸術的な広告がいいと言ったときは、一笑に付した。女性店員が同じように答えたときも、何かの偶然だと思った。

しかし、何十人もが芸術的な広告には目もくれず、総合スーパーのシアーズ・ローバックが出すようなよくあるタイプの広告を選ぶと、彼女はようやく理解し始めた。

以来、数百回とテストを重ねてきた。そうした経験から、いまではよくわかっている。広告における芸術性など、注目を集めてセールスポイントをしっかり理解してもらうことに比べれば、まったく重要でなく、ときにはアートのルールを完全にひっくり返さなければ、効果的な広告が作れないこともある、ということを。

広告デザイナーの多くが、まだこうした考え方、つまり、このアートディレクターが一般の人たちに広告を見せ始める前の段階にいる。アートのルールを広告にあてはめてどこが悪いのか。それは、芸術作品が目指しているのは、人の感覚に心地よく、周りに溶け込むことにある、という点だ。

公園のベンチはなぜオレンジ色ではなく緑に塗られているのか。緑のほうが美的だから、周りに溶け込む色だからだ。

しかし、周りに溶け込むような広告を広告主が望むだろうか。メーカーが雑誌のカラーページ広告に4万ドルも払って、ただ読者の美的感覚を逆なでしないようにと願うだろうか。とんでもない。**相手を揺さぶり、クギづけにしたい**のだ。刺激して、行動に駆り立てるために。

書体の効果的な使い方

見出しで使う書体を選ぶときは、相手の注意を引くような、**大きくて迫力のある書体**にすること。

コピーの書体を選ぶときは、何と言っても読みやすさ重視だ。

1番読みやすい書体とは、1番よく読まれている書体だ。つまりコピーは、新聞や雑誌の記事で使われている定番の書体にすること。ゴテゴテした書体は避ける。スクリプト書体（筆記体）も避ける。イタリック（斜体）の多用も禁物だ。細すぎたり太すぎたりする書体もよくない。メッセージそのものより文字自体に目が行ってしまうような書体もすべてダメだ。書体で雰囲気を出そうとしないこと。

アートディレクターのなかには、文字を単なる装飾として扱う人もいる。きれいな正方形や長方形の形に文字をムリやり入れる。すべての行が同じ長さになるように揃えて、記念碑の碑文のようにする。ときには、極端に細い文字やスクリプト書体にして、コピーブロックがビジュアルに干渉しないようにすることもある。またあるときは、コピーをデザインの一部として扱い、凝った書体で行間をたっぷり取り、1行が長すぎて読みにくい、ということもある。

こうした仕掛けで広告はより芸術的になるかもしれないが、読もうという気は起こらない。忘れてはいけない。人が雑誌や新聞を買うのは、面白いエピソードや記事を読むためなのだ。したがって、コピーを読んでもらいたいなら、**エピソードや記事のように文字を組むこと**。

書体を選ぶときは、繰り返し使われている代表的な通販広告を調べるといい。**図1.2**（→54〜55ページ）や**図11.1**（→237ページ）がその例だ。力強い、黒の、読みやすい書体が見出しに使われているのがわかる。コピーには輪郭のはっきりとした書体が使われている。たくさんある書体の名前がわからなければ、新聞や雑誌に載っている通販の広告を切り取って、担当デザイナーに「こんな書体でお願いします」と伝えれば間違いない。

広告のレイアウトを考えるときは、見出しを十分に太く大きくする。どんなに大雑把にしか見ない人でも、嫌でも目に留まるようにするためだ。見出しが長い場合は、重要な言葉だけを大文字にしたり、特に大きくしたりする。**図4.2**（→98ページ）にその例がある。

見出しに大きいサイズの文字を使うと、注目度が高まる。メッセージの威力も増す。次の見出しは普通の文字サイズだがどうだろう。

新型モデル発表

では、文字を大きくすることで見出しがどれだけ強調されるだろう。

新型モデル発表

文字を大きくすることで、この発表に力強さや説得力が加わった。そこから伝わってくるのはビッグニュースであり、どうでもいいようなニュースではない。与える印象は、大きな声で話している感じであり、ささやき声ではない。小さい文字で発表すると、まるでこちら自身がそのニュースを重要だとは思っていないような感じがするのだ。

目新しいことがない、発表するようなことがない場合でも、大きな文字の見出しにすることで、新情報らしい雰囲気を出すことができる。次の見出しをまず普通の文字サイズで見てみよう。

出世したいとお考えのみなさんへ

関心を引く見出しだが、ページ幅いっぱいにもっと大きく扱ったら、あとどれだけ多くの注目を集めるだろうか。

出世したいとお考えのみなさんへ

文字を大きくすると、発表、新情報性が加わるようだ。たとえその見出しに新しい情報が何もなくてもだ。

見出しのなかの重要な言葉を目立たせる

長い見出しをレイアウトするとき、すべての言葉を大きい文字で組むスペースがない場合もある。そういう場合は、見出しの一部だけを大きくする方法がある。

たとえば、次の長い見出しではどの言葉も同じ扱いだ。

お金の心配が吹き飛ばせます
このシンプルなファイナンシャルプランに従うだけでいいのです

同じ見出しで、いくつかの言葉だけを大きく扱ったのが次の例。

広告として組むと、大きく扱われた言葉がそのなかで目立つので、読む人の目が留まる。目立たせた言葉だけでもきちんとメッセージが伝わる点に注目。そこが重要だ。単独ではメッセージが伝わらない言葉を強調しないこと。

お金の心配が
吹き飛ばせます
このシンプルなファイナンシャルプランに
従うだけでいいのです

同様の処理をした見出しをあと4例。それぞれ、(1) すべての言葉を同じ扱い、(2) 重要な言葉だけ目立つ扱い、にしている。

(1) **いつか仕事を辞めたい方へ**
(2) **いつか仕事を辞めたい方へ**

(1) **風邪をやっつけるのはこんなに簡単**
(2) **風邪をやっつけるのはこんなに簡単**

(1) **いま楽しんでいる何千人もが、自分にはムリだと思っていました**
(2) **いま楽しんでいる何千人もが、自分にはムリだと思っていました**

(1) **他に試したい方は?　もっと白く洗い上げるのに苦労はいりません**
(2) **他に試したい方は?　もっと白く洗い上げるのに苦労はいりません**

できたコピーをデザイナーやアートディレクターに渡すとき、見出しのなかに大きく扱うなどして他の言葉より目立たせたい重要な言葉がもしあるのなら、その旨を伝えておくと相手は助かる。

長い見出しを書くときは、重要なフレーズが極太や特大サイズ扱いにできるように考えるといい。可能であれば、その重要なフレーズが見出しの頭に来るようにできればなおいい。そういう並べ方が上の見出し4例中、3例に見られる。そうでない見出しは、「いつか仕事を**辞めたい**方へ」だ。

注目を集めるビジュアル

数多くの注目率調査が行われ、そのなかで、様々な新聞・雑誌広告のうちどれに注目したかを尋ねる項目がある。その結果、注目を集めるのに特に効果的なタイプのビジュアルがリストアップできるようになった。例を挙げよう。

- 花嫁
- 赤ちゃん
- 動物
- 有名人
- 奇抜な格好をした人（仮装大会で着る服など）
- 変わった状況の人（眼帯をつけた男性など）
- ストーリー性のあるシーン（母親の帽子をかぶっている小さな女の子など）
- 現実離れしたシーン（女の子を抱えて急流を渡ろうとする男性など）
- 大惨事のシーン（自動車事故など）
- 報道写真（宇宙船の打上げなど）
- タイムリーなもの（クリスマスシーズンのサンタクロース、リンカーン誕生日のリンカーン像など）

注目率調査で興味深いことが明らかになった。ほとんどの商品で、男性は男性の、女性は女性のビジュアルがある広告を見る傾向があるのだ。どうやらビジュアルが目印の役割をはたしているようだ。

一般に人は、男性のビジュアルがある広告は男性向け商品のもの、女性のビジュアルが使われている広告は女性向け商品のものだと解釈する。

注目率調査が広く行われる前は、男性読者を引きつけるには水着姿の美女でも入れておけばいい、と考える広告主もいた。

しかしこの方法ではどうも、ターゲットとは違う人の目を引いたり、勘違いさせたりするようだ。こうしたビジュアルは、その美女への欲望はかき立てるかもしれないが、宣伝している商品がほしくなる、ということにはつながらない。

ダイレクトメールが誕生して間もない頃のこんなエピソードがある。

婦人服の通販カタログ広告を見た男性が、29.95ドルを送金した。広告の服が届くと、男性は文句を言ってきた。29.95ドルを支払って楽しみに待っていたのは女性、つまりその服を着てカタログに載っていたモデルだったと言うのだ！

売りにつながるビジュアル

注目率調査で明らかになった情報を活用するとき、覚えておいたほうがいいのは、あるビジュアルがよく注目されるからといって、必ずしも大きく売りに結びつくわけではない、ということだ。売りにつなげるには、そのビジュアルが広告の商品と関係していなければならない。

注目率調査の結果の使い方を誤って、注目度は高いが自社商品とは関係のないビジュアルを広告に入れているところもある。

たとえば、注目を集めようとして花嫁や赤ちゃんのビジュアルを車の広告に使えば、ターゲットではない人たちを勘違いさせてしまう。反対に、花嫁のビジュアルがうまくいくのは、銀製品など結婚祝いの品だ。赤ちゃんのビジュアルならベビーパウダーを売り込むのにピッタリだ。

広告の効果テストに基づいた、売りにつながる代表的な写真には次のような例がある。

1◉その商品の写真。車の広告なら車の写真を見せる。

2◉その商品使用例の写真。たとえば、買ったばかりの園芸用具を使っている女性の写真。

3◉その商品を使って得られるものの写真。自分が焼いたケーキにうっとりする女性、自分で作ったプリンを味わっている女性、ずっとほしかった上質のコートを着ている女性など（**図15.1→**次ページ）。

4◉夢を実現したときの写真。たとえば、卒業証書を受け取る少年の写真。例の通信教育の広告で妻にお金を渡している笑顔の夫もそうだ。この見出しは「あと50ドル余分に渡すよ、グレース、いまたっぷり稼いでいるからね！」（**図15.2→**343ページの最高傑作広告）

5◉詳細拡大写真。たとえば虫メガネで、新開発のペン先を拡大しているところ。

6◉ドラマチックな写真。たとえば、記憶術講座の広告に目隠しをした男性の写真があった。見出しは「あなたにもできる驚くべき記憶の離れ技」

ビジュアル選びで避けたいのは、こじつけすぎたり、ひねりすぎたものを使うことだ。こんなことがたまにある。

ある代理店がクルージングの広告を長年担当している。楽しそうに船に乗り込む人々や、デッキでシャッフルボード（訳注・棒で円盤を突いて点数を書いた枠のなかに入れるゲーム）に興じる人々のビジュアルには飽き飽きしていた。

何か斬新なアイデアはないかと考えて作った広告が、羅針盤や船長帽をメ

図15.1

毛皮の下取価格が２倍に

史上初！　木曜日から日曜日限り！

First time ever! Thursday through Sunday only!
DOUBLE THE TRADE-IN VALUE OF YOUR FUR
Start with low sale prices on our entire fur collection, then take off twice the trade-in value of your old fur. What do you get? A fine quality fur for less than you ever dreamed possible. We've never offered savings quite like this. Don't miss your big chance. Sale ends Sunday.
EVANS
River Oaks
Yorktown
Woodfield
North Riverside
Evergreen
Ford City
Orland Square

まずは当社の全毛皮コレクションのセール特価をご覧ください。それから、お持ちの古い毛皮の下取り価格を倍にして引いてください。お手元に残るのは上質の毛皮。思っていたよりお安い価格で手に入るというわけです。当社がここまでの値引きをするのは初めてです。このビッグチャンスをお見逃しなく。セールは日曜日までです

図15.1　オフシーズンをオンシーズンに

暖かい季節に毛皮を売る必要があってこの企画が生まれた。写真もコピーもすべての要素が売込みをかけている。「初」にニュース性があり、「木曜日から日曜日」で行動を促している。「下取り」の可能性を見出しで匂わせたあと、より効果的にたった3行のコピーで説明している。結果、この斬新な企画は見た人の好奇心を刺激し、エバンス社の新たな認知につながった。しかも、夏期としては異例の毛皮の売上を記録したのだ。

図15.2

「あと50ドル余分に渡すよ、グレース
いまたっぷり稼いでいるからね！」

「そう、給料日まで秘密にしてたんだ。昇進して月給が50ドル上がってね。初めての昇給分は君のものだよ。家で勉強するように勧めてくれたほんのお礼の気持ちだ。上司に言われたよ、自分の時間を使って勉強している君は会社にとって貴重な人材だ、すぐにもっと給料を上げてやるって。これからは楽な暮らしができるようになるよ、グレース、君とI.C.S.のおかげだ！」

図15.2　史上最高傑作広告の1つ

この広告が最初に出たのは1919年。有名なシリーズ広告の代表作であり、通信教育のI.C.S.（インターナショナル・コレスポンデンス・スクール）はこのシリーズ広告で世界最大手になった。この訴求はいまも変わらず有効だ。たとえば、続くコピーでこう言っている。
「生活費は月を追うごとにかさんでいきます。いままでの稼ぎではやっていけません。どうにかして収入を増やさなければならないのです」

インに扱ったものだった。うまい手ではあるが、これはこじつけすぎだ。この代理店は２つの重要な真理を忘れてしまっている。

1 ●雑誌をパラパラとめくって読む平均的読者にとって、羅針盤の写真は羅針盤の広告であり、帽子の写真は帽子の広告でしかない。

2 ●クルージングを楽しめるお金をようやく貯めた人たちが見て喜ぶのは、船に乗り込む人や船上でゲームを楽しむ人のイメージだ。それこそが求めているものなのだから。したがって、帽子や羅針盤のイメージでこうしたターゲットを取りこぼしたり、混乱させたりしてはいけない。

広告用のビジュアルを探していると、結局、商品写真が１番売りにつながると気づくことはよくある。たとえば「ブック・オブ・ザ・マンス・クラブ」（訳注・会員になると毎月本が送られてくる書籍通販）は本の写真を広告に使っている。通販カタログを見てみれば、次のことに気づくはずだ。

◆ミシンの広告にミシンの写真
◆掃除機の広告に掃除機の写真
◆服の広告に服の写真
◆靴の広告に靴の写真

こうした例は何も、ドラマチックで刺激的なビジュアルを使うな、ということではない。刺激的なビジュアルでもかまわないのだ。それを見て感じる刺激と、宣伝商品とがうまくつながるビジュアルを考え出せればいい。

なぜ、写真が効果的なのか

ビジュアルのテーマを決めたら、たいていは、イラストより写真を使うほうが効果的だ。信憑性の点で、写真ほど効果的なものはない。あえて線画やイラストを使うなら、できるだけ写真風の、本物そっくりのものにしよう。

写真の効果については、私の個人的な体験がいい例だ。

友人の女性が30分かけて、お気に入りのかわいい甥について話してくれたことがある。彼女の話からは、その子がどんな子なのかよくイメージが湧かなかった。説明が理想化されすぎていたのだ。

すると今度は、大きなクレヨン画のかわいい男の子の似顔絵を見せてくれた。その似顔絵にはあまり現実味がなく、実際にどんな感じの子なのかわからなかった。ついに彼女はその子の写真を見せてくれた。ローラースケートを履いて写っている。その小さな写真でその子がどんな感じなのかがやっとわかった。個性的で笑顔のかわいい、男の子らしい子だ。会えばその子とすぐわかっただろう。しかし、クレヨン画を見ただけではわからなかったに違いない。クレヨンの似顔絵は現実離れしていて、ピンとこなかったのだ。

またあるとき、私は夏のリゾートカタログを見ていた。2か所のリゾート地の広告に目が留まった。一方の広告のほうがもう一方より際立っている。その広告には、リゾートホテルとその周辺の写真が数点載っている。この写真のおかげで、そのリゾート地がどんなところなのかがよくわかる。実際に現地を下見するのに近い感覚だ。

もう一方の広告には、ホテルとその周辺を理想的に描いた絵が載っている。旗がたなびき、噴水が水を噴き上げ、美しいヨットが近くの湖に浮かんでいる。その絵は何1つ証明していなかった。本物の情報が一切ないのだ。説得力に欠けている。夏のリゾートホテルはこうあるべきだという、どこかの画家の理想にすぎないのだ。

また別のとき、私はスーツケースを買おうと思った。新聞や雑誌で広告をくまなく探した。スーツケースを線画で見せている広告もあれば、イラストや写真で見せている広告もある。写真を使った広告に1番興味を引かれた。そのスーツケースを実際に見にいっても、期待は裏切られないはずだ。実物のスーツケースは写真そっくりのはずだから。反対に、もし線画や理想化されたイラストでしか見たことのないスーツケースを見にいけば、ガッカリするかもしれない。実物の商品は絵とは似ても似つかないものかもしれないのだ。

写真で真に迫った情報が広告に加わる。写真には説得力がある。**写真が証拠なのだ**。人物、商品、リゾート地の写真を見るとき、自分はいま実物そっくりのものを見ている、と誰もが考える。写真は細部が実に多くを語っている。つまり、表情や周囲の雰囲気のちょっとしたことが伝わるのだ。写真をひと目見れば、実物を見るのに次いでよくわかる。

よく誤って引用される中国のことわざに「一幅の名画は千を語る」というのがある。これが本当なら、**1枚の優れた写真は2,000ワードに相当する**と言える（訳注・千も2,000も「とても多い」ことを表す）。

広告に人の顔を入れる理由

なぜ、通販の広告のビジュアルには、男性や女性の顔がよく使われるのか。こうしたビジュアルは他のビジュアルより売上アップにつながることが多いからだ。

人の顔は目に留まりやすい。特に、写真のモデルがこちらをまっすぐに見ていて、かつその商品やサービスに関係がある場合、たとえば宣伝商品の利用者や、通信講座の修了生の写真などだとなおさらだ。こちらをじっと見ている人の写真は、石鹸1個や風景の写真よりもすばやく目に留まりやすい。

人の顔写真はスペース的にも安上がりだ。顔を入れるだけでいいからだ。つまり、ビジュアルを入れるスペースがたくさんあるなら、顔をスペースいっぱいに拡大することで、まず見逃されないビジュアルになる。

コピーが長くてビジュアルのスペースが少ししかない場合、そこに入るもので何よりも目を引くのは、人の顔だ。60行（約2段×1/6）サイズの通販広告はたいていコピーびっしりで、ビジュアルには切手大のスペースしか残らない。でもそれだけのスペースがあれば、人の顔の印象的な写真を入れるのには十分だ。

他に、どんなビジュアルが広告に使われているだろうか。屋外シーン、複数の人々、オフィスや家庭のシーン、風景などがある。こうしたビジュアルは、スペースが十分にあるなら問題ない。しかし、４分の１ページの広告や長いコピーの広告の場合は、使っても効果が薄い。

風景写真の場合で考えてみよう。印象的な風景写真を小さいスペースにムリやり入れるわけにはいかない。その風景全体を縮小して載せれば、写真の細部がわからなくなってしまう。かと言って、写真の一部をカットして載せれば、せっかくのビジュアルが台なしになってしまう。

では、人の顔の場合はどうだろう。肩や首はカットできる。何なら頭の上のほうをカットして顔面だけにしても、効果的なビジュアルであることに変わりはない。人の顔、特にこちらを見つめている顔は、小スペースで使える最も効果的なビジュアルの１つなのだ。しかも、大きいスペースいっぱいに拡大しても、極めて効果的なのである。

広告のビジュアルに人の顔を使うといい、なるほどと思える理由は他にもある。証言広告の場合を考えてみよう。証言している人の顔写真を載せれば、読む人はその内容により信頼感を覚える。言っていることは本当に違いない、そうでなければ自分の顔写真を使わせるはずがない、と思うからだ。さらに、証言を読みながらその証言者本人の顔をときどき目にすることになる。つまり、どんな人がそう言っているのかがわかるわけだ。これで読み手の関心は高まるし、言っている内容により親近感を抱いてもらえる。

広告主のロゴの重要性

多くの広告で重要な部分の１つが、その広告主のロゴか企業名だ。大きな

図15.3

グローバルエコノミー 第3回
いまこそ前進のとき
THE GLOBAL ECONOMY #3
Time to move forward
In late July, there will be a welcoming ceremony in Asia. Vietnam will be formally welcomed into the group of nations that constitutes the Association of Southeast Asian Nations (ASEAN). It marks the first time Vietnam has joined an organization whose aims are peaceful adjudication of disputes and the promotion of trade among its members.
It demonstrates that Vietnam's neighbors see it as ready to take its rightful place in the region and to participate in the area's economic growth.
It's an important first. The next step should be for the U.S. to normalize relations with Vietnam. The Senate will soon be considering whether the president should establish full diplomatic relations with Vietnam.
A non-partisan effort to support full diplomatic relations is being spearheaded in the Senate by several members, including highly respected and decorated Vietnam veterans. And their efforts are being backed by the Veterans of Foreign Wars, AMVETS, the U.S. Chamber of Commerce and more than 110 members of the Coalition for U.S.-Vietnam Trade.
Full recognition, of course, raises concerns about American prisoners of war (POW's) and those missing in action (MIAs). The goal hasn't changed. All Americans want reconciliation of the POW/MIA issue. It's a concern Mobil respects and shares as many of our employees and shareholders are Vietnam veterans. The best way, in our view, to resolve these issues is through constructive engagement. As diplomatic and commercial ties strengthen, progress on outstanding issues between our two countries will be enhanced.
Mobil's experience in Vietnam dates back to 1974–75 when we made the first oil discovery. Since the president lifted the trade embargo against Vietnam in early 1994, American companies have been competing with foreign companies for a wide range of business opportunities. But we haven't been able to compete on an equal basis. That's because the governments of those foreign companies already have established relations with Vietnam and provide them with a full range of commercial services and programs. Normalization would help make American companies more competitive. Moreover, normalization will increase export opportunities in this fast-growing market for American companies, which will result in more jobs here at home.
Lifting the trade embargo was a big first step. Now is the time to move ahead and complete normalization of relations between our two countries. We need to accomplish it before the politics of an election year muddies the issue. America will not forget its history, but it's now time to move forward.
Mobil
Our Internet address is: http://www.mobil.com.
ウェブサイト：http://www.mobil.com
モービル〔ロゴ〕

図15.3　社会貢献企業の意見広告

1970年から、モービル社が『ニューヨーク・タイムズ』紙の論説面に登場するようになった。ひと目でそれとわかるフォーマットでモービル社広報部が発表する同社の意見は、ビジネス、経済、社会問題にわたる。企業や個人がこの論説面を利用することはよくあるが、モービルほどこの広告フォーマットをここまで一貫して、しかも非常に効果的に活用し、私たちにとって重要な問題を考えるきっかけを提供しているところは他にない。

書体の目立つ扱いで、普通は広告の1番下に入っている。**図15.3**（→前ページ）のモービル社の記事広告にその例がある。

ロゴはメーカー名であることもあれば、商標のこともある。たとえば、次はロゴでよく見かけるメーカー名だ。

◈GE（ゼネラル・エレクトリック）
◈GM（ゼネラルモーターズ）
◈IBM（アイビーエム）
◈Kodak（コダック）

次は、ロゴでよく目にするブランド（商標）。

◈Tide（タイド/洗剤）
◈Nike（ナイキ）
◈CHANEL（シャネル）
◈Cadillac（キャデラック）

メーカーはロゴを何度も繰り返し使う。消費者に自社のロゴを覚えてもらい、購入時にそのブランドのほうがいいと思ってもらえることを期待してのことだ。これは長期的な広告であり、すぐ売りにつなげるための短期的広告とは別のものだ。

ラジオコマーシャルではロゴを大きく印刷して見せるわけにはいかないから、代わりにメーカー名やブランドを連呼することが多い。

たとえば、コルゲート社の歯磨き粉の1分間ラジオコマーシャルは、コルゲートという名を何度も繰り返す。

テレビコマーシャルなら、メーカーは必要に応じて、商品名を2通りの方法で宣伝できる。画面に大きく商品名を出すこと、そして、ナレーションで商品名を連呼することだ。

ロゴが消費者に与える影響を測定するのは難しい。測定可能な効果が現れるのに数か月、場合によっては数年かかるからだ。それでも、ロゴに効果があることはわかっている。数々のテストで、人は聞いたことのない商品よりも、よく知っている商品のほうを買うことがわかっている。また、無名メーカーのものより、有名メーカーのものを進んで買う。したがって、広告からロゴを省かないほうがいい。

ただし、次のような特別な条件のときは例外だ。

1●商品名が広告の見出しに入っていれば、ロゴで繰り返さなくてもいい。

2●商品写真でそのパッケージに名前が入っていれば、ロゴの代用になる場合がある。

3●通販の広告ではロゴを省いているところもある。一生に1度しか買わないようなものやサービスを売っている場合、たとえば本や通信講座などがそうだ。こういう場合は、いますぐ売るために広告しているのであって、何年もかけて知名度を上げようとはしていない。ロゴを省くことで、こうした企業は広告のスペース料金を抑えているのだ。

4●注目率調査では、広告より編集記事のほうがよく読まれるかどうかについて様々なデータがある。もちろん、それぞれの見出しやビジュアルによる部分が大きい。それでも、ロゴを省いて広告らしくない広告にしようとする企業もある。たとえば、漫画風、報道記事風、論説風（**図10.3→**220ページ）、エピソード仕立ての広告がそうだ。ロゴの利点を犠牲にするのは、大勢の人に小さい文字組の文章全体を読んでもらうチャンスを高めるためだ。

ビジュアルは費用対効果を考えて

最も効果のある通販広告のなかには、ビジュアルが一切なく、文字だけの

図15.4

1万ドルの間違い

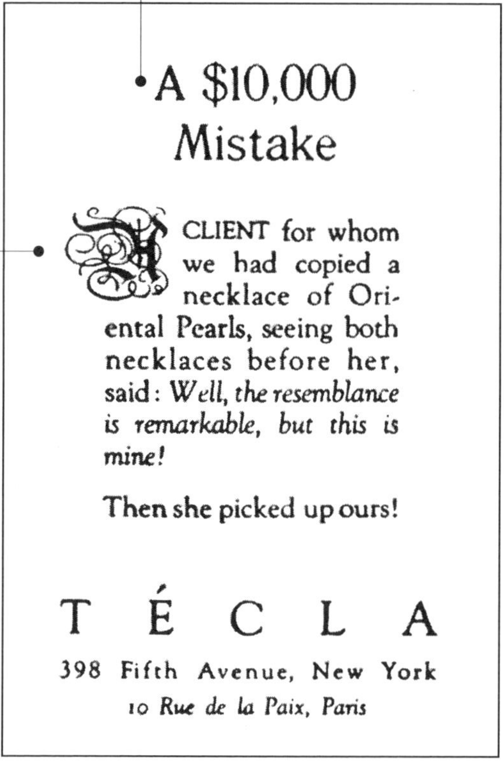
A $10,000
Mistake
A CLIENT for whom we had copied a necklace of Oriental Pearls, seeing both necklaces before her, said: *Well, the resemblance is remarkable, but this is mine!*
Then she picked up ours!
TÉCLA
398 Fifth Avenue, New York
10 *Rue de la Paix, Paris*

あるお客様のご依頼で、その方のオリエンタル真珠の首飾りのイミテーションを当店がご用意しました。その方は両方をご覧になるとこうおっしゃいました。
「まあ、本物そっくり。でもこっちが私のね！」

そして手にされたのは、当店の真珠だったのです！

図15.4　世界最高級の報酬のコピーライターが書いた広告

フランク・アービング・フレッチャーは、当時のコピーライターのなかでも指折りの稼ぎ手で、少ない言葉できちんと伝える手腕に定評があった。この広告もその1例だ。フレッチャーはこう言っている。
「どんな場合でも短いコピーがいいとは限らない。その商品を買う気がある人には、どんなに伝えても伝えすぎということはない」

ものもある。たとえば、ロス・メモリーコースの「**こうして私はひと晩で記憶力をアップしました**」という見出しの広告がそうだ。この広告は非常に効果的で、何年も掲載された。テクラ・パールズ（訳注・模造真珠）の文字だけの広告も長年使われ、有名になった（**図15.4→前ページ**）。

有名なある新聞の、定期購読を促す文字だけの広告が1番効果的だったこともある。ビジュアルの有無を含めて、多くの広告をテストしたうえでのことだ。

その広告の見出しはこうだった。

「『ニューヨーク・タイムズ』を家に配達してもらう方法」

本書執筆時点でこの広告は14年間続いている。この広告の威力に匹敵する広告がまだないのだ。

以上の例で、ビジュアルの使用をないがしろにしようと言うつもりはない。言いたいのは、ビジュアルがすべての広告に必要とは限らない、ということだ。絵や写真には費用がかかるし、それを載せるスペースにも費用がかかる。どんなビジュアルも次のように問いながらテストすること。

これはかかった費用に見合うだけの売上アップにつながるビジュアルだろうか？

まとめ

広告のビジュアル選びなら、より売上につながるのはたいてい、**通販やデパートの広告**から学んだことを活かすことだ。こういうところは、売上に直結する広告、その効果が追跡可能な広告に、生き残りがかかっているからだ。

奇妙、風変わり、こじつけのビジュアル、しかも商品やサービスに何の関係もないものを避けること。買ってくれそうな人を引きつけるビジュアルを使うこと。物好きを引きつけても仕方がない。確実なビジュアル例は次のようなものだ。

1 ◎商品写真
2 ◎商品使用例の写真
3 ◎商品を使っている人の写真
4 ◎商品を使って得られる物事の写真

「アメリカの生活水準は、少なからず、広告の創意工夫の恩恵を受けている。広告は需要を創出してその質を高めるだけでなく、自由競争の進展に影響を及ぼし、製品の品質向上へのたゆまぬ努力を促している」
——アドレー・E・スティーブンソン（訳注・1835－1914。第23代アメリカ副大統領）

第 16 章

小スペース広告で利益を上げる方法

通販の広告で私が初期の頃に発見した事実は、商品が違えば広告に必要なスペースも違うということだ。

たとえば、ある減量ベルトが利益を出して売れたのは、60行1コラム（約2段×1/6）の小スペース広告で、見出しは「**肥満男性**」というものだった。

ビジュアルは、肥満の男性が腰の幅広ベルトでお腹を引っ込めている図だ。この商品の全面広告を出したところ、ベルト1本あたりの販売コストが上がってしまった。つまりこの場合の全面広告は、余分に支払ったスペース料金に見合うだけのさらなる注文につながらなかったのだ。

反対に、ある育毛剤が通販で売れて儲かったのは、雑誌の全面広告のおかげだった。同じ商品の60行広告もいくつか試してみたが、こうした小スペース広告では利益を出すだけの売上が得られなかった。

こうしたことが起こる理由は何だろう。

この広告の担当代理店のコピーチーフはこう言っている。

「小スペース広告が減量ベルトの場合効果的だったのは、それが説明しやすい商品だから。お腹が引っ込んでいる男性の写真と数行のコピーさえあれば、その商品の効き目をはっきりと伝えることができる。一方、育毛剤に対して男性の間には不信感がかなりある。だから、その商品がどう効くのかをきちんと伝えるために、詳しい科学的な説明が必要になる。それに、その育毛剤が実際に効いて喜んでいるお客の証言もたくさん入れないといけない。そういうわけで、全面広告のスペースが必要になる。小さい広告ではスペースが足りなくて、信憑性のある育毛剤の売込みができない」

もう1つ、大スペースでも小スペースでも利益を上げられるタイプの商品がある。たとえば、米国音楽教室の通信講座の広告でわかったのは、全面広告から1インチ1コラム（突き出しの約1/4）広告まで、様々なサイズの広告で利益が出るということだ。

小スペース広告と大スペース広告のどちらを使うべきかという疑問に答えるとすれば、どちらにも賛否両論ある、ということになる。小スペース広告は制約もあるが、利点もある。次のような制約と利点を頭に入れておこう。

小スペース広告の10の制約

1 ◉小スペース広告は大スペース広告ほど販売店がすごいと思ってくれない。

2 ◉販売店の名前と住所をたくさん入れられない。

3 ◉色刷りができない。費用がかかりすぎるのだ。

4 ◉レモンパイやチョコレートケーキなどのおいしそうな写真が入れられない。

5 ◉ほとんどの場合、すぐに大きい売上にはつながらない。

6 ◉大スペース広告ほどの重厚感や大手企業らしいイメージが出せない。

7 ◉風景写真や、リビングルームで新しい家具にうっとりしている家族全員の写真など、大きいビジュアルは入れられない。

8 ◉新型車や新型冷蔵庫の印象的な写真が見せられない。

9 ◉効果的な記事編集テクニックが使えない。たとえば、コマ割り漫画や雑誌記事風の広告にするのはムリ。

10 ◉小スペース広告は新聞･雑誌で１番効果的な位置に掲載してもらえない。

小スペース広告の10のメリット

1 ● 全面広告1回分の料金で、小スペースのシリーズ広告が全部掲載できる。つまり、小スペース広告なら少ない費用で頻繁に出稿できるのだ。ただし、スペースが小さくなるほど面積あたりの料金単価は割高になるので注意すること。たとえば、1/6ページ広告（雑誌なら1/2段サイズ）のスペース料金は、全面広告料金の1/4に相当する場合がある。

2 ● 取扱商品の種類が多い場合、小スペースのシリーズ広告で1点ずつ別の商品を取り上げることができる。

3 ● 商品に様々な使い方がある場合、広告ごとに別の使い方を取り上げられる。

4 ● 1種類の新聞・雑誌だけに広告を連載する代わりに、小スペース広告を6紙/誌以上に出稿できる。

5 ● 広告予算を大スペース広告と小スペース広告に割り振ることで融通がきく。

6 ● 無料パンフレット、資料、サンプル、カタログが提供できる。通販ができる。

7 ● 販売スタッフが利用できるリード（新規見込み客データ）を集められる。

8 ● 新聞なら割増料金で特別な位置に掲載できる。たとえば、婚約発表の記事と並べて結婚指輪の広告、出産の記事のそばにベビーカーの広告という具合だ。

9●記事編集のテクニックを使って注目率を高められる。小さな漫画、記事風、写真見出しなどがそうだ。

10●市場が限られた、いわゆるニッチ商品やニッチサービスでも利益の上がる広告ができる。次のような見出しの広告がそうだ。経理、うおのめ、製図、義歯、足の痛み、補聴器、ネズミ退治、ローン、マタニティウェア、速記、ステノタイプ（訳注・速記用タイプライター）、歯痛など。

理由はこうだ。たとえば、うおのめの治療薬で全面広告を出したとても、それに見合う利益は出ない。それに、その新聞なり雑誌なりの読者にうおのめがなければ、全面広告がどれほど魅力的だとしても、うおのめ治療薬を売り込むのはムリだ。

反対に、うおのめで悩んでいる人なら、「**うおのめ**」という１ワード見出しの小スペース広告にも目を留める。読者のうおのめがいつごろ痛くなるかを予測するのはムリだから、１種類の新聞や雑誌に小スペース広告を毎回掲載するほうが、たまに大きな広告を出すよりいい。

小スペース広告で利益を上げるヒント

簡潔な言葉を使うこと。**１ワードあたり５ドルの電報を送るつもりで考える**のだ。たとえば、「お申込みいただければ無料パンフレットを１部お送りします」という文なら、縮めて「**無料パンフレット**」とできる。ひと言「パンフレット」とする場合もある。農場販売のある案内広告は、ごく簡潔に「パンフ」で締めくくっていた。

効果的な小スペース広告を作る方法の１つは、大スペース広告のコピーを凝縮して使うことだ。導入部をカットする。説得力の弱い文章もカット。不要な言葉はすべて削る。長くて難しい言葉の代わりに短く簡単な言葉を使う。この方法は通販広告でよく行われている。全面広告がカットされて1/2段広告にまでなる頃には、そのコピーにはぜい肉が一切なくなっている。骨と筋肉だけになって、**売上効果に何倍もの力を発揮**することがよくあるのだ。

では、削れるような大スペース広告がそもそもない場合はどうするか。今日長いコピーを書いて、明日それを縮めればいい。

小スペース広告向きの見出し

適切な見込み客を引きつける１ワード、たとえば「経理」「難聴」「ローン」などが思いつけば、それが１番効果的な見出しになる。理由は、大きな文字で組んでもあまりスペースを取らないからだ。ただし、見出しを１ワードにしたいからといって、「もし」や「なぜなら」のような中身のない言葉を見出しにしないこと。

重要なのは、**見出しで中身のある内容を伝える**ことであり、簡潔であることは二の次だ。担当商品が１ワードで印象づける見出しに向いていない場合は、２ワードでも３ワードでも、何ならもっと言葉を使った見出しを書いてみよう。

小スペース広告のコピー向きの表現は、わずかなスペースにたくさんの意味が詰まっているもの。たとえば――

週250ドル
６週間で学ぶ
36年目
1893年創業
新作
楽しさいっぱい
いまならできる
１日15分
誰でも身につく
友達もびっくり
ご満足いただけなければご返金
一式込み
10万人がご利用
お試しプラン
自分を試すチャンス
48ページの無料パンフレット

○○さんは65ドル儲けました
特別な才能は不要
年齢は関係ありません
購入義務なし
送金不要
いますぐお申込みを

小スペース広告向きのビジュアル

質問。ビジュアルを使うべきか。線画や写真メインの広告にすると、広告スペースがビジュアルだらけになってしまう。ただし、普通の広告の場合は、ビジュアルを使う前によく検討したほうがいい。

理由。普通ならビジュアルが入るスペースに、セールスコピーをたくさん入れられるからだ。もし、商品を見せたり使い方をはっきり伝えたりするために写真が必要なら、入れたらいい。適切でコンパクトなビジュアル、たとえば看護学校の広告にナースの顔などなら、入れるべきだ。そうでないなら、ビジュアルを削って広告をさらに小さくするか、コピースペースを増やすかしたほうがいい。

「いかにも広告」と記事広告

小スペース広告を作るのに、２つの正反対のテクニックが使える。どちらを使ってもかまわないが、両方同時に使うことはできない。

「テクニック１」は、いかにも広告という広告を作る方法。広告のプロが使う技はすべて活用する。たとえば、目を引く見出し、長いコピー、小さ目の文字、ぎっしり詰まったレイアウトなど。こうした技をうまく使えば、ひと目で広告とわかっても、相手の目を留めさせて売り込める。

「テクニック２」は、編集記事に似せて広告を作る方法。漫画、写真入り記事、報道記事などに似せて作る。このテクニックを使えば、注目率は高まる。ただし、１ワード見出しやクーポンなど、通常の広告技は一切使えない。記事広告にそうした技を使えば、「これは広告です」と無邪気に知らせていることになる。これでは手品の前にタネ明かしをしてしまうのと変わらない。

小スペース広告の成果確認

広告にカギ（識別記号）をつけること。特定の部署宛てに応募すれば、パンフレットやサンプルがもらえる、あるいは商品代金のみの通販を提供すると伝える。広告にカギをつけることで、どの広告、どの新聞・雑誌、１年のどのシーズンがより効果的かがわかるようになる。しばらくすると、効果の少ない広告に費用をかけるのはやめて、その分、１番効果的な広告をレスポンスが最も多い新聞や雑誌に出稿するのに回せるようになる。

小スペース広告をテストする

広告を数種類用意して、カギつきのオファーを入れ、掲載紙/誌リストのなかの１紙/誌に出す。反応が１番多い広告を知るためだ。もっといいのはスプリットランテストを行って、２種類の広告を同じ日にまったく同じ条件でテストすることだ。

多くの新聞社がスプリットランテストを提供している。雑誌でもスプリットランテストを行えるところは多いが、全面広告の場合に限っているところもある。スプリットランテストの詳細は第18章を参照のこと。

最後にもう1つ。新聞社、雑誌社、広告代理店は、小スペースの利用で広告予算が減ってしまうのでは、と心配する必要はない。小スペース広告でも、大スペース広告同様に費用をかけることができる。小スペース広告をもっと頻繁に、もっと多くの新聞・雑誌に出稿すればいいのだ。小スペースに切り換えて間もない、ある広告主がこう言った。

「小スペースにしてから、大スペースのときよりもすぐに売上が伸びるようになった。この調子なら、広告にもっとお金をかけられそうだ」

小スペース広告なら、小さな会社でも出すことができる。小スペースでなければ、広告などまったく出す余裕がないような会社でもだ。こうした小口広告主が、いずれ大口の広告主になることはめずらしくない！

というわけで、小スペース広告の威力を甘く見ないこと。忘れてはいけない。ダビデは巨人ゴリアテに小石を投げて倒した。ゲティスバーグで行われた演説は2つあるが、人々の記憶に長く残ったのは短いほうの演説だった（訳注・リンカーンの有名な2分演説の前に、主賓のエヴァレットが2時間の演説をしている）。

案内広告で成果を挙げる方法

全米の新聞社の案内広告（訳注・いわゆる3行広告。求人、ビジネス、売ります・買いますなど、様々なカテゴリー別に掲載される）部では、担当者が電話にはりつきで、かかってくる広告の掲載申込みを書き留めている。人によっては、掲載回数を3回とか5回とか指定することで、割引してもらおうということもある。またあるときは、1、2回掲載されたあとに電話でキャンセルしてくる人もいる。商品か何かが売り切れてしまったから、というのだ。そんなときがまさに、案内広告の効果を担当者がつかむ瞬間だ。そうした成果が新聞に掲載されることも多い。

例を見よう。これは『ニューヨーク・タイムズ』紙に掲載された案内広告。

共同出資者募集

つい最近、ワクワクする「ミセスアメリカ」のニュージャージー州での権利を取得しました。非常に大きな収入が見込めることはすでにわかっています。ただ、私の共同出資者がこの分だと1万ドル調達できないかもしれません。**あなたは**いかがですか？　ミセスアメリカ社本部のリチャード・ストックトン氏が面談をアレンジしてくれます。ニューヨーク市、212 MU 2-XXXXまでお電話ください。

この案内広告に関して、『ニューヨーク・タイムズ』紙が次のように結果を公表した。

ミセスアメリカ・プロダクション社（美人コンテストの開催およびミセスアメリカの名称使用を各州に許可する企業）のこの案内広告は、当『ニューヨーク・タイムズ』紙のビジネスチャンス欄に掲載された。そのわずか2日後、まだ契約書にサインもしないうちに、この広告主は求めていた1万ドルを手に入れた。

新聞各社が公表した他の例をいくつか見てみよう。

- 「家売ります」の案内広告をボルティモア市で出した一家は、「大反響です。40人以上から電話をもらいました」と語った。

- ヨットのオーナーがこんな案内広告を『フィラデルフィア・ブレティン』紙に出した。「トレーラーつきペンギン艇。状態良。500ドル」（中略）「注文が殺到しました」とのこと。

- ノーフォーク在住の女性が『バージニアン・パイロット』紙に出した案内広告は「7か月のオス、ジャーマン・シェパードの雑種、各種予防接種済み、バージニア州登録、狂犬病予防接種済みタグつき、150ドル」。「最初に来た方にお譲りしました」とのこと。

▩モンタナ州のある牧場主がサウスダコタ州の『ラピッドシティ・ジャーナル』紙に出した案内広告は「モンタナ州南東部の牛牧場で通年働ける既婚男性求む」というもの。牧場主はこう語った。「かなりいい反応でした。6、7人から応募があったんです」

▩ある喫茶店の店主は、『ワシントン・ポスト』紙に載せた案内広告で60件の問合せがあったと語る。「料理人募集。ダウンタウンの小さなカフェテリア、週5日、高給および諸手当優遇」

案内広告の利用促進のため、『バッファロー・クーリエ＝エクスプレス』紙は反応のよかった案内広告を復刻し、その結果と低コストで掲載できることを読者に伝えた。数例挙げよう。

▩「スノータイヤ。フォード社のホイールにアトラス社ウェザーガード815×15サイズ2本。1シーズン使用、2本で80ドル」……初日に5件の問合せ。掲載料11.10ドル。

▩「フランシスカン社の陶器、デザートローズシリーズ、揃いのグラスつき、8人セット、格安」……初日に22件の問合せ。掲載料9.35ドル。

▩「敷物。14×12と9×15が1枚ずつ。お買い得」……初日で15件の問合せ。掲載料7.60ドル。

『ボルティモア・ニュース・アメリカン』紙は、ごく短い案内広告の利用を促進した。文を省略して新聞の1行に収めるものだ。この新聞社の発表によると、次の広告にいずれも効果があった。

▩**自転車**――男児用、24インチ、20ドル
▩**ピアノ**――アップライト、手頃価格
▩**カツラ**――シャンパンベージュ色、25ドル
▩14フィートのボート、トレーラー、50ドル

案内広告には長い実績がある。今日、こうした形での情報のやり取りはかつてないほど増えている。『ニューヨーク・タイムズ』紙は案内広告が10数ページになることも少なくなく、日曜日には100ページに及ぶこともある。もう1紙、案内広告がたくさん集まるのが、『ロサンゼルス・タイムズ』紙だ。ある販売担当者によれば、この新聞1日分の案内広告を普通の読者がすべて読もうと思ったら、24時間以上かかるそうだ。

案内広告の利点は、**低コスト**、**柔軟性**、**選択性**だ。見込み客がいる町で広告が打てるだけでなく、案内広告内の適切な項目欄に出すことで、自社商品やサービスの購入者の絞込みができる。

「世界各国の繁栄は、その国の広告量と直接的な関係がある」
――ロバート・R・マコーミック大佐（訳注・1880－1955。『シカゴ・トリビューン』紙経営者）

第 17 章

頭の体操10問
——成功した見出しはどっち?

この章にはテスト済みの20点の広告例が出てくる。そのうちの10点は売上につながった成功例。残りの10点は失敗例だ。どちらが成功した広告か見分けられるだろうか。

正解は375〜377ページに、各成功例から学べる点とともに解説してある。

これからの10分間、自分が広告代理店のクリエイティブ・ディレクターになったつもりでやってみよう。広告の宣伝効果を検証している代理店で、クライアントが10社ある。その10社に新しいコピーを提案しなければならない。そこで、自社のコピーライターに集まってもらって会議を開き、アイデアを出すように伝えた。20点が提案された。クライアント各社に２案ずつだ。どちらを採用し、どちらをボツにするかを決めるのはあなただ。

この20の提案が２点１組で並べてある。各組に成功例と失敗例が１つずつある。各ケースとも、見出し、ビジュアル、オファー内容を説明してある。わかりにくいものはコピーの主旨も説明した。

各２案の提案を見ながら、次ページのチェックボックス（コピーを取って使ってもいい）に、最高の結果を出すと思うほうに印をつけていく。終わったら、375〜377ページの答えを見て、何問正解できたか確認しよう。

この「テスト」に引っかけ問題はない。たとえば「無料」と大きく書いてあるとか、一方のオファーがもう一方のオファーより格段に目立つということはない。各組とも、なるべく同じような条件で新聞や雑誌でテストされたものだ。各広告への問合せは、ダイレクトメールや販売員がフォローした。したがって、各広告の宣伝効果の有無は、ほぼ見出しとビジュアルにかかっていると考えていい。

もう１つ心に留めておいてほしいのは、各ケースとも、２点の広告の効果にはわずかどころか、大きな開きがあったことだ。失敗したほうの広告は散々な結果だったため、１度掲載されたきりだった。一方、成功したほうの広告は大成功を収め、効果がなくなるまで何度も繰り返し使われた。

成功した見出しはどっち?

□ 1A	□ 1B
□ 2A	□ 2B
□ 3A	□ 3B
□ 4A	□ 4B
□ 5A	□ 5B
□ 6A	□ 6B
□ 7A	□ 7B
□ 8A	□ 8B
□ 9A	□ 9B
□ 10A	□ 10B

もしこのテストに「落第」しても、大丈夫、同じような仲間は他にもいる。アメリカでもずば抜けて成功している、指折りの稼ぎ手コピーライターたちが、その失敗した広告を書いたのだから。もちろん、その人たちの多くが成功した広告も書いているのだ！

いつものようにここでも、**真の勝者は何度も何度もテストを重ねる者なのだ**。

⑴ ビジネス通信講座の広告案

1A：提案1
ビジュアル：なし
見出し　　：**年収5万ドル稼ぎたいとお考えの、年収2万5,000ドルの方へ**
オファー　：無料パンフレット『経営幹部が知っておくべきこと』

1B：提案2
ビジュアル：パンフレットを読んでいる男性
見出し　　：**このコースで金銭的に報われる証拠がこれです**
オファー　：無料パンフレット『経営幹部が知っておくべきこと』

⑵ 育毛剤の広告案

2A：提案1
ビジュアル：男性が別の男性のハゲ頭を指差している
見出し　　：**「60日前までは私が『ハゲ』と呼ばれていました」**
コピー主旨：この育毛剤でめざましい効果があった男性の話を伝えている。
オファー　：無料パンフレット『最新の育毛法』

2B：提案2
ビジュアル：こちらに小切手を差し出している育毛専門家
見出し　　：**30日以内に髪が生えてこなければ、この小切手を差し上げます**
コピー主旨：この育毛剤の効果に満足できない場合は、小切手で返金すると説明している。
オファー　：無料パンフレット『最新の育毛法』

(3) 生命保険の広告案

3A：提案1

ビジュアル：夫と妻

見出し　　：**これは奥様にしてはいけない質問です**

コピー主旨：「それは妻に相談しないと」。生命保険に入るようセールスマンから勧められると、男性は決まってこう答える。だがそれは間違っている。夫は妻に相談せずに生命保険に入ったほうがいい。

オファー　：無料パンフレット『ほしいものを手に入れる方法』

3B：提案2

ビジュアル：家族の写真が生命保険証書の片隅に、もう一方の隅には家の写真

見出し　　：**お金の心配を一生しなくて済みます**

コピー主旨：この生命保険プランは、男性の遺族の生活費、住宅ローンの完済、さらに必要に応じて障害給付金がつけられる。

オファー　：無料パンフレット『ほしいものを手に入れる方法』

(4) ピアノレッスンの広告案

4A：提案1

ビジュアル：ピアノを弾いている男性

見出し　　：**「数か月前はまったく弾けなかったんです」**

オファー　：無料パンフレット『自宅で音楽のレッスン』

4B：提案2

ビジュアル：楽器を演奏している人々。枠囲みにレッスン方法と「とっても簡単」とある。

見出し　　：**演奏できるようになるちょっと変わった方法**

オファー　：無料パンフレット『自宅で音楽のレッスン』

⑸ 退職年金プランの広告案

5A：提案1
ビジュアル：車で旅行に出かける幸せそうな夫婦
見出し　　：**一生続く旅行**
オファー　：無料パンフレット『退職年金プラン』

5B：提案2
ビジュアル：なし
見出し　　：**どうすれば一生の収入を確保して退職できるか**
オファー　：無料パンフレット『退職年金プラン』

⑹『ウォールストリート・ジャーナル』紙の広告案

6A：提案1
ビジュアル：なし
見出し　　：**「27ドルでいかにして年収7万5,000ドルへの道を歩き始めたか」**
コピー主旨：27ドルを送って『ウォールストリート・ジャーナル』のお試し購読をした男性の話。その後、定期購読者になった。同紙を読んでいるおかげで年収7万5,000ドルを手にすることができた。
オファー　：27ドルでお試し購読

6B：提案2
ビジュアル：なし
見出し　　：**年収7万5,000ドルの様々なポストが志願者を待っています**
コピー主旨：年収7万5,000ドル以上の数多くの仕事のチャンスが、エキスパートには開かれている。『ウォールストリート・ジャーナル』を読むことで、そうした仕事に就く準備に役立つ。
オファー　：27ドルでお試し購読

⑺ 書評週刊誌の広告案

7A：提案1

ビジュアル：居間で雑談している男女
見出し　　：**この楽しい文学サークルにあなたも参加しませんか**
コピー主旨：この雑誌で常に最新の書籍情報が手に入る
オファー　：無料で小誌1部進呈

7B：提案2

ビジュアル：この書評誌に寄稿している著名人
見出し　　：**他の人と本の話ができますか？**
コピー主旨：この雑誌で常に最新の書籍情報が手に入る
オファー　：無料で小誌1部進呈

⑻ ダンス教室の広告案

8A：提案1

ビジュアル：若い女性と踊っているダンスの先生
見出し　　：**なぜ、ダンス上手な人は「ウォークアラウンド」よりモテるのか**
オファー　：無料お試しレッスンと、アーサー·マレーのダンスレッスンを解説するきれいなイラスト入り32ページのパンフレット

(訳注·「ウォークアラウンド」は、19世紀に流行った、黒人に扮した白人のバラエティショーで生まれたダンスの1種)

8B：提案2

ビジュアル：仮面舞踏会で仮面をつけて踊っているペア
見出し　　：**「私がフォーパ（ドジ）を踏んでいかに人気者になったか」**
コピー主旨：ダンスが下手で恥ずかしいと思っている男性の話。ダンスレッスンを受けてたちまち人気者になる。

オファー　：無料お試しレッスンと、アーサー･マレーのダンスレッスンを解説するきれいなイラスト入り32ページのパンフレット

⑼ 神経症治療の広告案

9A：提案1

ビジュアル：枠囲みに書かれた神経症の症状一覧

見出し　：**大勢の方がご自分の神経不調に気づいていません**

オファー　：『高齢者のための新しい神経読本』を送ってください。硬貨または切手で50セント同封します。

9B：提案2

ビジュアル：神経科医

見出し　：**あなたはこのような神経失調の症状にお悩みではありませんか？**

オファー　：『高齢者のための新しい神経読本』を送ってください。硬貨または切手で50セント同封します。

⑽ 世界名作文学集の広告案

10A：提案1

ビジュアル：文学集

見出し　：**「コンプレックス」をなくす方法**

コピー主旨：この全集を読めば教養が高まり、会話がもっと上手になって、ビジネスや人づきあいでもプラスになる。

オファー　：本についての無料『ガイドブック』

10B：提案2

ビジュアル：包囲された町に向かうジャンヌ･ダルク

見出し　：**不朽の文学作品は、歴史に残る偉業と同じくらい感動的**

オファー　：本についての無料『ガイドブック』

頭の体操の答え

以下の見出しは、カギをつけて実際に宣伝効果をテストした広告20点のもの。各見出しに成功か失敗かを記した。いくつ正解しただろうか。

(1)　(A) **年収5万ドル稼ぎたいとお考えの、年収2万5,000ドルのみなさんへ**［成功］
(B) このコースで金銭的に報われる証拠がこれです［失敗］

成功した見出しは具体的で、**金額を2度出して収入アップを強く暗示**している。失敗した見出しは「金銭的に」と言ってはいるが、具体的な金額ほど効果的ではない。

(2)　(A) **「60日前までは私が『ハゲ』と呼ばれていました」**［成功］
(B) 30日以内に髪が生えてこなければ、この小切手を差し上げます［失敗］

成功したほうは、ハゲ頭の男性の写真と「ハゲ」という言葉で、適切なターゲットの目をたちまち引く。コピーには結果を示す証拠もある。失敗したほうは写真がターゲットを絞り込んでいないし、見出しにしても、この育毛剤が効かない可能性があると取られかねない。

(3)　(A) これは奥様にしてはいけない質問です［失敗］
(B) **お金の心配を一生しなくて済みます**［成功］

成功した広告の見出しにはベネフィットがある。もう一方の見出しは好奇心をくすぐるだけで、ベネフィットを伝えていない。

(4) (A)「数か月前はまったく弾けなかったんです」[失敗]
(B) **演奏できるようになるちょっと変わった方法** [成功]

成功したほうの見出しは、「演奏できるようになる」というベネフィットを約束し、「ちょっと変わった」で好奇心をそそる。

(5) (A) 一生続く旅行 [失敗]
(B) **どうすれば一生の収入を確保して退職できるか** [成功]

成功した見出しは、ふさわしいターゲットを絞り込んでベネフィットを約束している。もう一方の見出しはわかりにくく誤解を招きやすい。ひとひねりしようとして、退職後の余生を一生続く旅行と言っているからだ。

(6) (A) **「27ドルでいかにして年収7万5,000ドルへの道を歩き始めたか」** [成功]
(B) 年収7万5,000ドルの様々なポストが志願者を待っています [失敗]

成功した見出しは適切な相手を選んで、具体的なベネフィットを示している。失敗したほうは求人広告のように読めるため、間違った相手を選び出してしまう。

(7) (A) この楽しい文学サークルにあなたも参加しませんか [失敗]
(B) **他の人と本の話ができますか?** [成功]

成功した見出しは、書評誌にふさわしい読者を狙い、ある保証の含みを持たせている。つまり、この雑誌を読めば本の話ができるようになる、というわけだ。もう一方の見出しは完全明快とは言えず、紛らわしい。文学クラブへ誘われているような感じがする。

(8) (A) なぜ、ダンスが上手な人は「ウォークアラウンド」よりモテるのか［失敗］
(B) **「私がフォーパ（ドジ）を踏んでいかに人気者になったか」**［成功］

「人気者になった」という言葉は、ベネフィットの保証と受け取れる。フランス語の「フォーパ」でかき立てた好奇心を、仮面をつけたペアのビジュアルでさらに高めている。失敗した見出しはベネフィットを1つも約束していない。

(9) (A) 大勢の方がご自分の神経不調に気づいていません［失敗］
(B) **あなたはこのような神経失調の症状にお悩みではありませんか？**［成功］

成功した見出しは「**あなたは**」という言葉で相手の興味を引いている。また、神経失調を治す方法があることをほのめかしている。もう一方の見出しは、ただ事実を述べているだけだ。

(10) (A) **「コンプレックス」をなくす方法**［成功］
(B) 不朽の文学作品は、歴史に残る偉業と同じくらい感動的［失敗］

成功した見出しは、個人的なベネフィットを具体的に保証している。

ひょっとすると全問正解の人がいるかもしれない。
もしそうなら、おめでとう。広告業界で何年も仕事をしている一部のコピーライターより、広告効果の判断力が優れている。
正解率が半分以下だった人もいるかもしれない。だが気を落とすことはない。と言うのも、失敗した10点の広告はすべて、テストする価値が十分にある、と担当代理店やクライアントからみなされたものだからだ。もしこうした広告が効果ありと判断されていなければ、そもそもテストするための費用も出なかったはずだ。

このように、効果を前もって見極めるのが大変難しいからこそ、広告とは次のようなものだと言える。ある広告のプロの言葉だ。

「これほど難しく、面白く、やきもきし、やりがいや価値があり、かつ刺激的なビジネスで、優秀な人材を巻き込んだものはかつて他にない」

広告は、数学や化学のように厳密な科学にはなりえない。

しかし、**いまよりさらに正確で、さらに科学的なものにすることは可能だ**。

この本の目的は、広告をより科学的なものにするよう促すことにある。とは言え、広告は決して完全に正確にはなりえない。人間臭い要素が絡んでいるからだ。つまり、広告を通じて相手にしているのは人間の意識や感情であり、そうしたものはいつまで経っても、いくらかは不安定なものであり、計測できない。だからこそ、**テストにテスト**を重ねる必要があるのだ。コピーはもちろん、媒体、掲載位置、シーズン性、テレビ・ラジオコマーシャルを流す時間帯に至るまで。**小さい規模ですべてをテストするまでは、大々的に費用をかけない**こと。

通販の広告は何度も何度もこうした経験で教訓を得てきている。

たとえば、通販のある新しい広告ができたとする。コピーライターは乗り気だし、コピーチーフもいい広告ができたと思う、AEは効果ありと確信し、クライアントはこれから注文が殺到するに違いない、と満足げだ。いよいよ広告が掲載される。

ところが注文が来ない。ベテランたちがこぞって間違った、それも大間違いだった。それでもやはり、通販のコピーを何年も手がけてきていることに変わりはない。何がペイして何がペイしないかを徹底的に学んできた人たちだ。

広告コピーの効果を事前に見極められるような人がもしいるとすれば、それは**通販の広告に携わる人たち**だろう。そんな人たちでさえ、みんな完全に判断を誤ったのだ。

こうした経験を教訓に、科学的精神を持った企業は、個人的意見にとどまらないように気をつけ、事実にこだわるのである。

これとまったく逆の事態が起こることもある。新しい広告が出た。効果に自信がある人はほとんどいない。ところが注文は殺到する。こういうことが起こるから、テスト済み広告が、この刺激的な業界において1番刺激的で困難ながらも、やりがいのある分野なのだ。そのルールを習得するのは容易ではない。ルールなどないのではないかと思うこともある。しかし少なくとも、次の重要なルールが1つある。

すべてテストし、すべて疑うこと。個人的意見には関心を持つこと。ただし、一意見に大金を投じる前にまず、まずお金を少しかけて必ずテストすること。

「うちの広告の半分がムダだとわかっているが、どの半分なのかはわからない」
――ジョン・ワナメーカー（訳注・1838－1922。アメリカ初のデパート経営者。「現代型広告の最初の広告主」と言われている）

第 18 章

広告をテストする17の方法

どんな見出しが最も多くの人を引きつけるか。どんなビジュアルが最も注目を集めるか。どんな訴求で最も多くの商品が売れるか。どんなコピーが１番効果的に説得して、商品やサービスを買ってもらうように仕向けられるか。

こうしたすべての点をテストして成果を挙げた広告の例が、**図18.1**（→次ページ）だ。

この本で説明してきたのは、長年の経験からわかったこと、それに、このような疑問への答え探しにかけてきた莫大な費用の成果でもある。

しかし、新しい疑問は常に湧いてくるもの。この先、新しい見出しや新しいコピーを書いていくのだし、新しい訴求や新しいビジュアルアイデアを思いつくことになるのだから。

そうした新しいアイデアのどれが１番効果的だろうか？　いずれ、自分のアイデアを何らかのテストにかけなければならないときがやってくる。広告にかける費用が最大効果を生むことを確かめるために。

以降は、広告をテストする17の方法だ。前に簡単に触れたテストについてもここで詳しく説明している。このなかのどの方法を、何通り選ぶかは、抱えている課題の性質と、どのくらいの時間と費用をテストにかけられるかによる。

1. 書いてすぐのコピーを翌日まで寝かせる方法

書いてすぐのコピーをテストする１番簡単な方法は、寝かせて次の日に読んでみることだ。自分が書いたコピーを翌日読み返すことで、冷静かつ分析的に、まるで他の誰かのコピーを読む第３者のような気持ちで向き合える。熱中して大急ぎで書いているときには気づかなかったミスも、落ち着いて客観的に読むことではっきりしてくるかもしれない。

また、コピーがもっとよくなるかもしれない。難しい言葉に代わる簡単な言葉を思いつくかもしれないし、削っても問題ない不要な言い回しが見つか

図18.1

**心ゆくまでお楽しみください
存在すらご存じなかった場所で**

（マサチューセッツ州
レノックスがその1つです）

Feel pleasure in places you never knew existed.
{For instance, Lenox, Massachusetts.}
So you've never been to Canyon Ranch in the Berkshires. Never spent your morning hiking, lifting weights and learning yoga. Or your afternoon playing tennis, enjoying reflexology, and being wrapped in aromatic herbs. Well, perhaps you've never truly lived. Because few experiences are as rejuvenating as a visit to Canyon Ranch. A place where every activity is designed to make you a happier, healthier, more balanced person. And where every staff member is expert in an area which could benefit you. Like fitness, nutrition, stress reduction and preventive medicine. Canyon Ranch is a far cry from your everyday life, and as near as the Berkshire Mountains. For information and reservations, call 800-726-9900.
LENOX
New York
Canyon Ranch
LENOX, MASSACHUSETTS • TUCSON, ARIZONA

では、バークシャーにあるキャニオン・ランチにまだいらっしゃったことがないのですね。午前中にハイキングやウエイトトレーニング、ヨガをしてすごしたことも、午後にテニスをしたり、足のマッサージを受けたり、アロマハーブに包まれたりしたことも。それでは、人生を心ゆくまでお楽しみになったことがまだないのかもしれません。キャニオン・ランチでのご滞在ほど、生き返った気分が味わえることはめったにないからです。ここではありとあらゆることが、もっと幸せに、もっと健康に、もっと心身のバランスが取れるように設計されています。しかもスタッフ全員が各分野のエキスパートで、フィットネス、栄養学、ストレス解消、予防医学などに精通しておりますので、きっとお役に立てるはずです。キャニオン・ランチは日常生活とはまったくかけ離れたところ、バークシャー山脈のすぐ目の前にあります。お問合せやご予約は、800-726-9900までお電話ください

図18.1　違うだけでは物足りないが、役に立つことも

この見出しと写真からはまさか、「キャニオン・ランチ」ホテルで健康的に、という筋書きだとは思いもしないはず。ところがそうなのだ！　競争の激しい「ヘルスリゾート」市場で、あえて「違い」を強調して好奇心をくすぐるこのキャンペーンは大成功している。1994年に1年間かけてテストを行い、「マサチューセッツ州で生き返った気分」という別の見出しとゴーグル姿の顔写真の広告と比べて、この「心ゆくまでお楽しみください」の広告は97.4%も問合せが多く、予約につながった率も50%も多かった。

るかもしれない。長い文章をいくつかの短い文に分けたり、最初の段落をカットしてメッセージ効果を高めたりできるかもしれない。相手の行動を促すコピーを最後に入れたほうがいいことに気づくかもしれない。

効果的なコピーにする確率を高めようと思うなら、１種類だけなく、数種類のコピーを書いてみること。効く見出しを見つける公算を大きくしたければ、やはり見出しをたくさん書くことだ。そうして初めて、１番効果的なコピーと見出しを選ぶことができる。

2. 誰かに声に出してコピーを読んでもらう方法

コピーライターによっては自分が声に出してコピーを読み、それを誰かに聞いてもらってテストする人もいる。このやり方でもいいが、もっと効果的にテストするなら、やはり**他の人に声に出して読んでもらい、それを自分が聞く**ほうがいい。

自分のコピーを誰かに読み聞かせる場合の難点は、伝えたい内容が自分には前もってわかっている点にある。こちらの意図をはっきり伝えるために、どの言葉を強調して読んだらいいかを自分は知っている。適切なところで息継ぎをし、長い文章でもわかりやすく伝えることができる。しかし、他の人はそんなことは知らない。何の前準備もなくコピーを読むわけだから、その気にさせられるかどうかはこちらのコピー次第だ。読んでいる人の声の調子で、自分のコピーに関心をそそるもの、あるいは感動やユーモアがあるかどうかがわかる。また、相手がスラスラと読んでいるかどうかで、そのコピーがわかりやすいかどうかも判断できる。

相手が声に出してコピーを読んでいる間は、**紙と鉛筆を持ってメモを取る**こと。もし文の途中でつかえたらこちらのせいだと考える。相手が悪いのではない。その文を書き直すべきだ。ある内容が相手の腑に落ちないようなら、他の人たちにもわかりにくいと思ったほうがいい。その内容はわかりやすく書き直すか、さもなければ削るべきだ。

誰か他の人に声に出してコピーを読んでもらうと、より早く反応を知ることができる。翌日まで寝かせてから自分で気づくよりも早い。読んでもらう相手は、上司、配偶者、同僚、部下、何なら隣の職場の人でもいいのだ。

3. 取材してオピニオンテストをする方法

オピニオンテストは、広告案数点や見出し案のリスト、あるいはコピーのサンプルを他の人に見せて、「どれが1番好き？」「1番読みたくなる広告は？」などと尋ねるテストだ。実験で、尋ね方は重要ではないことがわかっている。

重要なのは、相手に少なくとも**2つの選択肢**を用意すること。なぜなら、たいていの人はこちらを喜ばせようとして好意的に反応するからだ。もし広告を1案だけ見せて、「私が作った広告ですが、感想を聞かせてもらませんか？」と言えば、たいていの人が「いいと思う」と答える。これでは意味がない。

2案以上見せて、「どれが1番好きですか？」と尋ねるべきなのだ。

見出し案のリストを数人に見せてテストする場合は、1人に1部ずつ見出しリストをコピーしたものを渡してこう頼むといい。

「1番好きな見出しをチェックしてください」

他の人が印をつけたものを見せてはいけない。他の人がすでにチェックした見出しにつられて、その人の判断が揺れるかもしれないからだ。

できれば実際の見込み客に限定してオピニオンテストを行うと、精度が高まる。食品の広告なら主婦、パイプタバコならパイプ喫煙者、ドッグフードなら犬を飼っている人に見せる。

オピニオンテストはいくらでも範囲を広げられる。話を聞く相手は5人でも10人でも、20人でもかまわない。フォーカス・グループ（訳注･あるテーマに関して意見を聞くために集める数人のグループで、対話式に自由に発言してもらう調査法）や、調査会社に頼んで広告を100人に見せて意見を聞いてもらったりすることも可能だ。複数の都市でオピニオンテストを行ってもいい。

広告の宣伝効果テストの重要性

オピニオンテストをどれほど精密に行っても、間違いは起こりやすいことを忘れないように。オピニオンテストはあくまでも個人的意見（オピニオン）に基づくもの。宣伝効果をテストするものではないからだ。同じ広告で、オピニオンテストと宣伝効果テストの両方とも実施できたケースを見ると、この２つのテスト方法の結果は必ずしも同じになるとは限らない。それにはたとえばこんな理由がある。

1●人は、自分の印象が悪くなるような広告は選ばない。たとえば、歯磨き粉の次のような訴求をテストするとしよう。

a）虫歯を予防する
b）臭い息をなくす

「臭い息」の訴求は、オピニオンテストでは人気がないが、宣伝効果テストでは軍配が上がるかもしれない。

2●たいていの人が、絵がないのはいい広告ではないと思っている。したがって、文字だけの広告に軍配が上がることはオピニオンテストではまずない。ところが宣伝効果テストでは、文字だけの広告がビジュアルのある広告をしのぐこともある。

3●いわゆる「お利口」広告が、オピニオンテストでは支持されやすい。しかし、わかりやすい広告が「お利口」広告をしのぐことが、宣伝効果テストでは普通だ。

4◉オピニオンテストは票がまっぷたつに割れるなど、意外な結果になることがある。

票が割れるとどのように誤差が生じうるのか。

たとえば、主婦に2種類の広告案を見せてどちらがいいか選んでもらうとする。(1) 子どもの写真が入った広告と、(2) 家の写真が入った広告だ。子どもの写真に60%、家の写真に40%の票が入ったとしよう。結果は、子どもの写真の勝ちだ。

ではここで、テストの「精度を高める」ために、子どもの写真の広告を**1種類ではなく2種類用意**するとする。男の子の写真と女の子の写真で比べるためだ。家の写真の広告はそのままだ。

こうして同じ主婦たちに**3種類**の広告を見せて、どれが1番いいか尋ねる。先ほどは主婦の60%が子どもの写真を選んだが、今回はその票が割れて次のような結果になったとしよう。

30%が男の子の写真
30%が女の子の写真
40%が家の写真

結果は、何と家の写真が入った広告の勝ちだ。

3択テストの結果が、その前の2択テストの結果を覆してしまう点に注目。

このテストを正しく行うには、次のように2段階に分けなければいけない。

1◉まず、家の写真と子どもの写真の比較テストをする。
2◉次に、尋ねる相手を変えて、男の子の写真と女の子の写真を比較テストする。

いま、こう思っている人もいるかもしれない。「なぜオピニオンテストをしなければならないのか。間違った結果が出ることがありうるのに」

この点については、よく考えるべき点がいくつかある。

1 ●オピニオンテストは手軽で簡単に実施できて、正しい結果が得られることが多い。

2 ●オピニオンテストは費用があまりかからない。

3 ●締切が迫っている場合、オピニオンテストが唯一、時間的に実施可能なテスト方法である場合もある。

4 ●広告のプロのなかには、実際の宣伝効果テスト以外はムダだと主張する人もいる。しかし、そのテストでさえ、こちらが思いもしなかった目には見えない要因のせいで、間違った結果が導かれる場合がある。

5 ●オピニオンテストをすることで、こちらの広告について意見を言ってくれる人々と話す機会が得られる。考えてもみなかったことに気づくかもしれない。まだコピーで説明していなかった新しいアイデアが見つかるかもしれない。

オピニオンテストの重要性は次のようにまとめられる。オピニオンテストは適切に行えば、真実に近づく手助けになる。もちろん、完全な真実が得られるとは限らない。

ある企業の社長が売込みの仕掛けにオピニオンテストを利用した。影響力のある各企業幹部たちに自社を売込みたいこの社長は、数種類の広告を用意して、その校正刷り一式を売込み対象リストの相手に送った。同封の手紙で社長はこうお願いした。

「この広告をご覧になって、同封のはがきにチェックしていただけませんか？　業界誌に掲載するのに1番いいと思われる広告の見出しを選んでください」

この方法で社長は、数多くの有望な見込み客に自社の広告数種類を読むよう仕向けたのだ。まだ掲載すらされていない段階で。

4.　通販が行っている宣伝効果テスト法

全国展開の広告をしている企業が先日こんな質問をしてきた。

「応募数で広告をテストする場合、どういうときにクーポンを使い、どういうときにブラインドオファー（訳注・オファーをあえて目立たないようにコピーに入れること。レスポンスの度合で、その広告がどの程度読んでもらえたかを測定する）を使えばいいのか」

答え：ブラインドオファーを使ったほうがいいのは、応募があまり多すぎないほうがいいとき、興味本位の応募を避けたいときだ。

クーポンを使ったほうがいいのは、応募がたくさんほしいとき、応募そのものに実質的な意味があるとき、たとえば次のような場合だ。

1◎クーポンが注文用紙になっていて、実売に結びつく場合
2◎販売担当に渡せるようなリード（新規見込み客データ）がクーポンで確保できる場合
3◎パンフレットやサンプルを大量に配布したい場合
4◎クーポンを調査票代わりにして、読者の年齢、職業、その他情報を調べる場合

クーポンは、次のような手段で応募を促す。

1◎こちらのオファーに注目を集めることで
2◎応募が手軽にできるようにすることで
3◎クーポンをリマインダーにする（切り取って店に持参してしてもらう）ことで

クーポンを使ったテストを1番頻繁に行っているのは、通販の広告だ。書籍、目新しいグッズ、音楽・映像ソフト、その他商品を、それぞれの広告にクーポン形式の注文用紙を入れて販売している。

こうした広告の場合は、広告のすべてが宣伝効果テストになる。その方法

は、数種類の広告を試してみて、スペース料金あたりの売上が最も高い広告を何度も繰り返し掲載する、というものだ。

通販の広告がテストしているのはコピーだけではない。媒体、掲載位置、広告サイズ、シーズン性もテストしている。

次の文例は、通販広告のクーポンによく入っている売込みの仕掛けだ。

小切手または郵便為替をお送りください。
クレジットカードに請求してください。
請求書を送ってください。
会員登録します。
無料/または○ドル（少額）で、パンフレット/サンプル/カタログを送ってください（販売はフォローのダイレクトメールで行う）。

5. クーポンつき広告と販売員訪問の組合せでテストする方法

ものによっては、通販のクーポンを使って販売するには高価すぎる場合がある。たとえば、図18.2（→次ページ）のようなオフィス機器、家のリフォーム、生命保険、投資信託、通信講座などがそうだ。こういう場合は、クーポンで無料パンフレットの提供を呼びかけ、応募してきた見込み客を販売員が訪問するのだ。次はよくあるクーポンのオファー例。

- 無料パンフレット『成功する方法』を送ってください。
- 購入義務なしで、『自宅に囲いをする方法』というパンフレットを送ってください。
- 生命保険に関する情報を送ってください。

この方法なら、テスト対象の各広告の宣伝効果を２重にチェックすること

図18.2

IQ TEST
IQ TEST ENCLOSED
PLEASE DO NOT BEND OR FOLD
IQテスト在中
折曲厳禁
Begin here . . .
Pitney Bowes Copier Systems
ピツニーボウズ・コピーシステム
If You Run a Small Business, You Deserve Copiers That Work Just as Hard AND JUST AS SMART as You Do!
小規模の会社をご経営でしたらご自身と同じくらい勤勉で同じくらい頭を使う（スマートな）コピー機があって当然です！
FREE SMART MANAGEMENT KIT
IQ Scoring
1-800-MR BOWES
IQスコア
同封のIQテストをいまお使いのコピー機でお試しください。終わったら、ピツニーボウズの「スマートイメージ9332」と点数を比べてみてください
いまお使いのコピー機
点数
スマートイメージ9332
点数 8－高性能
下は以前のコントロール（対照）DM。これと比べてIQテストDMへの返送率は138%アップした
Can You Afford A Dumb Worker?
役立たずを使う余裕がおありですか？

図18.2　知能指数の高いダイレクトメール

ときにはIQテストを使ってでも、見込み客に自社商品を検討してもらおう、というわけだ。オフィス機器販売のピツニーボウズ社の販売担当者は、「優良」見込み客を必要としていた。そこで、このIQテストのダイレクトメールで、同社のコピー機「スマートイメージ」がいかに高性能（スマート）かを実証することになった。会社の責任者に、（当人ではなく）会社のコピー機に「同封のIQテスト」を実施してもらうよう、お願いしたのだ。簡潔なレターで終始一貫して無料ギフト、つまり60秒でスコアを競う楽しいテストを説明、さらに、カラフルなスコアシート兼返信はがきで、圧倒的な成功を収めた。このIQテストは、ここまでノリノリではなかったコントロール（対照）DMの、「役立たずを使う余裕がおありですか？」よりもレスポンスが138%も多く、購入率も高かった！ 1995年「CADMテンポ賞」最優秀賞。

ができる。まず、返送されてきたクーポンを広告ごとに数え、次に、広告ごとの売上点数を数えるのだ。

ある程度経つと、返送されてきたクーポンの質もわかるようになってくる。ある新聞や雑誌が、他の新聞や雑誌と比べて質のいいリード（新規見込み客データ）を集めることもある。または、無料オファーを見出しのメインにした広告は、そのオファーを二の次扱いにした広告よりも、リードの質がよくないこともある。

6. サンプルやカタログを提供するクーポンつき広告をテストする方法

一般消費財の広告主のほとんどは、クーポンで得たリード（新規見込み客データ）をテレマーケティングや販売員の訪問でフォローアップしようとは考えていない。

たとえば、化粧品、家庭用品、医薬品の各メーカー、それにツアー商品の大半もその例だ。しかしこうした企業も、カタログやサンプルの配布や、コピーの宣伝効果を調べることには関心がある。この種のテストには、２通りの方法がある。

1 ● コピーをテストする方法。いま広告を掲載している新聞･雑誌すべてのなかから代表的な１紙/誌を選んで、その新聞か雑誌で新しい広告すべての事前テストをする。結果集計後、１番反応の多かった広告を他のすべての新聞･雑誌にも掲載する。

2 ● そこまで厳密にしなくてもいい方法もある。すべてのクーポンにカギ（識別記号）をつけて、クーポンの返送数と、１クーポンあたりの広告費用を記録する。こうした記録をときどきチェックすれば、どの広告とどの新聞･雑誌が１番レスポンスが多いかがわかる。

雑誌から抜粋したサンプル提供の例を見てみよう。**興味本位の応募者を排除するため、送金を必要条件**にしている点に注目。

無料のビタミン剤30日分を送ってください。梱包送料として2.50ドル同封します。

無料です。スポンジモップお買い上げの方にパイル地エプロンを差し上げます。2.95ドル相当のエプロンへのご応募は、レシートに郵送代50セントを添えてお送りください。

1ドル同封しています。オーダーメードのカーテン生地見本と採寸ガイドを送ってください。

次は、カタログ提供の代表例。有料のものもあれば、無料のものもある。

無料の旅行ガイドブックにご応募ください。

無料！　国内旅行計画マップ

『組立てボードでガレージをつくる方法』のパンフレットを送ってください。

50セント分硬貨を同封します。

50セント同封します。『夢のバスルームの設計と内装』を送ってください。

7. ブラインドオファーを入れた広告をテストする方法

質問：クーポンでオファーを目立たせるのではなく、ブラインドオファーを使ってテストしたほうがいいのはどういう場合か。

答え：(1) あまり多くの応募を望まない場合、(2) 応募マニアの応募を避けたい場合、(3) 広告が実際に読まれているかどうかを知りたい場合。

一連の広告をテストする場合、まず決めなければいけないことは、どんなオファーで行くかということだ。「コピーをテストしたいが、何をオファーしたらいいかわからない」とぼやく広告主もいる。

実は、ほとんどどんな場合でも、次のようなオファーが使える。

1 ● 商品のサンプル
2 ● 商品やサービスについてのパンフレット

ものによっては十分な応募が得られにくいこともある。一方で、応募があまりにも簡単に集まるために、数を減らす手段を講じる必要に迫られることもある。

応募がなかなか来ないケースもある

広告代理店のあるコピーライターが、頭痛薬の訴求ポイントをいろいろテストしてみようと考えた。そこで、75行2段サイズ（4段×1/4程度）の、文字だけの広告を何案か作った。広告ごとに訴求ポイントを変えて、それを見出しにした。たとえばこんな見出しだ。

広告1　神経性頭痛がすぐ楽になる
広告2　多くの人がこの頭痛薬を使っている理由

この代理店では、少なくとも100件の応募を各テスト広告に期待した。経験から、100件が妥当な線だと考えたのだ。各広告への応募がもし平均10件しかないようなら、テスト結果はあてにできない。かと言って、広告ごとに平均1,000件の応募があっても、サンプル発送費がいたずらに高くなってしまうだけだ。

メーカーの宣伝部長は、頭痛薬のビン1本の無料提供を広告に入れるのはどうかと思い、こう言った。

「無料サンプルに応募が殺到するかもしれません。代わりにパンフレットを無料提供にしましょう」

しかし代理店としては、サンプル提供のほうがいい。そのほうが、このテストが実際の宣伝効果テストに近いものになるからだ。

そこで宣伝部長を何とか説き伏せて、あまり押しの強くないオファーを1回だけ入れてテストする、ということで了解してもらった。このオファーの魅力を弱めるために、次の3つの方法が取られた。

1◉商品と同じビンではなく、サンプル用ビンを提供する。

2◉サンプル用のビンは無料提供ではなく、50セント送るようコピーに入れる。

3◉オファーはコピーの最後に完全にまぎれ込ませる(ブラインドオファー)。オファーを目立たせる小見出しは入れない。

こうして、オファーを入れた文字だけの広告が、発行部数50万部の新聞1紙に掲載された。コピーライターはそわそわと結果を待った。もし応募が多すぎたら、クライアントの宣伝部長を怒らせてしまうかもしれない、と心配だったのだ。

結果は、たったの2件だった。

次なるステップは、以下の内容をオファーする広告を掲載することだった。

「この広告を切り取り、お名前とご住所を記入してお送りください。通常

1ドル分の頭痛薬が入った小ビンを**完全無料**でお届けします」

今回は、100件あまりの応募があった。望んでいた応募数とほぼ同じだ。代理店はその後引き続き、違う見出しの他の広告も掲載した。様々な訴求ポイントの宣伝効果を比較するためだ。

このテストに関して、あるコピーライターがこう言った。

「食品や石鹸の試供品なら、ブラインドオファーでも数百件、ときには数千件もの応募が来ることもあるのに、頭痛薬への応募がなかなか来ないのはなぜだろうか」

答え：頭痛薬は、食品や石鹸をオファーするのに比べると、アピールする相手が狭まるからだ。しかも、いま頭痛に悩んでいなければ、頭痛薬の広告などわざわざ読まないだろう。また、もし頭痛がするなら、薬局へ行って薬を買うはずだ。頭痛薬が郵送されてくるのを何日も待ったりしない。

一方、食品や石鹸は、誰でもいつでもほしいものだ。その広告を見る人はみんな、そうした商品のサンプルがそのうち試せると考える。届くのが3日後でも3週間後でもかまわないのだ。

これと同様のテストを行った他の例、シンガポールでの広告例が**図18.3**(→次ページ)。

ブラインドオファーへの応募を増やす方法

パンフレットやサンプルの提供では十分な問合せが得られない場合、無料プレゼントでそのオファーに色をつけることができる。

ある電球の広告のテストでパンフレットをブラインドオファーにしたが、十分な応募が得られなかった。そこで、無料プレゼントを追加して、オファーをもっと魅力的なものにした。今度はうまくいった。次がそのオファーだ。

すてきな一体型シャープ＆ボールペンと換え芯、さらに、光と視力の関係についての興味深いパンフレットを無料でお届けします。この広告を切り取り、お名前とご住所を記入してお送りください。

図18.3

手に入れよう!
エンポリオ・アルマーニ、
ポール・スミス、Gジジリで使える
2,000ドル分の商品券
の他、豪華賞品を用意！
しかも、参加するだけで
無料プレゼントがもらえる！

図18.3　「上っ面」でないデータベースを作る

シンガポールの10代の女性向けスキンクリームのプロモーションをテストするのに、信頼できるデータベースは1つも存在しなかった。このキャンペーンはコンテストや抽選を目玉にして、10代向けの元気のいい雑誌への広告掲載と、店頭チラシに展開された。目標は5,000人分のデータ獲得だったが、結果はその2倍。予想以上のテストグループを、予想以上の早さで得ることができた。キャンペーンは2重の意味で成功だった。商品販売に最適な方法だけでなく、貴重なデータベースを常に新しく、かつ引き続き利益を生むように保つ方法もわかったからだ。1995年国際エコー賞受賞。

また別のケースでは、ある航空会社が文字だけの100行（約３段×1/4）サイズの広告をシリーズでテストすることにした。バミューダ便の宣伝広告で、発行部数60万部の新聞１紙でテストした。パンフレットのブラインドオファーは、広告１点につき応募が50件に満たなかった。これでは十分な数とは言えない。

そこで航空会社は、無料パンフレットの他に、サングラス１つとバミューダの地図１枚を無料セットにしてオファーに色をつけた。「無料バミューダ旅行セット」と銘打ったこのオファーには、コピーテストとしては十分すぎるほどの応募があった。

広告１点につき400件を超える応募があったのだ。

この「無料セット」のアイデアは、魅力に乏しい他の商品の広告コピーテストでも使われ、成功した。たとえば「無料ペンキセット」で家庭用ペンキの広告テストを行ったところ、多数の応募があったし、「無料マイホームセット」は、建材広告のテストで申し分ない反響があった。

興味を引くようにパンフレットを説明する方法

ある投資サービスの広告テストで、「無料パンフレットをお申込みください」のひと言では十分な応募が来なかった。そこで次のように、このパンフレットを魅力的に説明したところ、応募が500％以上増えたのだ。

将来値上がりが期待できる投資についての情報はどこで得られるか？　どのくらいになるのか？　どこで確認できるのか？

18ページのパンフレットが、このような疑問にお答えしています。この無料パンフレットは事実をわかりやすく説明しています。

株式を持つとどんな義務を負うのか。配当とは何か。配当はどれくらいの頻度で受け取れるものなのか。こうしたこともわかります。

投資リスクを減らす方法があるのをご存じですか？　その方法も、このパンフレットで説明しています。さらに、20〜103年間にわたって毎年配当を出し続けている企業リストもあります。１株が20ドル未満の株式も紹介しています。

　副収入にご興味のある方は、ぜひこのパンフレットをお申込みください。運用資金が200ドルでも5,000ドルでも関係ありません。いますぐ無料パンフレットにお申込みください。パンフレットは郵便でお届けします。購入義務は一切ありません。

応募を増やすその他の方法

◈**日曜日の新聞を利用する**――もし平日の新聞で広告をテストしていて、応募が十分にないようなら、日曜日に切り替えてみるといい。日曜日は平日よりたいてい部数が多いし、読者にしても、広告に応募する時間があるのは日曜日のほうだ。

◈**部数の多い媒体を利用する**――発行部数が25万部の新聞でテストしているなら、似たような新聞で発行部数が50万部あるところに替えてみる。応募数は２倍になるはずだ。

◈**掲載紙を増やす**――もし１紙でテストしているなら、掲載する新聞を増やすことで十分な応募数まで持っていくことができる。

◈**広告サイズを大きくする**――100行（約３段×1/4）サイズの広告をテストしているなら、200行（約３段×1/2）あるいは500行（約５段×1/2）サイズにしてみる。広告のサイズが大きいほど応募も多くなる。

　もちろん、どんな広告でもオファーを見出しや小見出しで目立たせれば応募を増やすことができる。しかし、この方法はお薦めしない。と言うのも、オファーが目立つと、コピーテストの意味がなくなってしまうからだ。テストしている訴求ポイントではなく、オファーに注目が行ってしまうのだ。

◈**まとめ**：ブラインドオファーのコピーテストで応募が得にくいケースでの、お薦め改善法を以下に簡単にまとめる。

1 ● **サンプルやパンフレットを有料ではなく無料で提供する。**
2 ● **オファーの値打ちを強調する。たとえば「1ドル分入り小ビン」など。**
3 ● **無料プレゼントを入れて、オファーに色をつける。**
4 ● **優れた特徴を挙げて、興味をそそるようにオファーを説明する。**
5 ● **新聞なら、平日ではなく日曜日に掲載してテストする。**
6 ● **より発行部数の多い新聞・雑誌でテストする。**
7 ● **広告をテストする掲載紙/誌を増やす。**
8 ● **広告のサイズを大きくする。**

8. 郵便を利用して継続的に宣伝効果をテストする方法

年間を通じて継続的に広告の宣伝効果テストを行っている企業もある。

何らかの通販を、すべての掲載紙/誌のすべての広告に入れるのだ。広告ごとにカギ（識別記号）をつけて、注文が来たのはどの掲載紙/誌のどの広告からか、追跡できるようにしている。

一般的に、この方法で得られる通販の注文では広告の掲載費に見合わないが、利点は次のような比較が行えることにある。

1 ● 広告同士の宣伝効果が比較できる。
2 ● 掲載紙/誌同士の宣伝効果が比較できる。
3 ● 記録をつけることで、最も効果があるのは1年のどの時期かがわかる。
4 ● どの位置に掲載すれば最も効果的かがわかる。

この方法を使った『ウォールストリート・ジャーナル』紙の宣伝コピーの最後の部分が次だ。1番最後に**カギ（識別記号）**がある。この場合の記号（NYT1-10）は「1月10日の『ニューヨーク・タイムズ』紙に掲載した広告」を意味している。

『ウォールストリート・ジャーナル』は経済専門紙です。ビジネス・金融の各分野に大勢の執筆スタッフを擁し、3大通信社からニュース配信を受けている唯一のビジネス紙です。購読料金は年間Xドルですが、いまなら3か月の「お試し購読」が○ドルです。この広告を切り取り、○ドル分の小切手を同封してお送りください。または請求書をお申しつけください。宛先はウォールストリート・ジャーナル紙 200バーネットロード、チコピー、マサチューセッツ州 01021 NYT1-10まで。

9. 電話問合せを利用して広告をテストする方法

次のやり取りがこのテストのやり方をわかりやすく説明している。

「技術主任と話したんだが、今度出す新しいエアコンの目玉は除湿機能だそうだ」と、ある家電メーカーの営業部長が言った。「部屋の空気をドライに保つと、人間の体は自然に涼しくなるそうだよ」
「なるほど」と宣伝部長。
「広告で除湿機能を伝えたらどうだろう。昔からよく言うだろう、『問題なのは暑さじゃなくて湿気だ』って」
「あんまり面白いキャンペーンにはならない気がするな」
「確かに、うちの販売員も除湿機能はあまりアピールしていない。冷房の話ばかりだ。暑い日もお部屋は涼しい、と説明している。広告ではどちらをアピールすべきだろう？　涼しさか除湿か」
「両方やってみる手もあるよ。除湿をアピールする広告を出して電話番号を載せ、詳しくはお電話で、とする。これで、問合せが何件あるか記録できる。次に、涼しさをアピールする広告を出して、問合せ件数を記録する」
「広告はどこに載せる？」
「新聞だね」

「そうすると、１番暑い日に載った広告が勝つことになるな。暑い日にどれだけショールームがにぎわうか知ってるだろう？」
「じゃあ、それぞれの広告を何回か交互に出そう。まず涼しさの広告、次に除湿の広告、それからまた涼しさ、除湿というように。そうすれば、天候に左右されるのが均せる」
「いい考えだ。ところで、問合せの電話をショールームで受けさせるのはどうだろう？　そうすれば販売員の誰かに対応させられる。売込みと広告テストが同時にできる」
「いいよ」と宣伝部長。

2.5倍の差がついたこのテストの結果

こうして２種類の広告が用意された。どちらもビジュアルなしの記事広告だ。それぞれ100行２段（約３段×1/2）サイズで、広告の最後に電話番号と、詳しくはぜひお電話で、と促している。
これがその２種類の広告の見出しだ。電話が多かったのはどちらかおわかりだろうか。

広告１　**湿気退治は、除湿もできる新型クーラーで**
広告２　**涼しくぐっすり眠れる方法――熱帯夜でも平気**

この２種類の広告が交互に、週１回ずつ程度、発行部数50万部の新聞１紙に掲載された。そして広告ごとにかかってきた問合せの電話件数が記録された。
すぐに結果の方向性が見えてきた。
２つ目の「**涼しくぐっすり眠れる方法――熱帯夜でも平気**」には、１つ目の「湿気退治は、除湿もできる新型クーラーで」より平均で**2.5倍**多く問合せがあったのだ。
このテストの結果、除湿のアピールを広告の見出しから外し、その夏は以降ずっと、涼しさをすべての広告で強調。売上は絶好調だった。

電話問合せを利用した他のテスト例

ある金融会社が「ハードセル」の広告と「ソフトセル」の広告を比較テストしようと考えた。これがその異なる２種類のキャンペーン例だ。

◈ハードセル

［見出し］どうすれば200ドルの融資が受けられるか

［コピー］秘密厳守ですばやいサービス、友人、親族、勤務先への照会は一切ないことを強調。借入れ可能な金額と月々の返済プランを示した一覧表も入っている。

◈ソフトセル

［見出し］どんなとき融資が役立つか？

［コピー］哲学的なアプローチでこんなふうに説いている。「ときには融資も役に立ちます。ときには借金がどんどんかさむだけのこともあります。借りるのは、融資で状況が改善できる場合に留めるべきです。当社がご融資するのは、資金を前向きにご利用になれる方です」

この２種類の広告を複数の新聞でテストした。

一方の広告には「いますぐ融資のご相談をご希望の方は（電話番号）のミラーまでお電話ください」という１文があり、ミラー宛てにかかってきた電話はすべてその広告の得点になる。

もう一方の広告にもまったく同じ文で、ただ「ミラーまで」の部分を「ジョンソンまで」に変えたものが載せられた。ジョンソン宛ての電話は、すべてこちらの広告の得点になる。

テストの結果、「**どうすれば200ドルの融資が受けられるか**」の広告には、もう一方の広告の**2.5倍**の電話問合せがあった。

このテスト結果について、担当のAEはこう説明した。

「『どんなとき融資が役立つか？』は哲学的な見出しです。ピンチに陥っているときに人は哲学なんかいりません。いるのはお金です！　だから、『どうすれば200ドルの融資が受けられるか』の広告のほうが反応がよかったのです」
　他の展開もいくつか見てみよう。複数の広告に「詳しくはお電話で」と入れて、どの広告に1番問合せ電話が多かったかを記録することで、広告をテストした例だ。
　あるエンジニアリング企業が求人広告を出した。複数の新聞の求人欄に、同じ電話番号の入ったコピーを載せた。各広告は求職者に対して、詳しくは電話で確認するように促し、新聞ごとに別の担当者の名前を伝えている。
　たとえば、「ディグビーまで」とか「トンプソンまで」とかいった具合だ。この方法は、異なるアプローチのコピーの宣伝効果のテストの他に、新聞別の効果テストにも役だった。
　ある私立学校がこれと同じ方法で、入学希望者に電話をかけてもらうにはどの広告が1番効果的かをテストした。また、この方法は、何曜日に掲載するのが1番効果的かを判断するのにも使われた。
　その結果、**日曜日のほうが平日より効果的**だとわかった。
　オフィス用品のあるメーカーは、この方法を使ってコピーをテストしただけでなく、販売員があとで訪問できるリード（新規見込み客データ）供給源としても活用した。

10.　郵便を利用して訴求ポイントをテストする方法

「競合相手に知られないようにして、新キャンペーンのコピーを新聞でテストするにはどうすればいい？」と、石鹸メーカーの宣伝部長。
「大都市でのテストは避けましょう。小さな町、たとえばペオリアみたいなところでテストするのです」とAEが答える。
「うーん、どうかな。今度の新しい訴求Xは石鹸では初めてのことだから、全国キャンペーンの前に漏れると困る。知ってのとおり、この業界は競争が激しいからね。ペオリアで訴求Xの広告を出したら、相手が嗅ぎつけるのはすぐだ」
「コピーテストを省くこともできますよ」
「いや、比較はしたい。訴求Xの広告と、いまの訴求Yの広告の宣伝効果を比べて、経営陣に見せられる裏づけが何かほしいんだ」
「主婦を集めてオピニオンテストを行うのはどうでしょう。広告Xと広告Yを見せて、好きなほうを選んでもらうのです」
「うーん、たいていの女性は恥ずかしがって、訴求Xの広告は選ばないかもしれない。ちょっとどぎついからね。でも訴求力はあると思うんだ」
「郵便でコピーテストをするのはどうでしょうか」
「どんなふうに？」
「まず、平均的な主婦の住所・氏名リストを名簿業者から買います。ある程度の数、たとえば1万人分を手に入れます。広告をベースにしたダイレクトメールを作るか、あるいは実際の広告の見本刷りを送ってもいいかもしれません。何らかのオファーと返信用はがきをつけて、訴求Xの広告をリストの半分に、訴求Yの広告を残りの半分に送ります。返信用はがきにはX部行き、Y部行きとカギをつけて、どちらが反応がいいかわかるようにします」
「何をオファーしよう？」
「その石鹸のサンプルですね」
「無料、それとも有料で？」
「どちらでも結構です。サンプルを50セントで提供するなら、はがきの代わりに返信用封筒を同封します。その場合は、十分な数の応募を得るために、郵送する数をもっと増やす必要があるでしょう。一方、サンプルを無料で提供するなら、送る数を減らして返信用はがきの同封で行けます」
「その返信はがきにもオファーの内容を載せるか？」
「いいえ、レターより先にはがきのオファーを読む人がいるかもしれませんし、レターをまったく読まずに応募だけしてくる人もいるかもしれません。これではテストが台なしになってしまいます。返信はがきは名前と住所を書いてもらう空欄だけにします。そうすればこのコピーテストが正しい順序で行えます。コピーにブラインドオファーを入れるのがいいでしょう。この広告への関心が十分にある女性だけがコピーを読んでくれて、このブラインドオファーに気づくというわけです」
「そのやり方でコピーテストをするとしたらいくらかかる？」
「5,000ドルくらいですね」
「期間は？」
「約２週間です」

郵便利用の訴求ポイントテスト実例

いまのエピソードに出てきたコピーテストの方法は、長年にわたってたびたび行われてきたものだ。

この方法を使った１例を挙げよう。ある葉巻メーカーのケースだ。

このメーカーは６つの異なる訴求ポイントをテストすることにした。６本の各見出しで、それぞれ異なる訴求を行う。郵送費を抑えるため、封書の代わりに往復はがきが使われた。各見出しとそれぞれに合ったコピー（ブラインドオファーを含む）を往信はがきの文面に印刷し、返信はがきの宛名面にはそのメーカーの住所・社名、そして返信文面には受取人の住所・氏名を書き込む欄を入れた。ブラインドオファーはこんな内容だった。

> この返信はがきにご記入のうえ、いますぐご返送ください。葉巻３本謹呈します。当社の葉巻をぜひ味わってみてください。その後さらにご希望の場合（きっと気に入っていただけると思っております）は、お近くのタバコ店でお求めください。

ある新しい訴求ポイントを見出しに入れたはがきは、他のどの見出しのはがきよりも**50%**近く応募が多かった。この訴求ポイントはその後も使われ、効果的な広告キャンペーンのベースになった。

パッケージグッズのメーカーも郵便を使って、異なる訴求ポイントの宣伝効果をテストした。テストした訴求ポイントは５つ。各訴求ポイントを見出しにしたはがきを2,000枚ずつ、合計１万枚のはがきを主婦に郵送した。各見出しのあとに商品説明のコピーが３段落あり、その後、最後の段落に次のブラインドオファーを入れてある。

無料パッケージグッズをご希望の方は、返信はがきにお名前とご住所をご記入のうえ、投函してください。切手は不要です。もちろん、ご購入の義務は一切ありません。ただし、お急ぎください。返信はがきをいますぐポストに入れてください。

食品メーカー、製薬会社、通信教育業者もこの方法を使って、ベースとなる訴求ポイントか見本刷りをテストしてから、広告を出稿している。オファーするものは商品のサンプル、商品あるいはサービスに関するパンフレットだ。

11. 郵便を利用してオピニオンテストをする方法

もし、コピーテストをするのに何か問題があり、その解決にオピニオンテストが役に立つようなら、また郵便によるオピニオンテストを行うことも可能だ。直接面談する必要はない。たとえば、2,000通のレターを送るとする。レターヘッドを「調査局」などとして、それらしいものを用意する。代表的なレターを1通紹介しよう。

調査局
1891号室　590 レキシントン·アベニュー
ニューヨーク市　ニューヨーク州 10017

大切なお客様へ

先日私がある意見を述べると、すぐさま、じゃあ証明してみろと食ってかかられました。

私が言ったのは「わざわざ会いに行かなくても人にものは尋ねられる」ということでした。ものを尋ねるのにふさわしい手紙を書けば、相手は喜んで答えてくれるはずだと主張したのです。

私が間違っていないことを証明するのに力をお貸しいただけませんか？

お願いしたいのは、同封した6点の広告を見比べて、どれに1番興味をそそられるかを考えていただくだけです。

そのあとで、選んだ広告の下のアルファベットを、この用紙の下にある欄に記入してください。1番いいと思われる広告を選んだら、2番目、3番目というふうに、6点の広告すべてを所定の欄にご記入ください。

広告案はご返送いただかなくて結構です。ご記入済みのこの用紙だけを、同封の、切手つき返信用封筒に入れてお送りください。

どうぞよろしくお願い申し上げます。

ジェーン・トンプソン

1番いいと思う広告 ______

2番目の広告 ______

3番目の広告 ______

4番目の広告 ______

5番目の広告 ______

6番目の広告 ______

性別　男性 ______ 女性 ______

12.　バス広告をテストする方法

ある化粧品メーカーがバス広告を企画した。2種類の異なる訴求ポイントをそれぞれメインにした広告を、仮に広告A、広告Bとしよう。

広告Aは、その化粧品を使うことで人から注目を浴びるようになることをアピールするもの。広告の1番下に小さく「サンプルをご希望の方は50セントをA部宛てにお送りください」とあり、その下にメーカーの住所が入る。

広告Bは、お肌のあるトラブル軽減にこの化粧品が役立つことをアピール。広告の下には同じく、50セントのサンプル提供。

1つだけ違うのは、**宛先がA部ではなくB部**となっている点だ。

ご存じのように、バスや地下鉄への広告掲出は、少量でも大量でも可能だ。

1 ◉ 半量掲出なら、広告が掲出されるのは、あるバス路線を走るすべてのバスの半数（地下鉄の場合はある路線の地下鉄車両の半数に掲出）。

2 ◉ 全量掲出なら、すべてのバスまたはすべての地下鉄車両に掲出される。

（訳注・日本の電車、バス広告の場合は、種類、サイズ、枚数、期間がもっと細分化されている。1車両への独占掲出は「車内ジャック」と言う）

この化粧品メーカーは、あるバス路線に2種類の広告を半数ずつ掲出することにした。半数が広告A、もう半数が広告B。これで、どちらの広告もまったく同じ条件のもとで、まったく同じように露出することになる。

テストは2か月続き、その間にメーカーに届いたレスポンスは、一方の広告がもう一方より**65%**多かった。

ちなみにこのテストの結果は、新聞に載せた通販広告テストの結果とも一致した。新聞でも同じ2種類の訴求ポイントをテストしたのだ。

13.　地域を限定して宣伝効果をテストする方法

広告を学んでいる人が、広告テストについてこんな質問をすることがある。

「テストする広告を掲載するのはどこか1か所の都市だけにして、結果を測定したらいけないんですか？」

答えはこうだ。この方法は簡単そうに見えて、実は高くつき、時間がかかり、誤りも生じやすい。例を挙げよう。

1●長年定番になっている商品の場合、新たに広告を出そうが出すまいが、その商品はある程度まで売れ続ける。

2●卸売業者を通している場合、（新聞に広告を出した結果生じた）売上増加分が、自社工場から卸への出荷量にいくらかでも反映されるまでに、かなり時間がかかることがある。たとえば、家庭用洗剤なら、消費者はいま使っている洗剤がなくなるまで新しいものは買わない。町の日用雑貨店やスーパーマーケットの担当者も、在庫が少なくなるまで追加注文しない。卸売業者も、在庫がほぼ空にならなければ工場に発注しない。こうして、たとえばペオリアの町で行った広告キャンペーンがうまくいき、広告を見た人がその商品をほしくなったとしても、こちらがそれに気づくのは何か月か先になるかもしれない。

3●ある訴求ポイントと別の訴求ポイントの宣伝効果を、この方法で比較するのは難しい。どちらの訴求でも、ある程度商品は売れるからだ。まったく条件の同じ都市を２か所探さなければ、それぞれの都市で別の訴求ポイントの広告を出して、効果の違いを比較することはできない。どれほど似かよった都市を選んだとしても、テストは何かしら不都合な影響を受けるものだ。こちらではどうしようもない要因や、その時点では気づかなかった目に見えない事情だってあるかもしれない。

限定地域で宣伝効果テストを行うのは難しいとは言え、信頼できることがわかっているテストマーケットでは、この方法が何年も使われてきているし、今後もそうなるだろう。広告の宣伝効果が実際の売上で測れるからだ。

限定地域で２種類の訴求ポイントをテストする場合は、次の点に注意すれば、正確に測定するのに役立つ。

1 ◉広告Aと広告Bをテストするだけではいけない。売上の差が小さすぎて比較できない場合もある。2種類のキャンペーン、つまりキャンペーンAとキャンペーンBを企画すること。キャンペーンAを長期間（2～6か月間）、都市1か所あるいは複数の都市で行い、キャンペーンBも同じ期間で、別の都市1か所あるいは複数の都市で行うのだ。

2 ◉小スペース広告をたまに出すのではなく、大スペース広告を頻繁に出すことで、結果が早くわかる。つまり、テスト期間中はいつもよりたくさん宣伝することで、キャンペーンAとキャンペーンBの効果の違いが際立つようにする。

3 ◉宣伝効果をよりすばやく、より感度よく、測定できる方法を探してみること。工場から卸売業者への出荷量で測っているようではダメだ。たとえば、調査員を定期的に店舗に派遣することもできる。店のオーナーと相談して、その店にある自社商品を調査員に数えさせて記録させる。これで、売上効果がすばやく正確にわかる。

地域限定で新製品の宣伝効果をテストする方法

新製品を売り出す広告の宣伝効果テストは、定番商品の売上アップを目指す広告の場合より、現実的な場合もある。たとえば、ある男性が新しい薬を作って、自分が住んでいる町でその広告の宣伝効果テストを始めた。これまでにない新しい広告を地元の新聞に毎週出して、近所の薬局でお求めくださいと伝えたのだ。

男性は毎週、町中の薬局を自分で訪れて、陳列されている自分の薬を数えた。まったく売れていない週もあれば、いくつか売れた週もある。

ある日、まったく新しい訴求ポイントの広告を新聞に出したところ、その週だけ薬が完売になった。

こうして、ある町で効果的な訴求ポイントが見つかったことが、この薬の広告キャンペーンの始まりとなり、のちに全米でよく知られるようになった。

14.　共同広告で宣伝効果をテストする方法

数種類の広告の効果をテストする方法を探りながら、ある製造者がこう考えた。
「自分がデパートを持っていたら、製品の様々な広告の効果が簡単にテストできるんだが。広告を毎週１種類ずつ地元の新聞に出して、広告別にその売上効果を記録するだけでいいのに。

もちろん、この方法ではちょっとした誤差もあるだろう。

たとえば、ある広告がその他の広告よりいい場所に載るかもしれない。また、そのうちに全部の広告の累積効果がある程度出てくるかもしれない。それでも、もしある広告がずば抜けた効果を挙げれば、そうとわかるはずだ。宣伝効果抜群のその広告をあとでもう１度出すことで、その効果が再確認できる」

そうやってあれこれ考えているうちに、こんなアイデアを思いついた。
「ひょっとすると、デパートを持っていなくてもこの方法が使えるかも。デパートの責任者を巻き込めば、広告の効果をテストするのに協力してもらえるかもしれない。新聞への掲載料はこちらが持つから、広告ごとにどれくらい売上があったか教えてもらえないか、と頼んでみよう。広告はうちの製品をメインにして、デパートの名前で出すと言うのだ」

この案を試してみたところ、うまくいくことがわかった。デパートの責任者たちにこう話を持ちかけたのだ。
「お宅に協力する（広告費を負担してデパートに人を集める）から、うちに協力して（売上を教えて）ほしい」

これと同じ方法で、大都市のドラッグストアチェーンが店頭商品の様々な広告の宣伝効果をテストした。広告は複数の新聞に週１回掲載し、広告ごとに違う訴求ポイントの見出しにする。各広告にはこのドラッグストアチェーンの名前を入れる。こうすることで、このチェーンの店に売上が集中し、何十もの独立系店舗に売上が分散するよりも、効果測定が簡単になった。

ただし、このいわゆる共同広告の方法は、米連邦法で規制されている。「共同」企画を立てる前に、この分野の法律専門家に相談して、問題がないか確認すること（注1）。

注1：「共同」広告についてもっと知りたい方は、フレッド・E・ハーンとケネス・マンガンの共著『Do-It-Yourself Advertising and Promotion』第2版（John Wiley & Sons社）を参照。

15.　取材で注目率をテストする方法

自分が住んでいる地元の新聞に広告を出し、何人がその広告を見てくれるか調べることにしたとする。広告が掲載された次の日、友人や近所の人を訪ねて、その広告を見たかどうか質問したとしよう。

10人の家を訪ねて、その広告を見たという人をやっと１人見つけた。するとこう考えられる。

「10人に１人ということは10%だ。この広告を出した新聞の発行部数は２万部。だから、広告を見たのは２万人の10%、つまり全部で2,000人だ」

これが、広告の効果をテストする注目率調査の方法だ。もちろん、いまの例はかなり単純化したもの。実際には調査効率をもっと上げる必要があり、それには次のような工夫がいる。

1◎友人を訪ねてはいけない。こちらを喜ばせようとして、実際にはその広告に気づかなくても、「見た」と言う可能性が高い。

2◎取材するときに特定の広告を指差してはいけない。新聞をめくりながらこう聞いたほうがいい。

「２ページで何か目に留まりましたか？　３ページでは？　ページをめくっていく間に目につくものがあれば、何でも指差してください」

こうやって新聞の全ページを確認してもいいし、数ページに絞れば取材時間の節約になる。いずれにしても、同じ新聞のなかで、こちらの広告が他の広告と比べてどの程度注目されたかがわかる。

3 ● 必要に応じて、さらに詳しく質問することもできる。ある広告に目が留まった、と言う人がいたら、「内容を読みましたか？」と聞く。読んだと相手が答えたら、「どの部分を読みましたか？　その商品をもう買いましたか？　買う予定はありますか？　広告を読んで買いたくなりましたか？」とさらに突っ込んだ質問もできる。

4 ● 注目率調査の信頼性を上げようと思うなら、取材人数が10人ではまったく足りない。数百人に話を聞く必要があるから、調査会社に依頼してスタッフを手配することになる。その人たちに1軒1軒家を回ってもらい、こちらの用意した質問を聞いてもらう。

実際には、広告テストの注目率調査はたいてい、こうした業務専門の企業に依頼して行う。このような専門企業は、新聞・雑誌、それにテレビ・ラジオでも広告の注目率調査を行っていて、詳しい調査レポートを用意している。それを見れば、各種広告を見たり読んだりした人の割合がわかるようになっている。こうした調査レポートを購入して、定期的に郵送してもらうこともできる。ただし、この種のサービスは個人で買うには高すぎる。購入するのは普通、広告代理店や、膨大な広告費を使う大企業だ。

広告の効果を測る注目率調査には、便利な点も不便な点もある。

たとえば便利な点は、ある新聞か雑誌に掲載されたすべての広告の注目率調査レポートが入手できることだ。競合他社の広告も、もちろん含まれている。不便な点は、この調査方法でポイントが高い広告が、必ずしも売上をたくさん上げているとは限らないこと。注目はされるが売りにはつながらない広告、ということがあるのだ。

16.　郵便を使って注目率をテストする方法

注目率調査は、面談せずに郵便で行う場合もある。たとえばこれは、ある雑誌社が送ったレターの抜粋だ。

○○様、定期ご購読いただいている小誌７月号を数週間前にお届けしました。すでにご覧いただけたことと存じます。

つきましては、小社の調査にぜひご協力いただけませんでしょうか。ごく限られた一部の方々だけにお願いしております。

この調査では、７月号をご覧になったときに、どの広告がお目に留まったかということをお伺いしております。また、お読みになった記事もお教えいただければ幸いです。７月号をもう１部同封しました。この他に、小社特製鉛筆と料金支払済返信用封筒も入っています。

ご関心のあった広告と記事それぞれの中央に、線を引いていただけますか？

もしこの７月号をまったくご覧になっていない場合は、表紙に大きく×印をつけてご返送ください。特製鉛筆は記念品としてどうぞお使いください。

また、記事や広告に関するどんなご意見も大歓迎です。

この調査にご協力のほど何卒よろしくお願い申し上げます。ご協力いただきました情報は、小社および掲載広告に関する資料として大いに活用させていただきます。

17.　新聞・雑誌のスプリットランでコピーをテストする方法

「通販の広告を２種類テストしよう。どちらが効果的かを知りたい」と、宣伝部長が部下に言う。

「どこでテストしますか、雑誌ですか？」と、部下。
「いや、新聞だ。そのほうがすぐにテストできる。雑誌は新聞より申込締切が早い」
「どちらの広告を先に出しますか？」
「それが問題だ。先に出す広告のほうが不当に有利になってしまうかもしれない。最初の広告はすぐに飛びつく客をつかまえられる。あとから出す広告がわずかな売上で終わってしまうかもしれない。そうなったら、先に出した広告のほうが売上では効果があるように見えるかもしれないが、売上は少なくても、あとの広告のほうが効果的、ということもありうる」
「別の見方もできます。広告の累積効果とよく言いますから、最初の広告がウォーミングアップになって、次に出した広告のほうが売上が大きくなるかもしれません」
「うーん、広告がこんなに複雑じゃなければいいんだが！　そろそろ昼食の時間だな」

コピーをテストする場合の変数

この例は、コピーテストに影響するある変数、つまり、広告を出す順番の話だ。この変数を相殺しようと、２種類の新聞でテストを行い、一方の新聞では広告の掲載順序を逆にしている企業もある。

たとえば、一方の新聞で広告Aを月曜日に、広告Bを火曜日に掲載する。もう一方の新聞では広告Bを月曜日に、広告Aを火曜日に掲載する。こうすれば、２種類の広告からのレスポンスが平均化されるというわけだ。

新聞での掲載位置も、コピーテストに影響を与える変数の１つだ。ある広告は生活面の１番上に載るかもしれないし、別の広告は社会面の１番下に載るかもしれない。こうした変数の影響を避けるには、テスト広告を同じような位置に入れてもらえるよう、広告の割付担当者に協力をお願いしてみるといい。

たとえば広告掲載を申し込むときに、「広告はどちらも生活面の右上に来るようにお願いします」と希望を伝えるのだ（訳注・日本では通常、特定面指定割増料がかかる）。

天候もコピーテストに影響する。雨の日に掲載された広告が有利になることもありうる。家にいる人が多く、応募する時間も普段よりあるからだ。こうした変数は、テストする広告を、遠く離れた複数の地域に出すことで相殺できる。

スプリットランでコピーがテストできる仕組み

スプリットランでコピーがテストできるようになったことで、こうしたやっかいな変数がなくなった。スプリットランを利用すれば、2種類の広告を同じ日に同じ掲載位置でテストすることができる。各広告が新聞の発行部数の半数ずつに掲載されるのだ。

どうしてこういうことが可能なのか、説明しよう。

新聞を刷るとき、各輪転機には各紙面の刷版が2枚ずつ取りつけられる。つまり、輪転機が1回転すると、同じ紙面が2枚印刷される。

新聞でスプリットランテストを行う場合、広告主は同じサイズの広告をAとBの2点、新聞社に渡す。広告Aの入った刷版を輪転機の片側に、広告Bの入った刷版をもう片側にセットする。これで、輪転機が1回転したときに同じ紙面が2枚印刷されるが、広告の部分だけは別々のものが、それぞれの紙面の同じ位置に載ることになる。

販売店に届く新聞は、どこであろうと、広告Aと広告Bが均等に順番に混ざったものだ。だから、どんな場所や地域にその新聞が行っても、家に配達されようが店頭で売られようが、広告Aの新聞と広告Bの新聞が読者に届くのはまったく同数になる、というわけだ。この種のテストは「ABスプリットラン」と言い、依頼するときはそう言えばいい。

テストにおいて、これがどれほど重要かは一目瞭然。テスト結果に影響を与えかねない変数がなくなるのだから。どの広告もまったく同じ条件のもとでテストされる。両方の広告が同時に、同じ地域、同じ天候下の読者に届く。両広告とも新聞の同じ位置に掲載され、周りにある記事も同じだ。その広告が影響を受ける100％唯一の変数は、広告主自身が比較のために入れる要素だけだ。

スプリットランテストの様々な利用法

新聞のスプリットランでコピーがテストできることは、科学的手法で広告する人たちにとって最大級の発明だ。その理由を３つ挙げよう。

1 ●結果が早い。たとえば、２種類の広告を月曜日にテストすると、たいていの場合、早ければ火曜日か水曜日にはどちらが効果的かがわかる。

2 ●精度が高い。何らかのテストをしたあとで、「広告Ａは広告Ｂの２倍くらい効果的」とか「広告Ａは広告Ｂの５割増し程度よかった）などという言い方をもうしなくて済む。この方法なら、たとえば「広告Ａは広告Ｂより43％効果が高い」と具体的に言える。

3 ●細かい点までテストできる。この方法は正確なので、広告のちょっとした違いまでテストできる。たとえば、次のような細部の違いがテストされた。

◆**テスト例１**　医薬品の２種類の広告。まったく同じ内容で、違いは、広告Ａは見出しが写真の上に、広告Ｂは**写真の下**にある点だけだった。

結果は、広告Ｂのほうがレスポンスが8％多かった。デビッド・オグルヴィが著書『「売る」広告』で、この点がいかに重要かを強調するためにこう問いかけている。

> 「なぜ、25万部の発行物で２万人の潜在顧客をみすみす手放すようなことをどこもかしこもしているのか。見出しを写真の下にレイアウトしさえすればいいのに」

◆**テスト例２**　化粧品の２種類の広告。同じ女性モデルの写真を使ってのテスト。まったく同じ広告で、唯一の違いは、広告Ａではにっこり笑顔、広告Ｂでは真剣な顔つきである点だけ。広告Ａのほうが**25％応募が多かった**。

◈**テスト例3**　車を宣伝する、文字だけの2種類の広告。コピーはまったく同じで、見出しを次のように変えただけだった。

［広告Aの見出し］**10ガロンにつき1ガロンのガソリン節約になります**
［広告Bの見出し］**ドライバーのみなさん！　10ガロンにつき1ガロンのガソリン節約になります**

広告Bのほうが**20％レスポンス**が多かった。

◈**テスト例4**　金融関係の2種類の広告。唯一の違いは、広告Aには「無料パンフレットにご応募を」という小見出しがクーポンの上にあり、広告Bにはその小見出しがないことだ。クーポンの上に小見出しがあるほうが、ないほうより5％応募が多かった。

スプリットランでコピーをテストする方法は、通販のテスト、クーポンのテスト、ブラインドオファーのテスト、注目率調査、レイアウトのテスト、ビジュアルのテスト、店舗販売のテストに使える。

広告を出す企業はまだ、スプリットランテストの持つ可能性のほんの一部しか活用していない。考えてもみてほしい。たった1日で、典型的な大都市で、ある広告Aを25万人、別の広告Bを別の25万人の手元に、まったく同じ条件で届けることができる。大規模かつ低コストで行える正確なサンプリング調査なのだ。これだけの大規模なサンプリングをこれ以外の方法で行うには、多くの問題が生じるし、莫大な費用がかかってしまう。

アメリカでは1,000社を超える新聞社がスプリットランを提供している、とSRDS（元Standard Rate and Data Service）（訳注・メディアに特化したアメリカのデータベース会社）のデータが示している。これだけの新聞で、スプリットランのコピーテストができるわけだ。あとは、広告の企画を立てること、応募や問合せに答えること、テスト結果を集計することだけ。しかも費用は、新聞への広告掲載料と、スプリットランのわずかな割増分だけだ。

雑誌でもたいていスプリットラン広告を提供している。『TVガイド』には

80以上の地域版があり、スプリットランでコピーがテストできる。雑誌は掲載申込みの締切が早い（発行日の１か月から２か月前）ため、すぐにスプリットランテストはできないが、広告キャンペーンの一環として定期的にコピーをテストすることは可能だ。

一連の広告すべてをスプリットランでテストする方法

ある会社の宣伝部長が、代理店の媒体担当者に、スプリットランのコピーテストについて相談した。

「スプリットランテストで２種類の広告をテストできるのはよくわかった。それぞれの広告を同じ日の新聞の半数ずつに掲載し、あとはそれぞれの応募数を数える、ということだね。ところで、３種類以上の広告、たとえば４種類とか10種類の広告でもテストは可能なのか？」

「はい、可能です。４種類の広告でしたら、スプリットランを１週間ずつ３回に分けて行うことでテストできます。たとえば、最初の週の新聞広告のスプリットランで、広告Ａに応募が100件、広告Ｂに150件あったとします。次の週で、あとの２種類の広告、ＣとＤをテストします。広告Ｃのほうが反応がよかったとしましょう。これで、勝ち広告が２種類になったわけです。つまり、広告Ｂが１回目のテストの勝者、広告Ｃが２回目のテストの勝者です。最後の週に２種類の勝ち広告同士でスプリットランを行えば、４種類すべての広告のなかでどれが１番効果的かがわかります」

「広告が10種類の場合は？」

「10種類の広告をまずグループ分けし、４、４、２種類にします。そして、グループごとにテストするのです。その後、各グループの勝ち広告同士でテストします。大学対抗の陸上競技会と同じですよ。選手が大勢参加しますから、まず予選を何度か行い、明らかに勝ち目のない選手を除外し、それから準決勝、そして決勝というわけです。

これとはちょっと違う方法も、必要に応じて可能です。10種類の広告に１～10まで番号をつけたとします。たとえば、月曜日に広告１と広告２のスプリットランを行い、応募数を数えて、木曜日には広告１の勝ちとわかったとします。新聞広告の掲載申込締切は遅いため、次の月曜日には勝ち広告1と広告3を比べることができます。また応募数を数えることで、この2回目のスプリットランでどちらが勝ったかがわかります。そして、2回目のテストの勝ち広告と、まだテストをしていない広告を3週目の月曜日に出します。この手順を毎週月曜日に続けて行い、すべての広告をテストすれば、どの広告のチャンピオンかがわかります」
「かなり時間がかかるのでは？」と宣伝部長。
「そうですね、10種類の広告をテストするのに10週間かかります。でもこの手順はずっと続けることもできます。この方法のよいところは、テストをしている間にコピーライターが結果を検討できることです。ある訴求ポイントがうまくいくとわかれば、その訴求ポイントを強調した広告を新たに作ってテストできます。つまり、テストが進むにつれて、コピーライターには進むべき方向性が見えてくるのです」

スプリットランで10種類の広告をすばやくテストする方法

「もっと手っ取り早く一連の、たとえば10種類の広告をテストする方法は？」
「あります。10種類の広告を10日間でテストできる方法があります。これなら10週間もかかりません」
「どうやって？」
「すでにある広告を1つ選び、それを『コントロール（対照）広告』、つまり基準にします。毎日このコントロール広告を、スプリットランする新聞の発行部数の半数に、残りの半数には、テストする広告を日替わりで1種類ずつ載せます。たとえば、このような掲載予定になります。

月曜日　広告1とコントロール広告
火曜日　広告2とコントロール広告
水曜日　広告3とコントロール広告

これを続ければ、10種類すべての広告と1種類のコントロール広告のスプリットランが可能です」
「どう結果を集計してチャンピオン広告を決める？」
「たいてい、コントロール広告よりレスポンスが多い広告もあれば、少ない広告もあります。チャンピオンは、コントロール広告と比べて圧倒的大差で効果のあった広告です。たとえば、集計結果がこうなったとしましょう。

広告１は、コントロール広告より20％レスポンスが多い
広告２は、コントロール広告より35％レスポンスが少ない
広告３は、コントロール広告より60％レスポンスが多い

という具合です。
言うまでもなく、広告３がこの時点ではベスト、広告１がその次です。
こうして10種類の広告すべてをコントロール広告と比較テストしたら、効果のあった順に１～10まで並べます。過去のテストでは、１番効果的な広告がコントロール広告を数百％も上回った例もあります」
「こういうテストをやっているうちに、だんだんと広告の効果が薄れていくようなことは？」
「そういう場合もあります。すべての広告のなかで、10番目にテストする広告は、１番目の半分しか効果がないこともあります。
このように効果が下がってくるのを避けるには、小スペース広告、たとえば100行サイズ（３段1/4程度）くらいの広告がいいでしょう。小スペース広告なら、効果はそれほどすぐには下がりません」
「広告効果が下がっていくことで、このテストがムダになるようなことは？」
「ありません。これまでに何度もやってきましたが、すべての広告をテストしたあとに、最初にテストした広告のペアをもう１度掲載して、その結果をダブルチェックするのです。もう１度掲載した２種類の広告の効果の差は、最初にテストしたときの結果とほぼ同じでした。つまり、比べる広告のペアをテスト全体のどこに持ってきても、結果の割合は同じになるのです」

2週間で36本もの見出しをどうやってテストしたか

「最高で何種類の広告をこの方法で短期間にテストしたことがある？」

「2週間で36種類の広告をテストしたことがあります。ある医薬品のコピーを用意したときのことで、そのコピーには2つの要素がありました。⑴ その薬の完全なセールストーク、⑵ ブラインドオファーで薬のサンプルを1ドルで提供することです。

コピーの担当部署が、その1種類のコピーに対して36本の見出しを提案してきたのです。そこで、どの見出しが1番多くの人に広告を読んでもらえるか、調べることになりました。コピーは1コラム75行（2段×1/4程度）サイズで、ビジュアルはありません。そこに36本の見出しを1つずつ入れて、テストする36種類の広告を用意しました。

新聞は4紙、スプリットランを提供しているところを選びました。新聞A、B、C、Dとしましょう。

コントロール広告を1つ決めて（同じシリーズなら、どの広告でもコントロールになりえます）、新聞Aの発行部数の半数に10日間出すことにしました。

月曜日から金曜日まで2週間繰り返します。毎日、残りの半数に、36種類の広告を1種類ずつテストしていき、2週間で10種類をテストしました。同じ2週間の間に、別の10種類の広告を新聞Bでテストしました。コントロール広告は同じです。新聞Cでも同じコントロール広告を使って、さらに10種類をテストし、新聞Dでも同じようにして、残りの6種類をテストしました。

最終結果は、2週間で36種類の見出しを同じコントロール広告と比べてテストした結果の全リストを、宣伝効果の高い順に並べたものです。

ある見出しはコントロール広告を300％上回り、また別の見出しは200％上回りました。効果の大きかったこの2種類の見出しの訴求ポイントは全国キャンペーンのベースに使われ、成功しました」

広告テストについての総評

前に述べたとおり、広告は化学と違って厳密な科学ではない。ある化学物質をある割合で混ぜ合わせると言えば、化学者ならその結果を正確に予測できる。しかし、ある広告をある新聞･雑誌に出そうと思うんだが、と広告のプロに相談しても、どんな結果になるかを正確に言ってもらうのはムリだ。それまでの経験に基づいた大まかな意見しか聞けない。

広告の全分野のなかでは、通販広告が1番科学に近いところにいる。

すでにテスト済みのコピーと掲載紙/誌を見せると、経験豊かな通販のプロなら、驚くほど正確に結果を言い当てることはめずらしくない。だからこそ、通販で使われている手法を研究することが、一般広告でも役に立つのだ。

ここでちょっと、広告業界の現状を製造業界の現状と比べてみよう。家電メーカーが新しい絶縁体を製品に組み込むとき、まずテストをいろいろ行ってから、という手順を踏まないことがあるだろうか？

ありえない。自動車メーカーが事前テストも行わずに、新しいタイプの車軸やエナメル塗料、ファブリックを大量に仕入れるだろうか？

とんでもない。ところが、数多くのメーカーが大量の広告費を投じていながら、その広告のテストはと言えば、自分たちの個人的な意見か部下の誰かの意見だけなのだ。広告は、何らかのテストを実施して初めて、その本領を発揮して効果を生むのだ。

すべての広告活動で重要な4要素

1 ● コピー　広告で伝える内容。訴求する内容とその訴求の表現方法も含む。

2 ● 媒体　メッセージを広く伝えるための雑誌、新聞、放送局など。

3 ● 位置　広告の掲載位置。放送コマーシャルなら放送の曜日や時間帯。

4◎シーズン　1年で最も多く広告を打つ時期。

この4つの要素のいずれもが、広告の効果に大きな違いをもたらす。

前に出てきたように、ケープルズは、ある広告が他の広告の**19.5倍の売上を生んだケース**を知っている。それでも、どちらの広告もほぼ同じ条件で出されたもので、そのメーカーが払った費用もほぼ同じだったのだ。これは極端な例だが、小さく見積もっても、平均的な広告キャンペーンで10数種類の広告を出せば、ある広告が他と比べて2～3倍の売上に結びつくことはよくある。

新聞や雑誌にも同じことが言える。つまり、ある新聞が他の新聞の数倍の効果を生むことがあるのだ。掲載位置で見ると、ある特定の位置に掲載されることで、50～100％、問合せや売上が伸びることがよくある。シーズンに関しては、通販の広告が1月には8月の2倍の注文を受けることもめずらしくない。どちらの広告でもメーカーが払う費用は同じなのだ。

この**4要素**（**コピー**、**媒体**、**位置**、**シーズン**）をうまく利用した広告キャンペーンの効果がどれほど大きいか、想像してみてほしい。

こうした要素を正しく理解しているところは、広告費の効果を何倍にもしている。**1ドルで10ドル分の効果を挙げている**のだ。

逆に、こうした要素、なかでもコピーと媒体の読みを間違えているところは、**広告費の大半を捨てている**ことになる。

どんなテスト方法を使うにせよ、重要なのはテストする方法があるということ。テストをすることで、単なる意見を放棄して、事実と取り組めるようになる。ひょっとすると、いまのセールスコピーのなかに、非常に効果的な訴求ポイントがあるかもしれない。その訴求ポイントを広告のメインとして扱えばどんなに効果的か、気づいていないかもしれない。テストをすることでわかるのだ。もしかすると、ムダな訴求にお金を使っているかもしれない。やはりテストすることで、その訴求をやめる方向性も見えてくる。

テストをすれば、宣伝部長やコピーチーフの個人的な意見で自分の企画がズタズタにされるのを防ぐことができる。テストを行うことで、自分たちの仕事は見栄えのいいレイアウトと型どおりのコピーを制作することだけ、と考えているような広告代理店にいいようにされないよう警戒できる。テストすることで、広告について自分が誤った思い込みをしないように用心できる。

そして最後に、テストをすることで、広告のいまの動向が常にわかるようになる。数年前に効果的だった広告が、いまも効果的とは限らないのだ。

トレンドは変わる。世間のものの見方も変わる。何か新しいアイデアを出したら、しばらくはもうかるかもしれない。そのあとすぐに他社がその方法をマネる。するとそのアイデアはもう目新しくなく、ありふれたものになる。人々はそれに慣れ、やがて飽きてしまう。

それでも、絶対に変わらないルールが１つだけある。

すべてを小規模でテストするまでは、大々的な費用をかけないこと。テストすることで、世の中の実情をきちんと把握しておくことができる。世の中の動きを事前に感じることができる。よいものと悪いものを選別し、役に立つものと立たないものを区別することができる。そして、当たり企画とハズレ企画を見分けることができる。テストを行えば、広告の費用対効果を何倍にもすることができるのだ。

「もし、もう１度人生をやり直せるとしたら、たぶん広告業界に入るだろう。広告は、人のありとあらゆる欲求を扱う。非常に多くの人々に、役立つものごとに関する本物の情報をもたらしてくれる。広告は要するに一種の教育だ。広告はどんどん加速しながら、１つの芸術の域に達している」

――フランクリン・D・ルーズベルト（訳注・1882－1945。第32代アメリカ大統領）

索引

［さ行］

［ま行］

［や行］

［ら行］

［わ行］

〈業界別広告実例〉

［著者］

ジョン・ケープルズ（1900～1990）

アメリカの広告業界で58年間も活躍し続けた伝説的コピーライター。うち56年間はBBDO勤務。その長い現役コピーライター人生で、テストを繰り返し、効果を検証する「科学的広告」の促進を常に目指し続けた。
本書の原書初版は1932年。その後ケープルズ自身が４回改訂し、ロングセラーとなっている。まさに、広告界のバイブル決定版である。1973年、米コピーライター殿堂入り。1977年、米広告業界殿堂入り。おもな著書に、『Advertising Ideas』（McGraw-Hill, 1938）、『Making Ads Pay』（Dover Publications, 1957）、『How to Make Your Advertising Make Money』（Prentice-Hall, 1983）などがある。

［監訳者］

神田昌典（かんだ・まさのり）

経営&マーケティング・コンサルタント
マーケティング分野における権威であるDMA国際エコー賞の国際審査員
上智大学外国語学部卒。外務省経済局に勤務後、ニューヨーク大学経済学修士（MA）、ペンシルバニア大学ウォートンスクール経営学修士（MBA）取得。その後、米国家電メーカー日本代表を経て、経営コンサルタントに。
多数の成功企業やベストセラー作家を育成し、総合ビジネス誌では「日本一のマーケッター」に選出。
著書に『稼ぐ言葉の法則』『ストーリー思考』『全脳思考』『60分間・企業ダントツ化プロジェクト』『あなたの悩みが世界を救う！』（以上、ダイヤモンド社）、『成功者の告白』『人生の旋律』（以上、講談社）、監訳書に『伝説のコピーライティング実践バイブル』『ザ・マーケティング【基本篇】』『ザ・マーケティング【実践篇】』（以上、ダイヤモンド社）、監修・解説書に『最強のコピーライティングバイブル』（ダイヤモンド社）等があり、累計出版部数は200万部を超える。

［訳者］

齋藤慎子（さいとう・のりこ）

同志社大学文学部卒業。アメリカの広告業界に学ぶ「成果主義」の広告制作会社で、売る広告、効く販促ツールの企画制作と、その世界各国向け展開に従事。その後、広告代理店AE、オーストラリアとスペインで社内翻訳などを経て、現在は英語とスペイン語の翻訳者。広告関連の訳書に、『伝説のコピーライティング実践バイブル』『ザ・マーケティング【基本篇】』『ザ・マーケティング【実践篇】』（以上、ダイヤモンド社）、『究極のセールスレター』『究極のマーケティングプラン』（以上、東洋経済新報社）がある。

依田卓巳（よだ・たくみ）

翻訳家。おもな翻訳書に『１分間セルフ・リーダーシップ』『バズ・マーケティング』『ザ・ジャストインタイム』（以上、ダイヤモンド社）、『ビル・ゲイツ、北京に立つ』（日本経済新聞出版社）などがある。

ザ・コピーライティング——心の琴線にふれる言葉の法則

2008年9月19日　第1刷発行
2021年9月8日　第26刷発行

著　者——ジョン・ケープルズ
監訳者——神田昌典
訳　者——齋藤慎子＋依田卓巳
発行所——ダイヤモンド社
〒150-8409　東京都渋谷区神宮前6-12-17
https://www.diamond.co.jp/
電話／03·5778·7233（編集）　03·5778·7240（販売）
装丁————廣田清子（Office Sun Ra）
製作進行——ダイヤモンド・グラフィック社
印刷————勇進印刷(本文)・加藤文明社(カバー)
製本————ブックアート
編集担当——寺田庸二

©2008 Masanori Kanda&Noriko Saito&Takumi Yoda
ISBN 978-4-478-00453-1
落丁・乱丁本はお手数ですが小社営業局宛にお送りください。送料小社負担にてお取替えいたします。但し、古書店で購入されたものについてはお取替えできません。
無断転載・複製を禁ず
Printed in Japan

◆ダイヤモンド社の本◆

若き神田昌典が８万円をはたいて むさぼり読んだ伝説の書！

『ザ・コピーライティング』が理論篇とすれば、本書が実践篇！　70年以上読み継がれている、“黄金のクラシックシリーズ”で、“効果実証済”の成功事例が体感できる！

伝説のコピーライティング実践バイブル

史上最も売れる言葉を生み出した男の成功事例269

ロバート・コリアー［著］神田昌典［監訳］齋藤慎子［訳］

●A5判並製●定価（本体4800円＋税）

http://www.diamond.co.jp/

◆ダイヤモンド社の本◆

「マーケティングは、もはやすべてダイレクトマーケティングになった」──神田昌典

世界中で40年近く読み継がれている珠玉のバイブル！　ノースウェスタン大学など全米トップスクール37校の教科書！『ザ・コピーライティング』『伝説のコピーライティング実践バイブル』に続くダイレクトマーケティング3部作の完結篇！

ザ・マーケティング【基本篇】&【実践篇】

激変する環境で通用する唯一の教科書

ボブ・ストーン＋ロン・ジェイコブス［著］神田昌典［監訳］齋藤慎子［訳］

●A5判並製●各定価(本体3800円＋税)

http://www.diamond.co.jp/

◆ダイヤモンド社の本◆

神田昌典「これは、今後100年、歴史に刻まれる名著だ！」

サントリー、ソフトバンク、アウディ、ソニー損保、再春館製薬所、山田養蜂場、ユニクロ、イオン、資生堂、JAL、JR東海、カゴメ、四谷学院……
すべて国内事例だから、すぐ使える！

最強のコピーライティングバイブル

伝説の名著3部作が1冊に凝縮！ 国内成功100事例付き

神田昌典［監修・解説］横田伊佐男［著］

●A5判並製●定価（本体1980円＋税）

http://www.diamond.co.jp/